MAGISTERIUM

LIVRO UM

O Desafio
De
Ferro

MAGISTERIUM

Livro Um

O Desafio De Ferro

Holly Black & Cassandra Clare

com ilustrações de Scott Fischer

Tradução
Amanda Orlando

Título original: *Magisterium – The Iron Trial*
Copyright © 2014 by Holly Black and Cassandra Claire LLC
Ilustrações © 2014 by Scott Fischer
© 2022 Editora Novo Conceito

Todos os direitos reservados.
Esta é uma obra de ficção. Nomes, personagens, lugares e acontecimentos descritos são produto da imaginação do autor. Qualquer semelhança com nomes, datas e acontecimentos reais é mera coincidência.

Versão impressa – 2014

Produção editorial: Equipe Novo Conceito
Diagramação: Futura *(rogerio@futuraeditoracao.com)*
Arte da capa: © Alexandre Chaudret
Design da capa: © Whitney Lyle & Christopher Stengel
Tipologia: © Jim Tierny
Este livro segue as regras da Nova Ortografia da Língua Portuguesa.

Dados Internacionais de Catalogação na Publicação (CIP)
(Câmara Brasileira do Livro, SP, Brasil)

Black, Holly
   Magisterium : O desafio de ferro/Holly Black e Cassandra Clare; tradução Amanda Orlando. – Ribeirão Preto, SP: Novo Conceito Editora, 2022.

   Título original: The iron trial.
   ISBN 978-85-8163-557-6

   1. Ficção norte-americana I. Clare, Cassandra. II. Título.

14-06070 | CDD-813

Índices para catálogo sistemático:
1. Ficção : Literatura norte-americana 813

Rua Dr. Hugo Fortes, 1885 — Parque Industrial Lagoinha
14095-260 – Ribeirão Preto – SP
www.grupoeditorialnovoconceito.com.br

SUMÁRIO

PRÓLOGO 9

CAPÍTULO UM 15
CAPÍTULO DOIS 27
CAPÍTULO TRÊS 47
CAPÍTULO QUATRO 65
CAPÍTULO CINCO 79
CAPÍTULO SEIS 93
CAPÍTULO SETE 103
CAPÍTULO OITO 123
CAPÍTULO NOVE 139
CAPÍTULO DEZ 147
CAPÍTULO ONZE 163
CAPÍTULO DOZE 173
CAPÍTULO TREZE 187
CAPÍTULO QUATORZE 205
CAPÍTULO QUINZE 217
CAPÍTULO DEZESSEIS 233
CAPÍTULO DEZESSETE 243
CAPÍTULO DEZOITO 255
CAPÍTULO DEZENOVE 265
CAPÍTULO VINTE 275
CAPÍTULO VINTE E UM 283
CAPÍTULO VINTE E DOIS 299
CAPÍTULO VINTE E TRÊS 311

CAPÍTULO VINTE E QUATRO 327
CAPÍTULO VINTE E CINCO 343

SOBRE AS AUTORAS 357
NOTAS 359

Para Sebastian Fox Black,
Sobre quem ninguém escreveu nenhuma
mensagem ameaçadora no gelo

↑≋△О@

PRÓLOGO

De certa distância, o homem que lutava para erguer o rosto branco da geleira deve ter se assemelhado a uma formiga que lentamente se arrastava pela borda de um prato na mesa do jantar. A favela de La Rinconada era uma coleção de pontos dispersos lá embaixo, ao longe. O vento aumentava à medida que ele subia, soprando lufadas de neve triturada em seu rosto e congelando os cachos úmidos de seu cabelo. Apesar de seus óculos de proteção com lentes cor de âmbar, ele se contraiu diante do brilho do pôr do sol refletido no gelo.

Ainda assim, o homem não tinha medo de cair, apesar de não utilizar cordas ou descensores, apenas *crampons*1 e um único *piolet*2. O nome dele era Alastair Hunt e ele era um mago. Ele moldava a substância congelada da geleira sob suas mãos à medida que subia. Agarras para as mãos e para os pés surgiam à medida que ele escalava e avançava.

Quando atingiu a caverna, na metade da geleira, ele estava semicongelado e completamente exausto por ter de domar sua vontade no intuito de suportar o pior dos elementos. Essa exploração contínua de sua magia minou as energias do mago, mas ele não ousou diminuir o passo.

A própria caverna se abria como uma boca para o lado de dentro da montanha, impossível de ser vista por quem estivesse acima ou abaixo daquele ponto. Ele parou na entrada e respirou fundo, amaldiçoando-se por não ter chegado ali mais cedo, por se deixar enganar. Em La Rinconada, as pessoas viram a explosão e sussurraram entredentes sobre o que aquilo significava, o fogo dentro do gelo.

Fogo dentro do gelo. Aquele tinha de ser um sinal de perigo... ou de um ataque. A caverna estava repleta de magos muito velhos para lutar ou muito jovens, os feridos e os doentes, mães de crianças ainda muito novas para serem abandonadas — como a própria esposa e o filho de Alastair. Eles haviam sido escondidos ali, em um dos locais mais remotos da Terra.

O Mestre Rufus havia insistido que, se não fizessem isso, se tornariam vulneráveis, reféns do destino, e Alastair acreditara nele. Assim, quando o Inimigo da Morte não apareceu no campo de batalha para encarar o campeão dos magos, a garota Makar, em quem eles haviam depositado todas as esperanças, Alastair se deu conta do seu erro. Ele seguiu para La Rinconada o mais depressa que pôde, voando a maior parte do tempo nas costas de um elemental do ar. Em seguida, ele fez o caminho a pé, já que o controle do Inimigo sobre os elementais era imprevisível e poderoso. Quanto mais ele escalava, mais o pavor o dominava.

"Que eles estejam bem", ele pensava enquanto entrava na caverna. "Por favor, permita que eles estejam bem."

Deveria haver algum som de crianças chorando. Deveria haver o burburinho de conversas nervosas e o zumbido de uma magia tênue. Em vez disso, havia apenas o uivo do vento que soprava do cume desolado da montanha. As paredes da caverna estavam cobertas pelo gelo branco, com pústulas vermelhas e marrons onde o sangue respingara e derretera, formando poças. Alastair tirou os óculos de proteção e os largou no chão, obrigando-se a seguir pela passagem, recorrendo a seus últimos resquícios de poder para se manter de pé.

As paredes emanavam uma horripilante luz fosforescente. Ao se afastar da entrada, essa era a única luz com que podia contar, o que provavelmente explicava o fato de ele ter tropeçado no primeiro corpo e quase cair de joelhos. Alastair se recompôs com um grito e em seguida recuou enquanto ouvia seu próprio grito lhe ser devolvido pelo eco. A maga caída havia sido queimada e era impossível reconhecê-la, embora ela usasse o cinto de couro com a grande peça de cobre batido que a identificava como uma aluna do segundo ano do Magisterium. Ela não devia ter mais que treze anos.

"A esta altura, você já deveria estar habituado à morte", ele disse para si mesmo. Estavam em guerra com o Inimigo havia uma década, mas às vezes esse tempo parecia ser um século. No início, aquilo parecia impossível — um jovem, um dos Makaris, inclusive, que planejava conquistar a própria morte. Entretanto, o Inimigo tornou-se poderoso e seu exército de Dominados pelo Caos cresceu, a ameaça se tornou uma calamidade da qual era impossível escapar... e que culminou no massacre impiedoso dos mais desamparados, dos mais inocentes.

Alastair se pôs de pé e penetrou ainda mais na caverna, procurava desesperadamente um rosto mais do que todos os outros. Ele abriu caminho entre os corpos dos velhos Mestres do Magisterium e do Collegium, filhos de amigos e conhecidos e magos que foram feridos em batalhas anteriores. Entre eles estavam os cadáveres alquebrados dos Dominados pelo caos, seus olhos em torvelinho escurecidos para sempre. Apesar de os magos não estarem preparados para o ataque, eles deviam ter realizado uma grande batalha dado o número de massacrados das forças do Inimigo. O horror revirava suas entranhas, os dedos das mãos e dos pés estavam dormentes e Alastair chocava-se com tudo aquilo... até que a viu.

Sarah.

Ele a encontrou caída em um canto, jogada contra a parede de gelo. Os olhos estavam abertos, encarando o nada. As íris pareciam turvas e os cílios estavam congelados. Ele se abaixou e acariciou uma de suas bochechas gélidas. Ele respirou fundo e seus soluços cortaram o ar.

Mas onde estava seu filho? Onde estava Callum?

Uma adaga estava presa à mão direita de Sarah. Ela se destacara na modelagem do minério extraído das profundezas do solo. A própria Sarah havia fabricado aquela adaga em seu último ano no Magisterium. A arma tinha um nome: Semíramis. Alastair sabia o quanto Sarah prezava aquela adaga. "Se eu morrer, quero que seja segurando minha própria arma", ela sempre lhe dizia. Só que ele não queria que ela morresse, seja como fosse.

Os dedos de Alastair roçaram as bochechas frias.

Um choro fez com que ele se erguesse em um pulo. Naquela caverna repleta de morte e silêncio, um choro.

Uma criança.

Ele se virou, procurando freneticamente a fonte daquele lamento lânguido. Parecia vir de algum lugar próximo à entrada. Mais que depressa, ele percorreu o caminho de onde viera, tropeçando em corpos, alguns deles rígidos como estátuas — até que, de repente, outro rosto familiar o encarou em meio à carnificina.

Declan. O irmão de Sarah, ferido na última batalha. Ele parecia ter sido sufocado até a morte por uma magia do ar particularmente cruel. O rosto estava azul e os olhos, injetados com vasos sanguíneos partidos. Um de seus braços estava arqueado, e, debaixo dele, protegido do chão congelado por um cobertor, estava o filho de Alastair. Enquanto o pai observava, impressionado, o garoto abriu a boca e soltou um novo pequeno gemido de choro.

Como se em um transe, tremendo de alívio, Alastair se abaixou e ergueu o filho. O garoto olhou para ele com seus imensos olhos cinza e abriu a boca para gritar de novo. Quando o cobertor revelou parte do corpo da criança, ele entendeu o choro. A perna do bebê pendia em um ângulo terrível, como um galho de árvore quebrado.

Alastair tentou invocar a magia da terra para curar o menino, porém tinha apenas poder suficiente para afastar um pouco da dor. Com o coração acelerado, ele voltou a envolver o bebê com o cobertor e adentrou novamente a caverna até o local onde estava Sarah. Segurando o filho como se ela pudesse vê-lo, ele se ajoelhou ao lado do corpo.

— Sarah — ele sussurrou. As lágrimas o deixavam rouco —, contarei a ele que você morreu para protegê-lo. Irei criá-lo com a lembrança do quanto você foi corajosa.

Os olhos da esposa o encaravam, vazios e pálidos. Ele segurou o bebê o mais próximo possível do cadáver e tirou Semíramis da mão de Sarah. Ao fazer isso, Alastair percebeu que o gelo ao redor da lâmina estava estranhamente marcado, como se ela o tivesse arranhado enquanto morria. As marcas, entretanto, eram muito deliberadas para que houvessem sido feitas sem nenhum intuito. Quando ele se abaixou para ver de perto, se deu conta de que os arranhões formavam palavras — palavras que a esposa encravou no gelo da caverna com suas últimas forças.

Quando ele as leu, foi como se tomasse três socos violentos no estômago.

MATE A CRIANÇA.

CAPÍTULO UM

Callum Hunt era uma lenda em sua cidadezinha na Carolina do Norte, mas não de um jeito bom. Ele era famoso por expulsar professores substitutos com seus comentários sarcásticos e também era especialista em perturbar diretores, inspetores e merendeiras. No início, os psicólogos sempre tentavam ajudá-lo (afinal, a mãe do pobre menino havia morrido), mas no fim sempre torciam para que ele nunca mais aparecesse em suas salas. Não havia nada mais vergonhoso do que não ser capaz de lidar com o retorno repentino de um garoto de doze anos cheio de raiva.

Sua constante expressão carrancuda, o cabelo preto bagunçado e os suspeitos olhos cinzentos eram bem conhecidos pelos vizinhos. Ele gostava de skate, apesar de ter levado um tempo para aprender a andar. Vários carros ainda ostentavam amassados bem feios, fruto de suas primeiras tentativas. Ele era constantemente visto espreitando a vitrine da loja de quadrinhos, o fliperama e a loja de *video games*. Até o prefeito o conhecia. Deve ter sido difícil esquecer Call depois que ele furtou uma ratazana-toupeira pelada de uma loja de animais local durante a Parada de Primeiro de Maio. A ratazana serviria de alimento para uma jiboia. Ele sentiu pena da criatura cega e enrugada, que parecia incapaz de se defender — e, para ser justo, Call também libertou todos os camundongos brancos que poderiam se tornar o próximo jantar da cobra.

Ele jamais poderia imaginar que os camundongos correriam como malucos debaixo dos pés das pessoas que desfilavam, só que camundongos não são bichos muito espertos. Ele também não tinha cogitado a possibilidade de o público fugir dos bichos, só que as pessoas também não são muito espertas, como o pai dele lhe explicou depois que tudo estava acabado. A parada fora arruinada, mas não era culpa de Call. O problema foi que todo mundo — em especial o prefeito — agia como se fosse. E, ainda por cima, seu pai fez com que ele devolvesse a ratazana-toupeira.

O pai de Call não aprovava roubos.

Segundo ele, isso era tão ruim quanto magia.

↑≈△○◉

Callum se mexia, impaciente, na cadeira dura em frente ao gabinete do diretor, imaginando se voltaria à escola no dia seguinte e se alguém sentiria a sua falta caso não voltasse. Pela milésima vez, repassou todas as diferentes maneiras de ser reprovado no teste para mago — o ideal é que fosse da forma mais espetacular possível. O pai listou várias opções que sem dúvida alguma fariam com que fracassasse: "Deixe a cabeça completamente vazia. Ou se concentre em algo que seja o oposto do que aqueles monstros querem. Ou foque a mente no teste de outra pessoa." Call esfregava a panturrilha, que estava rígida e doeu durante a aula aquela manhã, como acontecia de vez em quando. Pelo menos seria fácil levar bomba na parte física do teste — seja lá o que fosse.

Bem na outra ponta do corredor ele podia ouvir o resto do pessoal na aula de Educação Física. Os tênis chiavam no chão de madeira brilhante, as vozes se elevavam quando os alunos gritavam insultos uns para os outros. Call queria poder jogar pelo menos uma vez. Ele podia não ser tão rápido como os outros garotos, nem era capaz de manter o equilíbrio, mas estava repleto de uma energia implacável. Ele era dispensado das aulas de Educação Física por causa da perna. Até mesmo no ensino fundamental, sempre que tentava correr, pular ou escalar durante o recreio, um dos monitores ia até ele para lhe lembrar que devia se acalmar antes que se machucasse. Se continuasse a agir daquela forma, seria obrigado a voltar para a sala de aula.

Como se alguns roxos fossem a pior coisa que pudesse acontecer com uma pessoa. Como se a perna dele fosse ficar pior.

Call soltou um suspiro e olhou através das portas de vidro da escola para o lugar onde seu pai estacionaria o carro em instantes. Ele tinha aquele tipo de carro que nunca passava despercebido: um Rolls-Royce Phantom, 1937, pintado de prata resplandecente. Ninguém na cidade possuía algo como aquilo. O pai de Call era dono de uma loja de antiguidades na Rua Principal chamada Agora e Sempre. Não havia nada de que ele gostasse mais do que pegar coisas velhas e quebradas para transformá-las em objetos novos em folha. Para manter o carro em funcionamento, ele tinha de consertá-lo todo fim de semana. E constantemente pedia a Call para que o lavasse e lustrasse com uma cera para carros antigos toda esquisita que evitava a ferrugem.

O Rolls-Royce funcionava perfeitamente... ao contrário de Call. Ele olhava para os próprios tênis enquanto tamborilava os pés no chão. Quando vestia jeans como o que usava naquele dia, não dava para dizer que havia algo errado com sua perna, mas, assim que se levantava e começava a andar, qualquer um tinha certeza de que havia alguma coisa errada. Ele fez cirurgia após cirurgia desde que era bebê e todo tipo de fisioterapia, mas nada ajudou de verdade. Ele ainda mancava, arrastando os pés como se tentasse pisar em um barco que ia de um lado para o outro.

Quando era mais novo, ele às vezes brincava que era um pirata, ou até mesmo um corajoso marinheiro com uma perna de pau, que naufragava com seu navio após uma batalha de canhões. Ele brincava de pirata, ninja, caubói e explorador alienígena.

Mas nunca nenhuma de suas brincadeiras envolvia mágica.

Jamais.

Ele ouviu o ronco de um motor e começou a se levantar — para em seguida retornar para o banco, irritado. Não era o pai dele, só um Toyota vermelho comum. Um momento depois, Kylie Myles, aluna do mesmo ano que Call, passou correndo por ele com uma professora atrás dela.

— Boa sorte no seu teste de balé — a srta. Kemal lhe disse antes de voltar à sua sala.

— Vai dar tudo certo, obrigada — Kylie respondeu e olhou para Call de um jeito estranho, como se o avaliasse. Kylie *nunca* olhava para Call. Essa era uma das características que a definiam, junto com o brilhante cabelo loiro e a mochila de unicórnio. Quando se cruzavam no corredor, o olhar de Kylie passava por Call como se ele fosse invisível.

Com um meio aceno ainda mais estranho e surpreendente, ela foi até o Toyota. Call pôde ver os pais dela nos bancos dianteiros. Pareciam ansiosos.

Ela não podia estar a caminho do mesmo lugar que ele, não é? Ela não podia estar a caminho do Desafio de Ferro. Mas, se ela estivesse...

Ele se obrigou a levantar da cadeira. Se ela realmente estivesse indo para lá, alguém tinha de avisá-la.

"Várias crianças acham que isso tem a ver com serem especiais", o pai de Call havia dito. A repulsa na voz dele era evidente. "Os pais delas também acham a mesma coisa. Em especial nas famílias onde a habilidade mágica data de gerações. Em algumas famílias onde a magia foi praticamente extinta, ter uma criança mágica é uma esperança de que esse poder possa retornar. Porém, são as crianças sem familiares com poderes mágicos as que mais merecem nossa compaixão. São elas as que pensam que tudo será como nos filmes."

"Nada é como nos filmes."

Naquele momento, o pai de Call estacionou no meio-fio em frente à escola com um guinchar dos freios, cobrindo a visão que Call tinha de Kylie. Call cambaleou até a porta e saiu do prédio, mas, quando chegou até o Rolls, o Toyota dos Myles já tinha virado a esquina, ficando, assim, fora do seu campo de visão.

Ele tinha tanto para adverti-la.

— Call. — O pai dele tinha saído do carro e apoiava-se na porta do passageiro. O cabelo dele era cortado de forma desigual, com uma franja comprida, o mesmo cabelo preto e emaranhado que Call herdara, e começava a ficar grisalho dos lados. Ele vestia um paletó de tweed com aplicações de couro nos cotovelos, apesar do calor. Call às vezes pensava que seu pai parecia o Sherlock Holmes do antigo seriado da BBC. Às vezes as pessoas pareciam surpresas por ele não ter sotaque britânico. — Está pronto?

Call deu de ombros. Como ele poderia estar pronto para algo que poderia ferrar com toda a sua vida se desse errado? Ou certo, naquele caso.

— Acho que sim.

O pai abriu a porta.

— Bom. Entre no carro.

O interior do Rolls-Royce era tão impecável quanto a parte externa. Call ficou surpreso ao ver seu velho par de muletas jogado no banco de trás. Fazia anos que não precisava mais delas. A última vez foi quando caiu de um trepa-trepa e torceu o tornozelo da perna *boa*. Quando o pai escorregou para dentro do carro e ligou o motor, Call apontou para as muletas e perguntou:

— Por que isso?

— Quanto pior você parecer, mais provável será que eles o rejeitem — explicou o pai, carrancudo, olhando para trás enquanto tirava o carro do estacionamento.

— Isso parece trapaça — Call reclamou.

— Call, as pessoas trapaceiam para *ganhar*. Não é possível trapacear para perder.

O garoto revirou os olhos, deixando que o pai acreditasse no que bem entendesse. Tudo o que Call sabia é que tinha certeza de que ele não usaria de jeito nenhum aquelas muletas se não fosse necessário. Entretanto, não queria discutir esse assunto, não naquele dia, quando o pai já tinha queimado as torradas no café da manhã e lhe dado a maior bronca quando reclamou sobre ter de ir à aula apenas para ir embora apenas algumas horas depois.

O pai estava curvado sobre o volante, rangia os dentes e tinha os dedos da mão direita apertados ao redor do câmbio, passando as marchas com uma violência desnecessária.

Call tentou focar os olhos nas árvores do lado de fora, cujas folhas começavam a se tornar amarelas, e também tentava se lembrar de tudo o que sabia sobre o Magisterium. Na primeira vez em que seu pai dissera algo sobre os mestres e como eles escolhiam seus aprendizes, fez com que Call se sentasse em uma das grandes poltronas de couro do seu escritório. O cotovelo de Call estava enfaixado e o lábio cortado devido a uma briga na escola, e ele não estava no menor clima para ouvir aquelas coisas. Além disso, a expressão no rosto do pai era tão séria que deixou Call assustado. E também tinha a maneira como ele falava, que dava a impressão de que ele iria a qualquer momento revelar que sofria de uma doença grave. Descobriu-se que a tal doença era um potencial para a magia.

Call se movia ruidosamente na poltrona enquanto o pai falava. Ele estava acostumado com as zombarias. As outras crianças achavam que sua perna o tornava um alvo fácil. Em geral, ele estava acostumado a mostrar a elas que as coisas não eram bem assim. Daquela vez, entretanto, um grupo de garotos mais velhos o encurralou atrás de um galpão junto ao trepa-trepa em seu caminho da escola até em casa. Eles o empurraram e vieram com os insultos de sempre. Callum tinha aprendido que a maioria das pessoas recuava sempre que ele começava uma briga, por isso tentou atingir o menino mais alto. Aquele foi seu primeiro erro. Mais que depressa, eles o jogaram no chão, um deles sentou sobre seus joelhos, enquanto outro lhe socava o rosto na tentativa de fazer com que se desculpasse e admitisse que era um palhaço manco.

— Desculpe por ser incrível, seus perdedores — Call disse antes de apagar.

Ele deve ter ficado fora do ar por apenas um minuto, pois, quando abriu os olhos, pôde ver ao longe as figuras dos garotos batendo em retirada. Eles fugiram. Call não conseguia acreditar que sua réplica tinha funcionado tão bem.

— Tudo bem — ele disse enquanto se sentava. — É mesmo melhor correr!

Ele então olhou ao redor e viu que havia uma rachadura no concreto que pavimentava o parquinho. Uma longa fissura que ia dos balanços até a parede do galpão, dividindo a construção em duas metades.

Ele estava deitado sobre o que parecia ser o cenário de um pequeno terremoto.

Call achou que aquela era a coisa mais incrível que já lhe acontecera. O pai discordou.

— A magia está em algumas famílias — o pai explicou. — Nem todos na nossa família necessariamente a possuem, mas parece que ela se manifestou em você. Infelizmente. Sinto muito, Call.

— Então a rachadura no concreto... Você está dizendo que eu fiz aquilo? — Call estava dividido entre a alegria boba e o extremo horror, mas, no fim, a alegria acabou levando a melhor. Ele podia sentir os cantos da boca se erguerem e tentou forçá-los a voltar para o lugar. — É isso o que os magos fazem?

— Os magos lidam com os elementos: terra, ar, água, fogo e até mesmo o vazio, que é a fonte da mais poderosa e terrível magia entre todas, a magia do caos. Eles podem usar a magia para muitas coisas, incluindo abrir fendas na terra, como você fez. — O pai balançava a cabeça. — No início, quando a magia flui pela primeira vez, é muito intensa. Poder em estado bruto... Porém, o equilíbrio é o que ameniza a habilidade mágica. É preciso muito estudo para ter o mesmo nível de magia de um mago recém-desperto. Magos jovens possuem pouco controle. Entretanto, Call, você deve lutar contra isso. E nunca mais deve usar magia. Se o fizer, os magos irão levá-lo embora para os túneis onde vivem.

— É lá que fica a escola? O Magisterium fica no subsolo? — Call perguntou.

— Enterrada sob a terra, onde ninguém é capaz de encontrá-la — o pai lhe informou, sombrio. — Não há luz lá, nem janelas. O lugar é um labirinto. Você pode se perder nas cavernas e morrer sem que ninguém jamais saiba onde você foi parar.

Call lambeu os lábios, que haviam se tornado subitamente secos.

— Mas você é um mago, não é?

— Eu não uso magia desde que sua mãe morreu. Jamais usarei novamente.

— E a minha mãe foi para lá? Para esses túneis? Sério?

— Call estava ávido para ouvir qualquer coisa sobre a mãe. Ele não sabia muito sobre ela. Nada além de algumas fotografias amareladas em um velho álbum que mostravam uma bela mulher com o mesmo cabelo negro retinto de Call e olhos de uma cor que o menino não conseguia distinguir. Ele sabia que era melhor não fazer muitas perguntas para o pai sobre ela. Ele nunca falava sobre a mãe de Call, a não ser quando era absolutamente necessário.

— Sim, ela foi — disse o pai de Call. — E foi por causa da magia que ela morreu. Quando os magos entram em guerra, o que acontece com frequência, eles não se importam se as pessoas morrem. E essa é outra razão pela qual você não deve chamar a atenção deles.

Naquela noite, Call acordou gritando, acreditando que estava preso debaixo da terra, que se acumulava sobre ele como se estivesse sendo enterrado vivo. Por mais que cavasse, não conseguia respirar. Depois daquilo, sonhou que fugia de um monstro feito de fumaça cujos olhos eram uma espiral com milhares de cores diferentes... mas ele não conseguia correr rápido o suficiente por causa da perna. No sonho, o monstro se arrastava atrás dele como uma coisa morta até que Call finalmente tombou no chão, com o hálito quente do monstro em seu pescoço.

Outras crianças da turma de Call tinham medo do escuro, do monstro debaixo da cama, de zumbis ou de assassinos com machados gigantes. Call temia os magos, e o seu medo era mais intenso que o de qualquer outro garoto.

Agora ele iria encontrá-los. Os mesmos magos responsáveis pela morte de sua mãe e pelo fato de seu pai raramente sorrir e não ter amigos, passando os dias sentado na oficina instalada na garagem onde consertava móveis, joias e carros quebrados. Call achava que uma pessoa não precisava ser um gênio para descobrir por que o pai tinha essa obsessão por consertar as coisas.

Eles passaram zunindo por uma placa que lhes dava as boas-vindas à Virgínia. Tudo parecia o mesmo. Ele não sabia o que esperar, já que raramente saía da Carolina do Norte. As viagens além de Asheville eram incomuns, em geral para participarem de encontros de troca de peças de carro e feiras de antiguidades nas quais Call vagava entre montes de prataria escurecida, coleções de figurinhas de beisebol guardadas em capas plásticas e estranhas antigas cabeças de iaque empalhadas, que o pai barganhava por alguns trocados.

Ocorreu a Call que, se ele não se ferrasse no teste, poderia nunca mais ir a um desses encontros de trocas. Seu estômago revirou e um calafrio sacudiu seus ossos. Ele se obrigou a pensar no plano que o pai arquitetara: "Deixe a cabeça totalmente vazia. Ou foque em algo que não tem nada a ver com a que aqueles monstros querem. Ou concentre sua atenção no teste de outra pessoa."

Ele soltou uma lufada de ar. O nervosismo do pai parecia contagiá-lo. Tudo daria certo. Era fácil se dar mal em provas.

O carro saiu da rodovia e entrou em uma estrada estreita. A única placa trazia o símbolo de um avião e as palavras CAMPO DE POUSO FECHADO PARA REFORMA logo abaixo.

— Para onde estamos indo? — Call perguntou. — Vamos *voar* para algum lugar?

— Vamos torcer para que não — o pai murmurou. Abruptamente, o asfalto deu lugar ao chão de terra. Enquanto eles sacolejavam pelas poucas centenas de metros seguintes, Call se agarrou à janela para evitar voar e bater a cabeça no teto. Rolls-Royces não foram feitos para estradas de terra.

De repente, a estrada se tornou mais larga e as árvores ficaram mais escassas. O Rolls-Royce se encontrava em um grande descampado. E no meio havia um enorme hangar feito de aço corrugado. Mais de cem carros estavam estacionados ao redor, de picapes caindo aos pedaços a sedãs quase tão chiques quanto o Phantom e muito mais novos. Call viu pais e seus filhos, todos por volta da mesma idade que ele, correndo na direção do hangar.

— Acho que estamos atrasados — Call comentou.

— Bom. — O pai parecia sinistramente satisfeito. Estacionou o carro e saiu, fazendo um gesto para que Call o seguisse. O garoto estava feliz por ver que o pai aparentemente esquecera as muletas. Era um dia quente, e o som batia em cheio na camiseta cinza de Call. Ele enxugou o suor da palma das mãos na calça jeans enquanto os dois atravessavam o terreno até o grande espaço negro que era a entrada do hangar.

Lá dentro estava uma loucura. Crianças iam de um lado para o outro com suas vozes ecoando pelo vasto espaço. Arquibancadas foram montadas ao longo de uma das paredes de metal. Apesar de serem capazes de abrigar um número muito maior de pessoas do que as que estavam ali presentes, elas pareciam ser diminuídas pela imensidão daquele espaço. Xis e círculos haviam sido marcados no chão de concreto com uma fita de cor azul vivo.

Do outro lado, em frente às portas do hangar que um dia deveriam ter sido abertas para que os aviões taxiassem até as pistas, estavam os magos.

CAPÍTULO DOIS

Havia apenas meia dúzia de magos, mas eles pareciam preencher todo o espaço com suas presenças. Call não tinha certeza de como pensou que seria — ele sabia que o pai era um mago e tinha uma aparência bastante comum, se é que usar um paletó de tweed pudesse ser considerado uma coisa comum. Call imaginava que os outros magos tivessem uma aparência mais estranha. Talvez usassem chapéus pontudos. Ou, quem sabe, capas com estrelas prateadas. Ele esperava que alguém tivesse a pele esverdeada.

Para seu desapontamento, eles pareciam completamente normais. Eram três mulheres e três homens, todos usavam roupas largas, mangas compridas e túnicas negras acinturadas sobre calças feitas do mesmo tecido. Os magos ostentavam argolas de metal e couro ao redor dos pulsos, mas Call não sabia dizer se havia algo de especial nelas ou se aquilo simplesmente estava na moda.

O mais alto dos magos, um homem grande, de ombros largos, nariz aquilino e cabelo desgrenhado permeado por algumas tranças prateadas, deu um passo à frente e se dirigiu às famílias nas arquibancadas.

— Bem-vindos, aspirantes, e bem-vindas, famílias dos aspirantes, à tarde mais importante da vida de seus filhos.

"Está certo", Call pensou. "Quem falou mesmo em pressão?"

— Todos eles sabem que estão aqui para tentar uma vaga em uma escola de magos? — ele perguntou baixinho.

O pai negou com a cabeça.

— Os pais acreditam naquilo em que querem acreditar e ouvem aquilo que querem ouvir. Se eles querem que o filho seja um atleta famoso, acreditam que ele vai para um programa de treinamento. Se esperam que a filha seja uma neurocirurgiã, isto aqui é a introdução da introdução do curso de medicina. Se eles querem que os filhos sejam milionários, então acreditam que essa é uma espécie de escola preparatória onde eles confraternizarão com os ricos e poderosos.

O mago prosseguiu, explicando o que aconteceria naquela tarde, quanto tempo levaria.

— Alguns de vocês viajaram uma longa distância para dar essa oportunidade aos seus filhos, e nós queremos agradecê-los pelo esforço...

Call podia ouvi-lo, mas também escutava outra voz, que parecia vir de todos os lugares e de lugar nenhum ao mesmo tempo.

Quando o Mestre North acabar seu discurso, todos os aspirantes devem se levantar e ir até a frente. O Desafio está prestes a começar.

— Você ouviu isso? — Call perguntou ao pai, que assentiu. Call olhou ao redor para o rosto das pessoas, todos eles voltados para os magos. Alguns se mostravam apreensivos, outros sorriam. — E o resto dos garotos?

O mago — que Call supôs que deveria ser o Mestre North, de acordo com as palavras da voz imaterial — terminava seu discurso. Call sabia que devia começar a descer as escadas, já que demoraria mais tempo que os outros para isso. Porém, queria descobrir a resposta.

— Qualquer um com o mínimo de poder é capaz de ouvir o Mestre Phineus, a maioria dos aspirantes já teve algum tipo de acontecimento mágico antes. Alguns até imaginam o que são, outros já têm certeza e o resto está prestes a descobrir.

Houve uma confusão de crianças que se levantavam, fazendo a arquibancada tremer.

— Então esse é o primeiro teste? — Call perguntou ao pai. — Se conseguimos ouvir o Mestre Phineus?

O pai mal parecia registrar o que Call dizia. Ele parecia distraído.

— Acho que sim. Porém, os outros testes serão muito piores. Basta lembrar do que eu lhe disse e tudo estará acabado em breve. — Ele pegou os pulsos de Call, o que o deixou bastante surpreso. Call sabia que o pai se importava com ele, mas na maior parte do tempo não era o tipo de cara que costumava trocar carinhos físicos. Ele pegou as mãos de Call, mas as largou mais do que depressa. — Agora vá.

Enquanto Call descia as arquibancadas, as outras crianças eram separadas em grupos. Uma das magas fez um gesto para que Call se juntasse ao último grupo. Todos os outros aspirantes sussurravam uns com os outros, parecendo nervosos, ainda que tomados pela ansiedade. Call viu Kylie Myles a dois grupos dele. Ele imaginou se não deveria gritar para Kylie que ela não estava ali para nenhum teste de balé, mas a garota dava risadinhas e conversava com outros aspirantes. Assim, de qualquer forma, ele nem tinha certeza se ela chegaria a ouvi-lo.

"Testes da escola de balé", ele pensou, sombrio. "Foi assim que eles fisgaram você."

— Eu sou a Mestra Milagros — a maga que orientara Call começou a dizer enquanto liderava habilmente os garotos para fora do salão por um corredor longo, pintado de uma cor insossa. — Neste primeiro teste, todos vocês ficarão juntos. Por favor, fiquem atrás de mim de forma ordenada.

Call, que já estava quase ficando para trás, acelerou um pouco o passo para alcançá-los. Ele sabia que atrasos seriam provavelmente uma vantagem se queria que achassem que ele não dava a mínima para os testes ou não sabia o que estava fazendo, mas ele odiava os olhares que recebia quando ficava para trás. Na verdade, ele correu tão depressa que acidentalmente esbarrou no ombro de uma bela menina com olhos grandes e escuros. Ela lhe lançou um olhar irritado sob a cortina ainda mais escura formada por seus cabelos.

— Desculpe — Call disse automaticamente.

— Todos nós estamos nervosos — a garota retrucou, o que era engraçado, porque ela não parecia nada nervosa. A aparência dela era totalmente controlada. As sobrancelhas estavam perfeitamente arqueadas. Não havia nem mesmo uma sombra de poeira no suéter cor caramelo e no jeans, que parecia ter custado caro. Ela usava um delicado pingente filigranado em forma de mão que ele reconheceu de suas visitas a lojas de antiguidade. Chamava-se a Mão de Fátima. Os brincos de ouro em suas orelhas pareciam já terem pertencido a uma princesa, se não a uma rainha. Call se sentiu imediatamente paranoico, como se estivesse coberto de sujeira.

— Ei, Tamara! — disse um menino asiático alto, com um corte de cabelo desgrenhado feito a navalha, e a menina se virou para o outro lado. O garoto disse algo que Call não entendeu, com um sorriso de desdém no rosto enquanto falava, e Call se perguntou, preocupado, se o garoto não tinha comentado o fato de ele ser um aleijado que não conseguia deixar de esbarrar nas pessoas. Como o monstro de Frankenstein. O ressentimento fervilhava em seu cérebro, em especial depois que Tamara parou de olhar para ele, como se percebesse sua perna e todo o resto. Ela devia ter ficado irritada com ele, pois tinha achado que Call era um garoto normal. Ele lembrou para si mesmo que, assim que falhasse nos testes, nunca mais teria de ver aquelas pessoas novamente.

E também que elas iriam morrer debaixo da terra.

Esse pensamento fez com que ele continuasse a seguir por uma interminável série de corredores até uma grande sala branca com várias carteiras organizadas em filas. Parecia qualquer outra sala onde Call já havia realizado provas. As mesas eram simples, feitas de madeira e presas a cadeiras bambas. Sobre cada carteira havia um livro azul com uma etiqueta com o nome de cada um dos aspirantes e uma caneta. Houve certo rebuliço enquanto todos iam de mesa em mesa em busca de seus lugares. Call encontrou o dele na terceira fileira e escorregou para o assento, atrás de um menino de cabelo claro e ondulado usando uma jaqueta de um time de futebol. Ele parecia mais um esportista do que um candidato a uma escola de magia. O garoto sorriu para Call, como se estivesse genuinamente feliz por se sentar perto dele.

Call não se deu ao trabalho de sorrir de volta. Ele abriu o livro azul, olhando de relance para as questões e os círculos em branco com as opções A, B, C, D e E. Call esperava que o teste fosse assustador, mas, ao que tudo indicava, o único perigo era morrer de tédio.

— Por favor, mantenham seus livros fechados até o início do teste — informou a Mestra Milagros na frente da sala. Ela era alta e uma mestra que parecia ser muito jovem. Fazia com que Call se lembrasse um pouco de uma de suas professoras do colégio. Ela tinha o mesmo nervosismo incômodo, como se não estivesse acostumada a passar muito tempo com crianças. O cabelo dela era preto e curto, com uma mecha cor-de-rosa.

Call fechou o livro e olhou ao redor, se dando conta de que tinha sido a única pessoa que o abrira. Decidiu que não contaria ao pai sobre quão fácil havia sido parecer um peixe fora d'água.

— Antes de mais nada, quero que todos sejam muito bem-vindos ao Desafio de Ferro — a Mestra Milagros continuou, limpando a garganta. — Agora que vocês estão longe de seus guardiões, podemos explicar com mais detalhes o que acontecerá hoje. Alguns aspirantes receberam convites para uma audição em uma escola de música, outros, para escolas cujo foco é Astronomia, Matemática avançada ou Hipismo. Mas, como vocês já devem ter percebido, na verdade estamos avaliando sua aceitação no Magisterium.

Ela ergueu os braços e as paredes pareceram cair. Em seu lugar, surgiram rochas brutas. Os garotos permaneceram em suas carteiras, porém o chão debaixo deles se tornou uma pedra salpicada de mica, de forma que parecia que alguém havia jogado purpurina sobre ela. Estalactites brilhantes pendiam do teto como pingentes de gelo.

O menino loiro prendeu a respiração. Por toda a sala Call ouvia exclamações sussurradas de espanto.

Era como se estivessem dentro das cavernas do Magisterium.

— Que legal — disse uma menina bonita que tinha contas brancas nas pontas dos cabelos presos em tranças.

Naquele momento, apesar de tudo que o pai havia lhe dito, Call quis entrar no Magisterium. Aquela não parecia mais ser uma experiência sinistra ou assustadora, mas algo incrível. Como ser um explorador ou ir para outro planeta. Ele se lembrou das palavras do pai:

"Os magos instigarão você com belas ilusões e mentiras elaboradas. Não caia na conversa deles."

A Mestra Milagros continuou. Sua voz adquiria mais confiança.

— Alguns de vocês são estudantes com um legado, pois seus pais ou outros membros da família também frequentaram o Magisterium. Outros foram escolhidos porque acreditamos que têm potencial para se tornarem magos. No entanto, ninguém tem vaga garantida. Apenas os mestres sabem o que torna um candidato perfeito.

Call levantou uma das mãos e, sem esperar ser chamado, perguntou:

— E se a pessoa não quiser ir?

— Por que alguém não iria querer ir para uma escola de pôneis? — questionou um menino com uma desgrenhada cabeleira castanha, sentado diagonalmente em relação a Call. Ele era pequeno e pálido, com pernas longas e esqueléticas e braços que se avantajavam pelas mangas de uma camiseta azul com a estampa desbotada de um cavalo.

A Mestra Milagros parecia tão irritada que se esquecera do nervosismo.

— Drew Wallace, esta não é uma escola de pôneis. Vocês estão sendo testados para sabermos se possuem as qualidades necessárias que os levarão a serem escolhidos como aprendizes, de forma a acompanhar seu professor, a quem chamarão de mestre, no Magisterium. E, no caso dos que possuírem magia suficiente, *as aulas não são opcionais.* — Ela olhou para Call. — O Desafio é realizado para sua própria segurança. Aqueles que estão aqui graças a seus legados sabem os perigos que magos sem treinamento representam para si mesmos e para os outros.

Um burburinho se instalou na sala. Call percebeu que várias pessoas olhavam para Tamara. Ela estava sentada com a coluna bem ereta na cadeira, os olhos fixos à frente, o queixo projetado. Ele conhecia aquele olhar. Era o mesmo que as pessoas lhe lançavam quando sussurravam sobre sua perna, ou sobre a mãe morta, ou sobre o pai esquisito. Era o mesmo olhar de alguém que finge que não sabe que estão falando a seu respeito.

— E então o que acontece com quem não entra no Magisterium? — perguntou a menina com as tranças.

— Boa pergunta, Gwenda Mason — elogiou a Mestra Milagros de um modo bastante encorajador. — Para ser um mago bem-sucedido, é preciso possuir três qualidades. A primeira delas é o poder mágico intrínseco. O que todos vocês possuem em algum nível. A segunda é o conhecimento sobre como utilizá-lo. O que nós podemos lhes fornecer. E a terceira é o controle, e é isso que deve vir de dentro de vocês. Agora, em seu primeiro ano, como magos não instruídos, vocês estão atingindo o ápice do poder, porém não possuem nenhum conhecimento nem controle. Se o candidato não possuir aptidão para aprender nem para controlar, ele não encontrará lugar no Magisterium. Nesse caso, garantimos que vocês, e suas famílias, estarão em segurança permanente contra a magia e qualquer perigo que sucumba aos elementos.

"Sucumbir aos elementos? O que aquilo queria dizer?", Call perguntou a si mesmo. Aparentemente, as outras pessoas estavam tão confusas quanto ele.

— Isso significa que eu falhei no teste? — alguém perguntou.

— Espere, o que ela quis dizer? — outro garoto quis saber.

— Então quer dizer que esta não é mesmo uma escola de pôneis? — Drew indagou mais uma vez, melancólico.

A Mestra Milagros ignorou todas aquelas perguntas. As imagens da caverna começaram a desaparecer aos poucos. Eles voltaram a estar na mesma sala branca, de onde nunca saíram.

— As canetas diante de vocês são especiais — disse ela, aparentando ter se lembrado de ficar nervosa novamente. Call tentou adivinhar a idade dela. A Mestra Milagros parecia jovem, e ficava ainda mais nova com aquele cabelo rosa, mas ele imaginou que era preciso ser um mago bastante experiente para se tornar um mestre.

— Se vocês não usarem a caneta, não conseguirão ler o teste. Balancem-na para ativar a tinta. E lembrem-se de fazê-la funcionar. Podem começar.

Call abriu o livro de novo. Apertou os olhos ao ver a primeira questão:

1. Um dragão e uma serpe[3] levantam voo às 14h da mesma caverna e seguem na mesma direção. A velocidade média do dragão é 48 km/h mais lenta que o dobro da velocidade da serpe. Em 2 horas, o dragão está a 32 km à frente da serpe. Calcule a velocidade do dragão, levando em conta que a serpe está sedenta por vingança.

"Vingança?" Call deu uma olhada na página e folheou o livro. A questão seguinte não era nem um pouco melhor.

2. Lucretia está se preparando para plantar uma safra de beladonas neste outono. Ela irá plantar 4 canteiros da espécie erva-moura, com 15 plantas em cada um. Ela estima que, em 20% da plantação, fará um teste com a espécie doce-amarga. Quantas beladonas haverá no total? Quantas da espécie doce-amarga foram plantadas? Se Lucretia for uma maga da terra que cruzou três portais, quantas pessoas ela poderá envenenar com as beladonas antes que possa ser capturada e decapitada?

Call piscou diante da prova. Ele devia se esforçar para inventar uma resposta errada e se livrar do risco de acertar por acidente? Será que deveria colocar a mesma resposta repetidas vezes, já que precisava tirar nota baixa? Pela lei das probabilidades, seria possível que Call acertasse cerca de vinte por cento das questões, e isso era mais do que ele gostaria.

Enquanto pensava, furioso, no que fazer, ele pegou a caneta, a chacoalhou e tentou riscar o papel.

Não funcionou.

Ele tentou de novo, pressionando a ponta com mais força. Nada ainda. Ele olhou ao redor e parecia que a maior parte dos outros garotos escrevia sem maiores problemas, embora alguns deles também estivessem lutando com suas canetas.

Tudo indicava que ele não falharia no teste como uma pessoa normal, sem a menor habilidade para a magia — ele nem mesmo seria capaz de *fazer* o teste. Mas e se os magos o obrigassem a fazer novamente a prova caso ele a deixasse em branco? Não daria no mesmo que se recusar a dar as caras?

Carrancudo, Call tentou se lembrar do que Milagros dissera a respeito da caneta. Algo sobre balançá-la para fazer com que funcionasse. Talvez ele não a tivesse sacudido o suficiente.

Ele agarrou a caneta, apertando-a e chacoalhando-a com força. Estava tão irritado com o teste que moveu os punhos com uma energia ainda maior. "Vamos", ele pensou. "Vamos, sua caneta idiota, FUNCIONE!"

Uma onda de tinta azul explodiu da ponta da caneta. Ele tentou controlar o fluxo pressionando um dos dedos contra o local onde o buraco deveria estar... mas isso só fez com que a tinta fluísse com uma intensidade ainda maior. Ela esguichou nas costas da cadeira da frente. O garoto loiro, sentindo a tempestade de tinta que havia acabado de ser despertada, se curvou para sair da área de alcance daquela bagunça. Mais tinta do que parecia ser possível caber em uma caneta tão pequena jorrava por toda a sala, e as pessoas passaram a olhar para ele.

Call soltou a caneta, que imediatamente parou de soltar tinta. Porém, o estrago já estava feito. As mãos dele, a carteira, o livro de testes e seu cabelo estavam cobertos de tinta. Ele tentou limpar os dedos esfregando-os na camiseta, mas tudo o que conseguiu foi deixar impressões digitais azuis no tecido.

Ele esperava que a tinta não fosse venenosa. Era provável que tivesse engolido um pouco.

Todos na sala o observavam. Até mesmo a Mestra Milagros o encarava com uma expressão alarmada, que mais parecia assombro, como se ninguém antes houvesse destruído uma caneta tão completamente. Todos estavam em silêncio, exceto o garoto magricela que falara com Tamara mais cedo. Ele se inclinara para sussurrar com a menina mais uma vez. Tamara não abriu nem um único sorriso, mas, pela expressão de escárnio no rosto do garoto e o lampejo de superioridade em seus olhos, Call podia ver que os dois zombavam dele. Sentiu os lóbulos das orelhas corarem.

— Callum Hunt — chamou Mestra Milagros, com a voz trêmula —, por favor, deixe a sala e vá se limpar. Em seguida, espere no corredor até que o grupo se junte a você novamente.

Call se pôs de pé e mal percebeu que o menino loiro em quem havia dado um banho de tinta lhe lançou o que parecia ser um sorriso solidário. Ele ainda podia ouvir as risadinhas de alguém quando bateu a porta atrás de si. E também não era capaz de esquecer o olhar de desprezo de Tamara. Quem se importava com o que ela pensava? Quem se importava com o que *qualquer um* deles pensava, se tentavam ser amigáveis, cruéis ou sabe-se lá mais o quê? Eles não faziam a menor diferença. Não eram parte da vida dele. Nada daquilo era.

"Só mais algumas horas." Ele repetia sem parar para si mesmo enquanto estava no banheiro fazendo o seu melhor com sabão em pó e toalhas de papel para se livrar da tinta. Ele se perguntou se aquela tinta não era mágica. Sem dúvida aquela coisa parecia querer ficar grudada nele. Um pouco de tinta havia secado em seu cabelo escuro, e ainda havia as impressões digitais azul-marinho em sua camiseta branca quando ele saiu do banheiro e encontrou os outros aspirantes à sua espera no corredor. Ele ouviu alguns deles sussurrando uns com os outros sobre "o cara esquisito da tinta".

— Ficou legal a sua camiseta — comentou o garoto de cabelo preto. Call tinha a impressão de que ele era rico, rico como Tamara. Ele não podia dizer exatamente por que achava isso, mas ele vestia roupas de alfaiataria naquele estilo casual chique que custava um monte de dinheiro. — Para o seu bem, espero que o próximo teste não envolva explosões. Ah, não, espere... Tomara que tenha explosões, *sim.*

— Cale a boca — Call murmurou, consciente de que aquela estava longe de ser a melhor resposta que já dera na vida. Ele se apoiou de qualquer jeito em uma parede até que a Mestra Milagros reapareceu, pedindo que todos mantivessem a ordem. O silêncio caiu sobre o corredor enquanto ela chamava os nomes, separando-os em grupos de cinco aspirantes que foram conduzidos por um corredor, recebendo instruções para esperar no final dele. Call não fazia a menor ideia de como um hangar poderia abrigar uma série tão grande de corredores. Ele suspeitava ser uma daquelas coisas sobre as quais seu pai diria que era melhor não pensar a respeito.

— Callum Hunt! — ela o chamou, e Call se arrastou para se juntar ao seu grupo, que também incluía, para sua consternação, o garoto de cabelo preto, cujo nome ele descobriu ser Jasper de Winter, e o garoto loiro em quem ele havia espirrado tinta mais cedo, que era Aaron Stewart. Jasper fez pompa ao abraçar Tamara e lhe desejar sorte antes de ir andando, cheio de si, até o seu grupo. Em seguida, imediatamente começou a conversar com Aaron, dando as costas para Call como se ele não existisse.

Os outros dois jovens do grupo de Call eram Kylie Myles e uma garota de aparência nervosa chamada Célia de tal, que tinha uma imensa massa de cabelos loiros e sujos e enfiara uma flor azul na franja.

— Oi, Kylie — Call a cumprimentou, pensando que aquela era a oportunidade perfeita para adverti-la do fato de a imagem do Magisterium que a Mestra Milagros conjurava não passar de uma ilusão para conquistá-los. Ele tinha praticamente certeza de que as verdadeiras cavernas estavam repletas de becos sem saída e peixes cegos.

Ela o olhou com certo pesar.

— Você se importaria... de não falar comigo?

— O quê? — Eles começaram a caminhar pelo corredor e Call mancou mais depressa para não ficar para trás. — Isso é sério?

Ela deu de ombros.

— Sabe como é. Estou tentando passar uma boa impressão, e falar com você não vai ajudar. Desculpe! — Ela acelerou o passo, emparelhando-se com Jasper e Aaron. Call olhou para a parte de trás da cabeça dela como se pudesse furá-la com sua raiva.

— Tomara que um peixe cego devore você! — Call gritou para ela. Ela fingiu não ouvir.

A Mestra Milagros fez com que virassem em um último corredor até uma sala imensa, que parecia um ginásio.

O teto era alto, e do centro pendia uma grande bola vermelha suspensa bem alto sobre suas cabeças. Ao lado da bola havia uma escada de cordas com degraus de madeira que ia do chão ao teto.

Aquilo era ridículo. Ele não conseguiria subir com a perna daquele jeito. Ele devia *levar bomba* naquele teste de propósito e ser tão ruim que jamais teria, de fato, a menor possibilidade de entrar em uma escola de magos.

— Agora os deixarei com o Mestre Rockmaple — informou a Mestra Milagros após a chegada do último grupo, apontando para um mago baixo com uma barba ruiva eriçada e nariz corado. Ele segurava uma prancheta e tinha um apito pendurado no pescoço como um professor de Educação Física, apesar de vestir a mesma roupa negra que os outros magos.

— Este teste parece simples, mas não é — começou o Mestre Rockmaple, acariciando a barba de uma maneira que parecia ser calculada para aparentar ameaça. — Vocês têm de subir na escada de cordas e pegar a bola. Quem gostaria de ser o primeiro?

Vários jovens levantaram as mãos.

O Mestre Rockmaple apontou para Jasper. Ele agarrou a corda como se ser escolhido primeiro fosse algum tipo de indicação do quão incrível ele era, em vez de uma simples medida da avidez com que ele sacudiu a mão. Todos esperavam que ele subisse logo de imediato, mas Jasper circundou todo o aparato, olhando para a bola lá em cima com atenção, batendo no lábio inferior com um dos dedos.

— Você está pronto? — o Mestre Rockmaple perguntou, com as sobrancelhas levemente arqueadas, e alguns outros aspirantes riram baixinho.

Jasper, claramente irritado por rirem dele enquanto ele levava a coisa toda tão a sério, se lançou com certa violência na escada oscilante. Ao passar de um degrau para o outro, a escada parecia se tornar mais longa. Assim, quanto mais ele subia, maior era o caminho que tinha pela frente. Por fim, a escada levou a melhor e ele tombou no chão, cercado por rolos e mais rolos de corda e degraus de madeira.

"Isso é que foi muito engraçado", Callum pensou.

— Muito bem — disse o Mestre Rockmaple. — Quem gostaria de ser o próximo?

— Deixe-me tentar de novo — disse Jasper, em um gemido que rastejava por sua voz. — Agora sei o que fazer.

— Temos muitos aspirantes que esperam pela vez deles. — O Mestre Rockmaple parecia se divertir.

— Mas isso *não é justo*. Em algum momento alguém vai acertar e aí todo mundo saberá o que fazer. Vou ser punido por ter sido o primeiro.

— Pareceu-me que você queria ir primeiro. Mas muito bem, Jasper. Se houver tempo após todos terminarem, você poderá tentar de novo, se quiser.

Tudo indicava que Jasper teria outra chance. Call descobriu que, pela maneira como o garoto agia, ele deveria ser filho de alguém importante.

A maioria dos outros aspirantes não se deu nem um pouco melhor. Alguns foram até a metade do caminho e depois escorregaram de volta para baixo. Um garoto nem mesmo conseguiu sair do chão. Célia foi quem chegou mais longe antes de cair sobre um colchão. O seu prendedor de cabelo em forma de flor acabou ficando um tanto danificado. Apesar de não querer demonstrar, ela estava irritada. Call podia perceber isso pela maneira como ela tentava, ansiosa, colocar o prendedor de volta no lugar.

O Mestre Rockmaple olhou para sua lista.

— Aaron Stewart.

Aaron ficou de pé diante da escada de corda, flexionou os dedos como se estivesse prestes a entrar em um campo de beisebol. Ele parecia confiante e preparado para os esportes. Call sentiu aquele ardor de inveja no estômago que já lhe era tão familiar, mas que logo passava. Sempre sentia aquilo quando via os outros garotos jogando basquete ou beisebol e que se sentiam completamente confortáveis em seus corpos. Esportes coletivos não eram uma opção para Call. A possibilidade de passar vergonha era muito grande, mesmo que o deixassem jogar. Caras como Aaron jamais precisaram se preocupar com essas coisas.

Aaron correu até a escada e se lançou sobre ela. Ele subia depressa, impulsionando os pés nos degraus enquanto as mãos o puxavam para cima no que parecia ser um único movimento fluido. Movia-se tão depressa que era mais rápido que o fluxo de corda que alcançava o chão. Ele ia cada vez mais alto. Callum prendeu a respiração e percebeu que todos ao seu redor também estavam no mais completo silêncio.

Sorrindo como um maníaco, Aaron alcançou o topo. Ele bateu na bola com um dos lados da mão, soltando-a, antes de deslizar pela escada e aterrissar de pé como um ginasta.

Alguns dos outros jovens lhe deram uma salva de palmas espontânea. Até mesmo Jasper pareceu feliz por Aaron, indo até ele para lhe dar um tapinha a contragosto nas costas.

— Muito bem — o Mestre Rockmaple disse, exatamente com as mesmas palavras e o mesmo tom de voz que utilizou com os outros jovens. Callum pensou que aquele mago velho e rabugento devia estar apenas irritado por alguém ter superado seu teste idiota.

— Callum Hunt — o mago chamou em seguida.

Callum deu um passo à frente, desejando ter trazido um atestado médico.

— Não posso.

O Mestre Rockmaple olhou para ele.
— Por que não?
"Ah, qual é. Olha só para mim. Basta olhar para mim." Call ergueu a cabeça e encarou o mago, desafiador.
— A minha perna. Não consigo fazer essas coisas de Educação Física.
O mago deu de ombros.
— Então não faça.
Call lutou contra uma onda de raiva. Ele podia perceber que os outros aspirantes olhavam para ele, alguns com pena, outros irritados. A pior parte disso era que normalmente ele teria pulado de alegria diante da oportunidade de fazer qualquer atividade física. Mas, daquela vez, ele apenas tentava cumprir seu dever e *falhar*.
— Não é uma *desculpa* — Call explicou. — Os ossos da minha perna foram despedaçados quando eu era bebê, por isso passei por dez cirurgias. Tenho sessenta parafusos de aço aqui dentro, que unem a minha perna. Quer ver as cicatrizes?
Callum torcia, com todas as suas esperanças, para que o Mestre Rockmaple respondesse que não. Ele ergueu a perna esquerda com uma massa de linhas vermelhas, fruto das incisões, e um monte de tecidos horrendos. Ele nunca deixava ninguém ver; nem nunca mais usou shorts desde que tinha idade suficiente para saber o que significavam os olhares que os estranhos lançavam para a sua perna onde quer que fosse. Ele não sabia por que dera tantas explicações ao mago, a não ser pelo fato de estar com tanta raiva e não fazer a menor ideia do que dizia.
O Mestre Rockmaple, que segurava o apito em uma das mãos, o girou, pensativo.
— Essas provas não são assim tão óbvias — ele disse. — Ao menos tente, Callum. Se você falhar, passamos para o próximo teste.

Call jogou as mãos para o alto.

— Tudo bem. *Tudo bem.* Ele foi até a escada e colocou uma das mãos sobre a corda. Deliberadamente, posicionou a perna esquerda no primeiro degrau e jogou o peso sobre ela, erguendo-se.

A dor atacou sua panturrilha e ele caiu de costas no chão, ainda agarrado à escada. Call ouviu as risadas de Jasper atrás de si. A perna doía e o estômago parecia dormente. Olhou novamente para a escada lá em cima, para a bola de borracha presa no teto e sentiu a cabeça pulsar de tanta dor. Ano após ano sendo obrigado a sentar nas arquibancadas enquanto os outros completavam voltas nas corridas. Essas cenas ressurgiram em sua mente e ele olhou furioso para a bola que sabia que jamais poderia pegar, pensando: "Eu odeio você, eu odeio você, eu odeio..."

Uma explosão foi ouvida e a bola começou a pegar fogo. Alguém soltou um gritinho — parecia ter sido Kylie, mas Call torcia para que tivesse sido Jasper. Todos, inclusive o Mestre Rockmaple, olhavam para a bola, que queimava alegremente, como se estivesse recheada de fogos de artifício. O odor desagradável de produtos químicos queimados preencheu o ar, e Call pulou para trás quando uma grande massa de plástico derretido caiu no chão bem ao seu lado. Afastando-se, ele cambaleou quando mais pedaços daquela gosma começavam a pingar da bola em chamas. Um pouco da substância viscosa respingou em um dos ombros da camiseta de Call.

Tinta *e* gosma. Aquele era mesmo um dia de muito estilo para ele.

— Saiam! — o Mestre Rockmaple ordenou quando as crianças começaram a engasgar e a tossir com a fumaça. — Todos vocês, saiam da sala.

— Mas e a minha vez? — Jasper protestou. — Como vou ter a minha segunda chance agora que esse esquisito destruiu a bola? Mestre Rockmaple...

— EU DISSE SAIAM! — o mago berrou, e os aspirantes correram para deixar a sala. Call foi o último da fila, consciente de que tanto Jasper *quanto* o Mestre Rockmaple olhavam para ele com o que parecia muito uma expressão de ódio.

Como o cheiro de queimado, a palavra *esquisito* também permaneceu no ar.

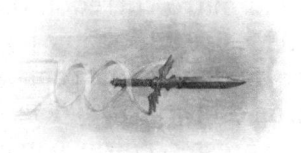

CAPÍTULO TRÊS

O Mestre Rockmaple marchou, raivoso, conduzindo o grupo por um corredor afastado das salas de testes. Todos andavam tão depressa que não havia a menor condição de Callum acompanhá-los. A perna doía mais do que nunca, e ele cheirava como uma fábrica de pneus em chamas. Ele mancava atrás do grupo, imaginando se alguém algum dia em toda a história do Magisterium já havia ferrado tanto as coisas. Talvez o liberassem mais cedo, para o seu próprio bem e o de todos os outros.

— Você está bem? — Aaron perguntou, ficando para trás para poder caminhar ao lado de Callum. Ele sorria de forma amável, como se não houvesse nada de estranho em falar com Call quando o resto do grupo o evitava como se ele fosse a peste.

— Tudo bem — Call disse, rangendo os dentes. — Nunca estive melhor.

— Não faço a menor ideia do que você fez, mas foi épico. A cara que o Mestre Rockmaple fez foi como se... — Aaron tentou imitar o mestre, enrugando a testa, arregalando os olhos e escancarando a boca.

Call começou a rir, mas logo se conteve. Ele não queria gostar de nenhum outro aspirante, em especial Aaron, o supercompetente.

Eles viraram em outro corredor. O resto da classe estava à espera. O Mestre Rockmaple pigarreou, aparentemente prestes a dar uma bronca em Call, mas pareceu perceber que Aaron estava ao lado dele. Engolindo o que quer que estivesse prestes a dizer, o mago abriu a porta de uma nova sala.

Call entrou na sala aos tropeços junto com o resto da turma. Era um espaço industrial monótono como o primeiro em que eles estiveram para a prova que abriu o dia, com carteiras enfileiradas com uma única folha de papel sobre elas.

"Quantos testes escritos teremos de fazer?", Callum queria perguntar, mas não achava que Mestre Rockmaple estivesse no clima de responder. Nenhuma das carteiras tinha nomes, por isso ele se sentou em uma delas ao acaso e cruzou os braços sobre o peito.

— Mestre Rockmaple! — gritou Kylie enquanto se sentava. — Mestre Rockmaple, eu não tenho caneta.

— Você não vai precisar — explicou o mago. — Este é um teste que medirá a habilidade de controle da magia. Vocês usarão o elemento ar. Concentrem-se no papel sobre a mesa até que sejam capazes de erguê-lo utilizando apenas a força do pensamento. Ergam-no em linha reta, sem que oscile ou caia. Uma vez que a tarefa estiver terminada, por favor levantem-se e juntem-se a mim aqui na frente da sala.

O alívio tomou conta de Call. Se ele precisava garantir que o papel não voasse pelo ar, isso parecia bem simples. Durante toda a sua vida, ele sempre fora muito bom em não fazer folhas de papel voarem por salas de aula.

Aaron estava sentado na fileira ao lado de Call. Ele estava com uma das mãos no queixo e estreitava os olhos verdes. Quando Call lançou um olhar de esguelha na direção dele, o papel na mesa de Aaron se ergueu no ar de forma perfeita. A folha pairou por um momento antes de flutuar de volta para a mesa. Com um sorriso, Aaron se levantou para se juntar ao Mestre Rockmaple na frente da sala.

Call ouviu à sua esquerda uma risadinha. Olhou para cima e viu Jasper pegando o que parecia ser um alfinete e furar o dedo. Uma gota de sangue surgiu, e Jasper balançou o dedo antes de colocá-lo na boca, sugando-o. "Que cara mais bizarro", Call pensou. Mas então Jasper se recostou novamente na cadeira de um jeito casual do tipo "posso-fazer-magia-com-as-mãos-atadas". E parecia até que ele podia mesmo, já que o papel sobre a mesa começou a se dobrar sozinho, assumindo uma nova forma. Com mais algumas dobras, a folha se tornou um avião de papel, que zuniu da mesa de Jasper, atravessou toda a sala e atingiu Call bem no meio da testa. Com uma das mãos, ele deu um tapa no aviãozinho, que caiu no chão.

— Jasper, isso já foi suficiente — disse o Mestre Rockmaple, apesar de não soar tão irritado quanto deveria. — Venha até aqui.

Call voltou sua atenção para seu próprio papel enquanto Jasper se pavoneava até a frente da sala. Enquanto ele passava, todos os garotos ao redor o olhavam e sussurravam para os papéis sobre suas carteiras, *torcendo* para que se movessem. O estômago de Call se revirava de tanto desconforto. E se uma lufada de ar entrasse na sala e levantasse o papel? E se ele simplesmente... flutuasse sozinho? Ele receberia pontos por isso?

"Não ouse sair de cima desta mesa", ele pensou, encarando o papel com toda a fúria. "Não saia do lugar." Ele se imaginou prendendo o papel sobre a madeira, com os dedos esticados, evitando que se movesse. "Cara, isso é estúpido", ele pensou. "Que bela maneira de passar o dia." Mesmo assim, ele se manteve na mesma posição, concentrado. Desta vez, ele não estava sozinho. Várias outras pessoas não tinham conseguido erguer seus papéis, inclusive Kylie.

— Callum? — chamou o Mestre Rockmaple, parecendo cansado.

Call resolveu deixar para lá.

— Não consigo.

— Se ele diz que não consegue, é porque não consegue *mesmo* — comentou Jasper. — Dê logo um zero para esse perdedor e deixe que vá embora antes que crie uma nevasca e mate todo mundo com papel picado.

— Tudo bem — disse o mago. — Todos vocês, me entreguem os papéis e eu lhes darei as suas notas. Vamos, precisamos deixar esta sala limpa para o próximo grupo.

Aliviado, Call tentou pegar o papel na carteira — e ficou paralisado. Desesperado, começou a arranhar as beiradas com as unhas, mas, de alguma maneira que ele desconhecia, o papel havia afundado na mesa e ele não conseguia desgrudá-lo.

— Mestre Rockmaple... Aconteceu alguma coisa com o meu papel — Call avisou.

— Todo mundo para debaixo das carteiras! — gritou Jasper, mas ninguém prestava atenção nele. Todos olhavam para Call. O Mestre Rockmaple foi até ele e olhou para o papel, que de fato havia se fundido à carteira.

— Quem fez isso? — o Mestre Rockmaple inquiriu. Ele parecia atônito. — É algum tipo de trote?

Todos na sala ficaram em silêncio.

— *Você* fez isso? — o Mestre Rockmaple perguntou a Call.

"Eu só estava tentando evitar que o papel se mexesse", Call pensou, sentindo-se péssimo. Porém, não podia falar aquilo.

— Eu não sei.

— Você não sabe?
— Não sei. Talvez o papel esteja com defeito.
— É apenas um papel! — o mago berrou, mas, aparentemente, logo em seguida recuperou o autocontrole. — Tudo bem. Ótimo. Você tirou zero. Não, espere, você será o primeiro aspirante na história do Magisterium a tirar uma nota negativa em uma das provas do Desafio de Ferro. Você tirou um menos dez. — Ele balançou a cabeça. — Acho que todos ficarão gratos por saber que vocês farão o último teste sozinhos.

Naquele momento, Callum ficou enormemente grato por tudo aquilo estar próximo do fim.

↑≈△○◎

Desta vez, os aspirantes ficaram de pé em um corredor do lado de fora de uma porta dupla, esperando para serem chamados. Jasper conversava com Aaron, olhando para Call de soslaio como se ele fosse o tema da conversa.

Call suspirou. Aquele era o último teste. Um pouco da tensão foi drenado do corpo dele ao pensar nisso. Independentemente de quão bem ele se saísse, um último teste não faria diferença diante de uma nota tão ruim quanto a que ele acabara de tirar. Em menos de uma hora, estaria voltando para casa com o pai.

— Callum Hunt — chamou uma maga que ainda não havia se apresentado. Ela tinha um elaborado colar em formato de cobra e lia os nomes em uma prancheta. — O Mestre Rufus espera por você lá dentro.

Ele se afastou da parede onde estava apoiado e a seguiu pelas portas duplas. A sala era grande, com poucos móveis, iluminação fraca e chão de madeira. Um mago estava sentado ao lado de uma grande tigela feita também de madeira. O recipiente estava cheio de água e uma chama ardia no centro, sem que houvesse nenhum pavio ou vela.

Call parou e observou, sentindo um leve formigamento na parte de trás do pescoço. Ele já tinha visto muitas coisas estranhas naquele dia, mas aquela foi a primeira vez desde a ilusão da caverna que ele de fato sentia a presença da magia.

A magia falava.

— Você sabia que para obter uma boa postura as pessoas costumavam equilibrar livros na cabeça? — A voz do mago era baixa e retumbante, como o crepitar de um fogo distante. O Mestre Rufus era um homem largo, de pele escura e com uma careca tão lisa quanto uma macadâmia. Ele se levantou em um único movimento, sem a menor dificuldade, erguendo a tigela com seus dedos longos e calejados.

A chama não se moveu. Se algo havia mudado, ela se tornara apenas um pouco mais brilhante.

— Não eram só garotas que faziam isso? — Call perguntou.

— Que faziam o quê? — O Mestre Rufus franziu a testa.

— Andar com livros na cabeça.

O mago desferiu-lhe um olhar como se ele houvesse dito algo que o desapontou.

— Pegue a tigela — ele ordenou.

— Mas a chama irá se apagar — Call protestou.

— Este é o teste — explicou Rufus. — Ver se você consegue manter a chama acesa e por quanto tempo. — Ele entregou a tigela para Call.

Até aquele momento, nenhum dos testes havia sido o que Call esperava. Ainda assim, ele conseguira falhar em todos eles — tanto porque tinha tentado se dar mal de propósito quanto por não ter de fato a menor vocação para se tornar um mago. Havia algo no Mestre Rufus que fazia com que ele quisesse se sair melhor, mas aquilo não importava. Ele não iria para o Magisterium de forma alguma.

Call pegou a tigela.

Quase que imediatamente a chama pulou, como se Call houvesse exagerado na liberação de gás de um lampião. Ele pulou e, sem pensar, inclinou a tigela, tentando jogar água sobre a chama. Só que, em vez de se apagar, o fogo queimou sobre a água. Em pânico, Call balançou a tigela, enviando um novo fluxo de pequenas ondas sobre o fogo. O fogo começou a falhar.

— Callum Hunt. — O Mestre Rufus olhava para ele com a expressão impassível e os braços cruzados sobre o peito largo. — Estou surpreso com você.

Call permaneceu calado. Ele segurava a tigela com a água que ainda tremulava. O fogo, mesmo aos trancos e barrancos, permanecia aceso.

— Fui professor dos seus pais no Magisterium. — O Mestre Rufus parecia sério e triste. A chama lançava sombras negras sobre seus olhos. — Ambos foram meus aprendizes. Os melhores alunos da classe, com as melhores notas no Desafio. Sua mãe ficaria desapontada ao ver o filho tentando falhar de maneira tão óbvia nos testes só porque...

O Mestre Rufus não concluiu a frase, pois, ao ouvir a menção à mãe de Call, a tigela se quebrou — não em duas metades, mas em uma dúzia de pedaços pontudos, afiados o suficiente para furar as mãos do menino. Ele os largou apenas para ver cada uma das partes da tigela pegar fogo e queimar de forma constante, formando pequenas piras espalhadas aos pés de Call. Ele olhou para as chamas, porém não teve medo. Naquele momento, teve a impressão de que o fogo o convidava a pisar sobre as chamas, a afogar sua raiva e seu medo naquela luz.

As chamas subiram enquanto ele olhava ao redor da sala, se alimentando da água que espirrava como se fosse gasolina. Tudo o que Call sentia era uma terrível e devastadora raiva, pelo fato de aquele mago ter conhecido sua mãe, pela possibilidade de aquele homem na sua frente ter algo a ver com a morte dela.

— Pare com isso! Pare agora! — o Mestre Rufus gritou, segurando ambas as mãos de Call e fazendo com que as palmas batessem uma contra a outra. O ato fez com que os cortes recém-abertos ardessem.

De repente, o fogo se apagou.

— Me deixe ir embora! — Call soltou as mãos com um puxão e secou as palmas sangrentas na calça, acrescentando uma nova camada de manchas. — Eu não queria fazer isso. Nem sei o que aconteceu.

— O que aconteceu é que você falhou em outro teste — informou o Mestre Rufus. Sua raiva fora substituída pelo que parecia ser uma curiosidade fria. Ele avaliava Call da mesma forma que um cientista analisa um inseto espetado em um quadro. — Você pode voltar e esperar pelo seu resultado final, na arquibancada junto com o seu pai.

Felizmente, havia uma porta do outro lado da sala, de forma que Call pôde se esgueirar por ela sem precisar olhar para nenhum dos outros aspirantes. Ele podia até imaginar a cara de Jasper quando visse o sangue nas suas roupas.

As mãos de Call tremiam.

As arquibancadas estavam repletas de pais com a expressão entediada e alguns irmãos mais novos que corriam pelo hangar. O burburinho de conversas em voz baixa ecoava pelo lugar, e só então Call se deu conta de quão estranhamente silenciosos eram os corredores. Ele chegou a tomar um susto ao ouvir o barulho de pessoas novamente. Os aspirantes saíam de cinco portas diferentes e aos poucos se juntavam às respectivas famílias. Três quadros brancos foram colocados nos pés das arquibancadas, onde os magos escreviam as notas assim que retornavam ao hangar. Call não olhou para eles. Ele foi direto para onde estava o pai.

Alastair tinha um livro fechado sobre o colo, como se tivesse a intenção de ler, mas jamais dera início a sua leitura. Call percebeu o alívio no rosto do pai quando se aproximou, porém essa expressão foi logo substituída pela preocupação assim que ele lançou um olhar mais atento para o filho.

Alastair se levantou em um pulo, deixando o livro cair no chão.

— Callum! Você está coberto de sangue e tinta e cheirando a plástico queimado. O que aconteceu?

— Eu ferrei com tudo. Eu... eu acho que ferrei mesmo com tudo. — Call podia ouvir sua voz tremer. Em sua mente, ainda passavam as cenas dos destroços da tigela em chamas e a expressão nos olhos do Mestre Rufus.

O pai colocou uma das mãos no ombro de Call, confortando-o.

— Call, está tudo bem. Você *deveria mesmo* ferrar com tudo.

— Eu sei, mas eu achei que seria... — Ele enterrou as mãos nos bolsos, lembrando-se de todas as palestras do pai sobre como ele teria de tentar falhar. Só que nem ao menos tentara. Ele falhou em todas as tarefas porque não sabia o que estava fazendo, por ser muito ruim em magia. — Eu achei que tudo seria diferente.

O pai abaixou a voz.

— Sei que, quando falhamos em alguma coisa, a sensação não é nada boa, Call, mas foi para o seu bem. Você foi ótimo.

— Só se com "ótimo" você queira dizer "um lixo" — Call resmungou.

O pai abriu um sorriso.

— Por um minuto fiquei com medo, pois você tirou a nota máxima no primeiro teste, mas então eles tiraram esses seus pontos. Nunca vi ninguém *perder* pontos antes.

Call franziu o cenho. Ele sabia que aquilo era um elogio, porém não se parecia nada com um.

— Você ficou em último lugar. Há garotos sem poderes mágicos que tiram notas melhores. Acho que no caminho para casa você merece um sundae. O maior que conseguir comer. O seu preferido, com caramelo, manteiga de amendoim *e* ursinhos de goma. Combinado?

— É. — Call se sentou. Ele estava muito desapontado até mesmo para pensar em manteiga de amendoim, caramelo e ursinhos de goma. — Tudo bem.

O pai também voltou a se sentar. Ele balançava a cabeça para si mesmo, parecendo satisfeito. Parecia ainda mais satisfeito à medida que mais notas iam sendo divulgadas.

Call se permitiu olhar para os quadros brancos. Aaron e Tamara estavam na liderança, com notas globais idênticas. Para sua irritação, Jasper estava três pontos atrás deles, em segundo lugar.

"Ah, beleza", Call pensou. O que ele esperava? Os magos eram uns babacas, exatamente como o pai lhe dissera, e os mais babacas entre os babacas conseguiram as melhores notas. Tinha tudo a ver.

Porém, nem *todos* os babacas estavam entre os primeiros lugares. Kylie havia se dado mal, enquanto Aaron tinha excelentes notas. Aquilo era bom, Call supôs. Parecia que Aaron tinha mesmo tentado se dar bem. A não ser, é claro, pelo fato de que se dar bem significava ir para o Magisterium e o pai de Call sempre dissera que isso era algo que ele não desejaria nem para o seu pior inimigo.

Call não estava certo sobre se deveria ficar feliz ou triste por Aaron, que pelo menos havia sido legal com ele. Tudo que o menino sabia é que esse pensamento lhe causava dor de cabeça.

O Mestre Rufus saiu de uma das portas com passos largos. Não disse nada em voz alta, mas toda a multidão ficou em silêncio como se ele houvesse dito algo. Olhando ao redor, Call podia ver alguns rostos familiares — Kylie, que aparentava ansiedade; Aaron, que mordia o lábio; Jasper, pálido e tenso; enquanto Tamara parecia calma e controlada, nem um pouco preocupada. Ela estava sentada entre um elegante casal de cabelos escuros, cujas roupas de cores claras contrastavam com as peles morenas. A mãe usava um vestido marfim e luvas, e o pai vestia um terno creme.

— Aspirantes deste ano — começou o Mestre Rufus, e todos se inclinaram para a frente ao mesmo tempo —, obrigado por estarem conosco hoje e por se esforçarem tanto no Desafio. O agradecimento do Magisterium também se estende a todas as famílias que trouxeram seus filhos e esperaram por eles até o final.

Ele colocou as mãos para trás, e seu olhar varreu as arquibancadas.

— Temos nove magos aqui, e cada um deles está autorizado a escolher até seis candidatos, que serão seus aprendizes pelos cinco anos que passarão no Magisterium. Esta não é uma escolha fácil. Vocês também devem entender que o número de jovens presentes é maior que o de vagas. Se vocês não forem selecionados, é porque não são hábeis o suficiente para este tipo de treinamento. Por favor, entendam que há muitas razões pelas quais alguém pode não ser hábil, e uma exploração mais profunda de seus poderes poderia ser mortal. Antes de se retirarem, um mago irá explicar sobre a obrigatoriedade do sigilo e sobre as maneiras de proteger a si mesmos e suas famílias.

"Termina logo com isso", Call pensou, mal prestando atenção às palavras de Mestre Rufus. Os outros estudantes não paravam quietos nas arquibancadas, igualmente incomodados. Jasper, sentado entre sua mãe oriental e o pai caucasiano, ambos ostentando cortes de cabelo sofisticados, tamborilava os dedos nos joelhos. Call olhou de relance para o pai, que encarava Rufus com uma expressão que ele jamais vira antes. Parecia até que ele queria passar por cima do mago com o reformado Rolls-Royce, mesmo que isso quebrasse a transmissão mais uma vez.

— Alguém tem alguma pergunta? — Rufus perguntou.

A sala ficou em silêncio.

— Está tudo bem — o pai sussurrou para Call, apesar de em nenhum momento o menino indicar que *não estava* tudo bem. O pai apertou Call com ainda mais força, os dedos chegavam a afundar em seu ombro. — Você não será escolhido.

— Muito bem! — Rufus declarou em voz alta. — Que comece o processo de seleção! — Ele deu um passo para trás até ficar diante dos quadros com as notas. — Aspirantes, enquanto chamamos seus nomes, por favor, levantem-se e reúnam-se com seu novo Mestre. Como o mago mais velho depois de Mestre North, que não irá selecionar nenhum aprendiz, começarei a seleção. — Os olhos dele examinaram novamente a multidão. — Aaron Stewart.

Houve uma salva de palmas, embora a família de Tamara não tenha se unido ao coro. Ela se sentava inacreditavelmente imóvel, como se tivesse sido embalsamada. Seus pais pareciam furiosos. O pai se inclinou para a frente e sussurrou algo no ouvido da filha. Call a viu se encolher em resposta. Talvez, no fim das contas, ela fosse mesmo humana.

Aaron se levantou. "Uma escolha realmente surpreendente", Call pensou, sarcástico. Aaron parecia o Capitão América, com seu cabelo loiro, corpo atlético e aquela atitude de sr. perfeito. Call queria jogar o livro do pai na cabeça de Aaron, apesar de ele ser legal. O Capitão América também era legal, mas isso não significava que ele quisesse ter de competir com ele.

E então, em um clique, Call percebeu que, apesar dos aplausos das pessoas nas arquibancadas, Aaron não tinha nenhum familiar sentado ao lado dele. Ninguém o abraçava nem lhe dava tapinhas nas costas. Ele devia ter vindo sozinho. Engolindo em seco, Aaron sorriu e então correu arquibancada abaixo para se juntar ao Mestre Rufus.

Rufus pigarreou.

— Tamara Rajavi — disse ele.

Tamara ficou de pé. Seu cabelo preto flutuava. Os pais dela aplaudiam educadamente, como se estivessem em uma ópera. Tamara não parou para abraçar nenhum deles. Ela simplesmente caminhou controladamente e se pôs ao lado de Aaron, o qual lhe dirigiu um sorriso de felicitação.

Call imaginou se o fato de o Mestre Rufus ser o primeiro a escolher seus aprendizes e ter ido logo para o topo da lista de notas não havia deixado os outros magos irritados. Isso teria deixado Call louco da vida.

Os olhos escuros do Mestre Rufus voltaram a inspecionar a plateia. Call pôde sentir a quietude nas arquibancadas enquanto as pessoas esperavam que Rufus chamasse o próximo nome. Jasper já havia tirado metade do corpo do assento.

— E o meu último aprendiz é Callum Hunt — ele disse, e o mundo de Call desmoronou.

Ouviram-se mais alguns suspiros surpresos de outros aspirantes e murmúrios confusos da plateia enquanto eles conferiam os quadros brancos em busca do nome de Call e o encontravam bem lá no final, com uma nota negativa.

Call encarou o Mestre Rufus. Este, por sua vez, lhe devolveu o olhar com uma expressão totalmente vazia. Ao lado dele, Aaron lhe dirigia um sorriso de encorajamento enquanto Tamara fitava Call com uma expressão de total espanto.

— Eu disse *Callum Hunt* — o Mestre Rufus repetiu. — Callum Hunt, por favor, desça até aqui.

Call começou a se levantar, mas o pai o empurrou para que voltasse para o banco.

— Absolutamente não! — Alastair Hunt se levantou. — Isto já foi longe demais, Rufus. Você não pode ficar com ele.

O Mestre Rufus olhou para cima como se não houvesse mais ninguém na sala.

— Vamos lá, Alastair. Você conhece as regras tão bem quanto qualquer outro. Pare de fazer drama por causa de algo que é inevitável. O garoto precisa ser instruído.

Os Magos começaram a subir as arquibancadas de ambos os lados. O pai de Call o prendia, evitando que ele saísse do lugar. Os magos, em seus mantos negros, eram tão sinistros quanto o pai os descrevera. Pareciam prontos para a batalha. Assim que atingiram a fileira de bancos onde Call estava sentado, eles pararam, esperando que o pai desse o primeiro passo.

O pai de Call havia desistido da magia anos atrás. Ele estava completamente fora de forma. Não teria a menor chance. Os outros magos iriam transformá-lo em um pano de chão.

— Eu vou — Call disse ao se virar para o pai. — Não se preocupe. Não sei o que estou fazendo. Vou ser expulso.

Eles não vão me querer por muito tempo e então voltarei para casa e tudo continuará o mesmo...

— Você não entende. — O pai puxou Call para perto dele e o envolveu com braços de águia. Todos na sala olhavam para eles, e não era para menos. O pai parecia estar fora de si, com os olhos arregalados e saltados. — Vamos, temos de correr.

— Eu *não consigo* — ele lembrou ao pai, porém o homem estava tão alterado que não lhe dava ouvidos.

O pai o puxou pelas arquibancadas, pulando de banco em banco. As pessoas abriam caminho para eles, esquivando-se para o lado ou se levantando. Os magos que estavam parados nos degraus correram atrás dos dois. Call cambaleava pelo caminho, concentrando-se para manter o equilíbrio enquanto desciam.

Assim que chegaram ao chão do hangar, Rufus se pôs diante do pai de Call.

— Já chega — disse o Mestre. — O garoto fica.

O pai de Call parou de forma abrupta. Ele colocou os braços nas costas de Call, o que era estranho. O pai nunca o abraçava, só que aquele mais parecia um agarramento em uma disputa de luta livre. A perna de Call doía graças à correria pelas arquibancadas. O menino tentou se virar para ver o rosto do pai, mas ele encarava o Mestre Rufus.

— Você já não matou membros suficientes da minha família? — o pai de Call inquiriu.

O Mestre Rufus baixou a voz para que a multidão nas arquibancadas não pudesse escutá-lo, apesar de Tamara e Aaron obviamente os ouvirem em alto e bom som.

— Você não ensinou nada a ele. Um mago sem treinamento é como uma rachadura na terra esperando ser rompida e aberta, e, se isso acontecer, ele irá matar não apenas muitas pessoas como também a si mesmo. Não venha me falar de morte.

— Tudo bem — disse o pai de Call. — Eu mesmo vou ensiná-lo. Vou levá-lo comigo e lhe darei aulas. Eu o prepararei para o Primeiro Portal.

— Você teve doze anos para ensiná-lo e não fez isso. Desculpe, Alastair. É assim que tem de ser.

— Olhe para as notas dele... Ele não deveria ser aprovado. Ele não quer ser aprovado! Não é, filho? Não é? — O pai começou a sacudir o menino enquanto falava. Call não conseguiria pronunciar nem uma única palavra, mesmo se quisesse.

— Solte-o, Alastair — disse o Mestre Rufus, com a voz profunda, marcada pela tristeza.

— Não — insistiu o pai de Call. — Ele é meu filho. Tenho os meus direitos. Eu devo decidir sobre o futuro dele.

— Não — discordou Mestre Rufus —, você não tem.

O pai de Call tentou correr, mas não foi rápido o suficiente. Call sentiu braços o agarrarem, enquanto dois outros magos o tiravam à força do abraço do pai. Alastair gritava e Call se retorcia e chutava, mas nada disso fazia a menor diferença à medida que ele era arrastado para onde Aaron e Tamara estavam. Ambos pareciam horrorizados. Call deu uma cotovelada com toda a força em um dos magos que o seguravam. Ele ouviu um grunhido de dor, e seu braço foi imobilizado nas costas. Ele se contorceu e imaginou o que todos aqueles pais sentados nas arquibancadas, que se reuniam ali para enviar seus filhos para a escola de aerodinâmica, achavam daquilo.

— Call! — O pai era contido por dois outros magos. — Call, não ouça nada que eles disserem! Eles não sabem o que estão fazendo! Eles não sabem nada sobre você! — Eles arrastavam Alastair em direção à saída. Call não conseguia acreditar que aquilo estava acontecendo.

De repente, algo cintilou no ar. Ele não vira nenhum dos braços do pai se livrar das garras dos magos, mas, de alguma maneira, ele deve ter conseguido fazer isso. Uma adaga voou em sua direção. A arma planava em linha reta e certeira, mais depressa do que qualquer outra adaga poderia ser lançada. Call não conseguia tirar os olhos dela enquanto ela rodopiava com a lâmina apontada para ele.

Ele sabia que tinha de fazer alguma coisa.

Ele sabia que precisava desviar-se da adaga.

Mas, de alguma forma, não conseguia fazer nada.

Ele sentia como se estivesse preso ao chão.

A lâmina parou a alguns centímetros de Call. Aaron pegou a adaga com tanta facilidade como se colhesse uma maçã no galho mais baixo de uma árvore.

Todos ficaram imóveis por um momento, observando a cena. O pai de Call havia sido levado para as portas mais distantes do hangar por dois magos. Ele havia ido embora.

— Aqui — disse uma voz em um dos ombros de Call. Era Aaron, que segurava a adaga. A arma não era parecida com nada que Call houvesse visto antes. Era prateada com um brilho que formava espirais e girava ao redor do metal. A empunhadura tinha o formato de um pássaro com as asas abertas. A palavra *Semíramis* estava entalhada ao longo da lâmina em uma caligrafia ornamentada.

— Acho que isto é seu, não é? — Aaron perguntou.

— Obrigado. — Call pegou a adaga.

— *Aquilo* era o seu pai? — Tamara disse entredentes, sem virar o rosto na direção de Call. A voz dela estava repleta de frieza e desaprovação.

Alguns magos olhavam para Call como se pensassem que ele era louco ou como se por fim compreendessem por que era daquele jeito. Ele se sentiu melhor com a adaga nas mãos, mesmo que, até aquele momento, só houvesse usado facas para espalhar manteiga de amendoim no pão ou para cortar bifes.

— É — Call respondeu. — Ele quer que eu fique em segurança.

O Mestre Rufus assentiu para a Mestra Milagros e ela deu um passo à frente.

— Nós nos desculpamos profundamente por essa interrupção. Apreciaríamos se todos permanecessem em seus lugares. Por favor, fiquem calmos — ela pediu. — Esperamos que a cerimônia prossiga sem mais atrasos. Agora, selecionarei meus aprendizes.

A multidão ficou mais uma vez em silêncio.

— Escolherei cinco aprendizes — informou a Mestra Milagros. — O primeiro será Jasper de Winter. Jasper, por favor, desça até aqui e fique ao meu lado.

Jasper se levantou e foi até seu lugar ao lado da Mestra Milagros com um único olhar de ódio lançado na direção de Call.

CAPÍTULO QUATRO

O sol começava a se pôr quando todos os magos terminaram de escolher seus aprendizes. Várias crianças foram embora aos prantos, incluindo, para a satisfação de Call, Kylie. Ele teria trocado de lugar com ela sem pensar duas vezes, mas, já que isso não era permitido, pelo menos ele tinha a deixado louca da vida por ter sido obrigado a ficar. Essa era a única vantagem da qual ele conseguia se lembrar, e como a hora da partida para o Magisterium se aproximava, ele tinha de se apegar a qualquer tipo de conforto.

As advertências do pai sobre o Magisterium sempre haviam sido bastante vagas, para frustração de Call. Enquanto o menino permanecia ali de pé, chamuscado, ensanguentado e coberto de tinta azul, a perna doía cada vez mais e ele não tinha mais nada a fazer além de repassar aqueles avisos em sua mente. "Os magos não ligam para nada nem para ninguém a não ser que isso os faça avançar em seus estudos. Eles roubam crianças de suas famílias. Eles são monstros. Fazem experiências com crianças. É por causa deles que sua mãe está morta."

Aaron tentou conversar com Call, mas ele não estava no clima para bater papo. Ele brincava com o cabo da adaga, que havia enfiado no cinto, e tentava passar uma aparência assustadora. Por fim, Aaron desistiu e começou a falar com Tamara. Ela sabia muito sobre o Magisterium graças à sua irmã mais velha, que, de acordo com a menina, era a melhor aluna em absolutamente todas as matérias da escola. Apesar de parecer angustiada, Tamara prometia que se daria ainda melhor. Aaron, por sua vez, parecia feliz só por ir para uma escola de magia.

Call imaginou se deveria adverti-los. E então se lembrou do tom horrorizado na voz de Tamara quando ela viu quem era seu pai. "Esqueça", ele pensou. Se dependesse de Call, aqueles dois podiam ser devorados por serpes que voavam a trinta e dois quilômetros por hora e sedentas por vingança.

Finalmente, a cerimônia de seleção terminara e todos rumaram para o estacionamento. Pais com os rostos cobertos de lágrimas se despediam de seus filhos com beijos e abraços, lotando-os de malas, bolsas de viagem e caixas com comida, remédios e bens de primeira necessidade. Call ficou ali parado, com as mãos nos bolsos. Seu pai não estava ali para se despedir, mas, de qualquer forma, Call também não tinha nenhuma bagagem. Após alguns dias sem trocar de roupa, ele iria cheirar ainda pior do que naquele momento.

Dois ônibus escolares amarelos estavam à espera, e os magos começaram a dividir os alunos em grupos, de acordo com seus Mestres. Cada um dos ônibus carregaria diversos grupos. Os aprendizes do Mestre Rufus foram colocados junto com os dos Mestres Rockmaple, Milagros e Lemuel.

Como Call já esperava, Jasper foi até ele. Suas malas tinham uma aparência tão cara quanto suas roupas e traziam suas iniciais — *JDW* — gravadas no couro. Um sorriso de desdém se engessava no rosto de Jasper sempre que ele olhava para Call.

— Esse lugar no grupo do Mestre Rufus — Jasper começou. — Esse lugar era *meu*. E você o tirou de mim.

Apesar de a irritação de Jasper ser algo que deveria deixá-lo feliz, Call estava cansado de ver as pessoas agindo como se ser escolhido pelo Mestre Rufus fosse uma grande honra.

— Olha, eu não fiz nada para que isso acontecesse. Eu nem queria ser escolhido, ok? E muito menos queria estar aqui.

Jasper tremia de raiva. De perto, Call se deu conta, confuso, de que a bagagem dele, apesar de sofisticada, tinha furos no couro que haviam sido remendados com cuidado repetidas vezes. As mangas da camisa de Jasper também estavam uns cinco centímetros mais curtas do que o esperado, como se suas roupas tivessem sido doadas por outras pessoas ou como se ele tivesse crescido demais para elas. Call apostou que ele havia até mesmo se apossado do nome de outra pessoa para que batesse com o monograma.

Talvez a família de Jasper tivesse tido dinheiro algum dia, mas as coisas não pareciam mais estar tão boas assim para eles.

— Você é um mentiroso — Jasper declarou, desesperado. — Você fez alguma coisa. Ninguém é escolhido pelo mestre mais prestigiado do Magisterium por acidente, então pare de inventar historinhas para o meu lado. Quando chegarmos à escola, minha missão será recuperar o meu lugar. Você vai *implorar* para voltar para casa.

— Espere. Se você implorar, será que eles me deixam voltar para casa?

Jasper olhou para Call como se ele houvesse acabado de pronunciar um monte de frases em babilônio.

— Você não faz a menor ideia do quanto isto é importante. — Jasper pegou a alça da mala com tanta força que os nós de seus dedos ficaram brancos. — Não tem ideia. Não suporto nem ao menos ficar no mesmo ônibus que você. — Ele deu meia-volta e marchou em direção aos outros mestres.

Call sempre odiara o ônibus da escola. Nunca soube ao lado de quem deveria se sentar, porque nunca fizera amigos durante o caminho — ou em qualquer outro lugar, na verdade. Os outros meninos achavam que ele era esquisito. Mesmo durante o Desafio, mesmo entre pessoas que queriam ser *magos*, ele parecia se destacar como o estranho. Naquele ônibus, pelo menos, havia espaço suficiente para que ele tivesse uma fileira de bancos só para si. "O fato de eu estar cheirando a pneu queimado provavelmente tem algo a ver com isso", ele pensou. Mesmo assim, aquilo era um alívio. Tudo o que ele queria era ser deixado em paz para meditar sobre o que acabara de acontecer. Desejou que o pai tivesse lhe dado o celular pelo qual ele implorou em seu aniversário anterior. Call queria apenas poder ouvir a voz dele. Ele só queria que a sua última lembrança do pai não fosse ele sendo arrastado para fora aos berros. Tudo o que Call queria saber era o que fazer em seguida.

Quando alcançaram a estrada, o Mestre Rockmaple se levantou e começou a falar sobre a escola, explicando que os alunos do Ano de Ferro deveriam permanecer na escola durante o inverno porque não seria seguro para eles ir para casa na metade do treinamento. Ele também falou que os alunos trabalhariam com seus mestres durante toda a semana, teriam palestras com outros magos às sextas e participariam de algum tipo de grande prova uma vez por mês. Call achou difícil se concentrar nos detalhes, especialmente quando o Mestre Rockmaple listou os Cinco Princípios da Magia, já que todos eles pareciam ter alguma coisa a ver com equilíbrio. Ou natureza. Ou alguma coisa do tipo. Call tentou prestar atenção, mas as palavras pareciam sumir antes que ele pudesse fixá-las na mente.

Após uma hora e meia de viagem, os ônibus estacionaram em uma parada no meio da estrada, onde Call se deu conta de que, além de não ter bagagem, também não havia trazido nenhum dinheiro. Fingiu não estar com fome nem com sede enquanto todos os outros garotos compravam doces, salgadinhos e refrigerantes.

Quando voltaram para o ônibus, Call se sentou atrás de Aaron.

— Você sabe para onde eles estão nos levando? — perguntou Call.

— Para o Magisterium — Aaron informou como se estivesse um pouco preocupado com a sanidade de Call. — Sabe a *escola*? Onde nós seremos *aprendizes*?

— Mas onde fica exatamente? Onde ficam os túneis? — Call insistiu. — E você acha que eles vão trancar a gente nos nossos quartos à noite? Será que tem barras nas janelas? Ah, espere, não vão rolar barras... porque não terá janelas, não é?

— Hum. — Aaron abriu seu pacote de batatas sabor pão de alho com queijo. — Quer uma batatinha?

Tamara se inclinou no corredor.

— Você é mesmo maluco, de verdade? — ela perguntou, não como se estivesse realmente insultando Call desta vez, mas como se, com toda a sinceridade, quisesse discutir o assunto.

— Você não está sabendo que, quando chegarmos lá, vamos morrer, não é? — Call disse, alto o suficiente para que todo o ônibus o ouvisse.

Um silêncio retumbante seguiu essas palavras.

Por fim, Célia falou:

— Todos nós?

Alguns garotos riram baixo.

— Bem, não todos, é *claro* — respondeu Call —, mas alguns de nós. E isso já é ruim o suficiente!

Todos tornaram a olhar para Call, exceto os Mestres Rufus e Rockmaple, que estavam sentados na parte da frente do ônibus e não prestavam atenção ao que os garotos faziam lá atrás. Naquele dia, Call havia sido tratado como louco mais do que em qualquer outro de sua vida, e já estava ficando cheio daquilo. Aaron era o único que não olhava para Call como se ele fosse maluco. Em vez disso, mordeu uma batata frita.

— Quem disse isso para você? — ele perguntou. — Sobre morrermos.

— Meu pai — informou Call. — Ele foi para o Magisterium e por isso sabe muito bem como são as coisas por lá. Ele contou que os magos fazem experiências com a gente.

— Era aquele cara que ficou berrando para você no Desafio? Que atirou a faca? — quis saber Aaron.

— Ele não costuma agir assim — Call murmurou.

— Bem, ele obviamente foi para o Magisterium e *continua* vivo — Tamara ressaltou. Ela baixara a voz. — E a minha irmã está lá. E alguns dos nossos pais também frequentaram a escola.

— É, mas a minha mãe está morta — disse Call. — E o meu pai odeia tudo que tenha a ver com essa escola. Ele nem mesmo fala sobre o Magisterium. Ele me contou que minha mãe morreu por causa disso.

— O que aconteceu com ela? — Célia perguntou. Ela tinha um pacote de balas de goma em forma de garrafas no colo, e Call ficou tentado a pedir uma porque elas o lembravam do sundae que ele jamais ganharia. Além disso, Célia parecia gentil, como se tivesse feito essa pergunta apenas porque queria dissipar sua preocupação com os magos e não porque achava que ele era um esquisito cheio de raiva no coração. — Digo, ela teve você, então ela não morreu no Magisterium, certo? Ela deve ter se formado antes.

Essa pergunta desconcertou Call. Ele juntara todos os fatos, mesmo assim não conseguia traçar uma linha do tempo muito precisa. Houve uma briga em algum lugar, algum tipo de guerra mágica. O pai costumava ser vago sobre os detalhes. Ele sempre focava no fato de que os magos haviam deixado aquilo acontecer.

"Quando os magos entram em guerra, o que acontece com frequência, eles não se importam com a morte das pessoas."

— Uma guerra — ele disse. — Houve uma guerra.

— Bem, isso não é lá muito específico — retrucou Tamara. — Mas, se era a sua mãe, só pode ter sido a Terceira Guerra dos Magos. A guerra do Inimigo.

— Tudo o que sei é que eles morreram em algum lugar na América do Sul.

Célia soltou um suspiro.

— Então ela morreu nas montanhas — concluiu Jasper.

— Nas montanhas? — repetiu Drew lá de trás, parecendo nervoso. Call lembrou-se dele como o menino que perguntara sobre a escola de pôneis.

— O Massacre Gelado — disse Gwenda. Call se recordou da forma como a garota havia se levantado da arquibancada ao ser escolhida. Ela sorria como se fosse seu aniversário, e suas muitas tranças com contas nas pontas balançaram ao redor do rosto dela. — Você realmente não sabe de nada? Nunca ouviu falar do Inimigo, Drew?

A expressão de Drew congelou-se.

— Que inimigo?

Gwenda suspirou, irritada.

— O *Inimigo da Morte*. Ele é o último dos Makaris e a causa da Terceira Guerra.

Drew ainda parecia intrigado. Call também não tinha muita certeza sobre o que Gwenda havia dito. Makaris? Inimigo da Morte? Tamara olhou para trás e percebeu a expressão no rosto de ambos.

— A maioria dos magos é capaz de acessar os quatro elementos — ela explicou. — Lembram-se do que o Mestre Rockmaple disse sobre recorrer ao ar, à água, à terra e ao fogo para fazer magia? E toda aquela coisa sobre a magia do caos?

Call se lembrava de algumas partes da palestra dada pelo mestre na frente do ônibus, algo sobre caos e coisas que devoravam as outras. Aquilo soara ruim mais cedo e não soava nada melhor naquele momento.

— Eles transformam o nada em coisas, e é por isso que o chamamos de Makaris. Criadores. Eles são poderosos. E perigosos. Como o Inimigo.

Call sentiu um calafrio percorrer sua espinha. Essa história de magia soava ainda mais sinistra do que o seu pai lhe dissera.

— Ser o Inimigo da Morte não me parece algo assim tão ruim — ele declarou, mais para contrariar. — Vamos combinar que a morte não é uma das coisas mais legais do mundo. Quero dizer, quem iria querer ser Amigo da Morte?

— Não é assim que as coisas funcionam. — Tamara cruzou as mãos sobre as pernas, claramente irritada. — O Inimigo era um grande mago. Talvez fosse até mesmo o melhor deles. Só que enlouqueceu. Ele queria viver para sempre e acordar os mortos. É por isso que o chamam de Inimigo da Morte, porque ele tentou conquistar a morte. Ele começou a introduzir o caos no mundo, colocou o vazio dentro de animais... e até mesmo de pessoas. Quando um pedaço do vazio é colocado dentro de uma pessoa, ela se torna um monstro inconsequente.

Do lado de fora do ônibus, o sol já havia se posto. Restara apenas uma mancha de vermelho e dourado na linha do horizonte, só para lembrá-los do quão cedo havia anoitecido. À medida que o ônibus seguia, adentrando cada vez mais a escuridão, Call podia perceber um número cada vez maior de estrelas no céu do lado de fora da janela. Ele conseguia distinguir apenas formas vagas nas florestas pelas quais passavam. Até onde Call podia ver, a paisagem era composta apenas por uma escuridão repleta de folhas e rochas.

— E isso é provavelmente o que ele ainda vai fazer — disse Jasper. — Ele só está à espera para quebrar o Trato.

— Ele não era o único Makari de sua geração. — Tamara parecia contar uma história que aprendera de cor ou recitar um discurso que já ouvira inúmeras vezes. — Havia outra. Verity Torres, nossa principal guerreira. Ela era apenas um pouco mais velha do que somos hoje, mas era muito corajosa e liderou várias batalhas contra o Inimigo. Nós estávamos ganhando. — Os olhos de Tamara brilharam ao falar sobre Verity. — Mas, então, o Inimigo cometeu o ato mais traiçoeiro que alguém poderia cometer. — Ela abaixou a voz mais uma vez para impedir que os mestres na frente do ônibus pudessem ouvi-la. — Todos sabiam que uma grande batalha se aproximava. O nosso lado, o dos magos bons, escondeu suas famílias e filhos em uma caverna remota para que não se tornassem reféns. O Inimigo encontrou esse esconderijo e, em vez de ir para o campo de batalha, foi lá e matou todo mundo.

— O Inimigo esperava que eles morressem com facilidade — Célia acrescentou, entrando na conversa com sua voz suave. Era óbvio que ela também já tinha ouvido aquela história milhares de vezes. — Afinal, eram apenas crianças, pessoas idosas e alguns pais com seus bebês. Eles tentaram manter o Inimigo do lado de fora e mataram os Dominados pelo Caos na caverna, mas não eram fortes o suficiente para destruir o Inimigo. No fim, todos morreram e ele fugiu sem deixar vestígios. Foi tão brutal que a Assembleia ofereceu uma trégua e ele aceitou.

Houve um silêncio horrorizado.

— Nenhum dos magos bons sobreviveu? — perguntou Drew.

— Todos eles vivem na escola de pôneis — Call sussurrou. De repente, ele ficou até satisfeito por não ter dinheiro para comprar nada na parada, porque tinha certeza absoluta de que acabaria vomitando. Ele sabia que a mãe tinha morrido. Sabia até mesmo que ela morrera em uma batalha. Mas nunca havia ouvido os detalhes.

— O quê? — Tamara se virou para ele com uma expressão gélida, enfurecida. — O que você disse?

— Nada — Call apoiou as costas no encosto do banco e cruzou os braços. Pela expressão dela, ele sabia que fora longe demais.

— Você é inacreditável. Sua mãe morreu durante o Massacre Gelado e você faz piada sobre o sacrifício dela. Você age como se fosse culpa dos magos e não do Inimigo.

Call olhou para o outro lado, com o rosto quente. Sentia vergonha do que havia dito, mas também sentia raiva, pois ele deveria saber dessas coisas, não é? O pai deveria ter lhe contado. Só que ele não fizera nada disso.

— Se a sua mãe morreu na montanha, onde você estava? — Célia interrompeu a discussão, tentando acalmar os ânimos. A flor no cabelo dela ainda estava toda amassada da queda durante o Desafio, e um dos cantos encontrava-se levemente chamuscado.

— No hospital — Call respondeu. — Já nasci com a perna toda ferrada, então estava sendo operado. O lugar em que ela deveria estar era na sala de espera do hospital, mesmo que o café fosse ruim. — Era sempre assim quando ele ficava irritado. Era como se não conseguisse controlar as palavras que saíam de sua boca.

— Você é um idiota — Tamara declarou com raiva. Ela não era mais aquela menina fria e contida do Desafio. Os olhos dela se moviam de um lado para o outro de tanta raiva. — Metade dos garotos que estão no Magisterium e possuem um legado teve algum membro da família que morreu na montanha. Se continuar a falar desse jeito, alguém vai acabar afogando você em um dos lagos subterrâneos e ninguém sentirá sua falta. Nem eu.

— Tamara, estamos no mesmo grupo de aprendizes — disse Aaron. — Dá um tempo para o garoto. A mãe dele morreu. Ele pode se sentir como bem entender.

— Minha tia-avó também morreu na montanha — Célia acrescentou. — Meus pais falam dela o tempo todo, mas nunca a conheci. Não estou chateada com você, Call. Eu só queria que nada disso tivesse acontecido com a gente. Com nenhum deles.

— Bem, eu estou chateado — um cara sentado no fundo do ônibus entrou na conversa. Call achava que o nome dele era Rafe. Ele era alto, com o cabelo cheio, escuro e cacheado, e vestia uma camiseta com a estampa de uma caveira sorridente que brilhava em um tom de verde desbotado na luz fraca.

Call se sentiu ainda pior. Estava prestes a pedir desculpas para Célia e Rafe quando Tamara se virou para Aaron e comentou, furiosa:

— Mas é como se ele não se importasse. Eles foram heróis.

— Não, eles não foram nada disso — irrompeu Call antes que Aaron pudesse falar. — Eles foram vítimas. Essas pessoas foram mortas por causa da *magia* e nada pode mudar isso. Nem mesmo o seu Inimigo da Morte, não é?

Houve um silêncio atônito. Até mesmo as pessoas que estavam envolvidas em outras conversas em outras partes do ônibus se viraram, boquiabertas, para Call.

Seu pai culpava os outros magos pela morte da mãe. E ele acreditava em seu pai. De verdade. Mas, com todos aqueles olhos sobre si, Call já não tinha tanta certeza sobre o que pensar.

O silêncio foi quebrado apenas pelo som dos roncos do Mestre Rockmaple. O corredor do ônibus se transformara em um depósito de lixo.

— Ouvi dizer que há animais Dominados pelo Caos próximos à escola — Célia sussurrou. — Eles são fruto das experiências do Inimigo.

— Tipo cavalos? — perguntou Drew.

— Espero que não — Tamara tremeu. Drew pareceu desapontado. — Você não iria querer ter um cavalo Dominado pelo Caos. Os Dominados pelo Caos são os servos do Inimigo. Eles têm um pedaço do vazio dentro de si, o que os torna mais espertos que outros animais, porém mais insanos e sedentos por sangue. Só o Inimigo ou um dos seus servos podem controlá-los.

— Então quer dizer que eles são como cavalos zumbis possuídos pelo demônio? — Drew insistiu.

— Não exatamente. Você pode reconhecê-los pelos olhos, que possuem um brilho intenso. Na verdade, são pálidos com cores que giram dentro das órbitas. Mas, tirando isso, são como animais normais. Essa é a parte mais assustadora — Gwenda acrescentou. — Espero que não tenhamos de sair muito.

— Eu já espero o contrário — disse Tamara. — Minha vontade é aprender a reconhecê-los e a matá-los. Quero fazer *isso*.

— Ah, depois *eu* é que sou maluco — Call comentou em voz baixa. — Não há nada com que se preocupar no Magisterium. Escola de pôneis demoníacos, lá vamos nós.

Tamara, entretanto, não estava prestando atenção nele. Ela estava inclinada na direção de outro banco, escutando Célia, que dizia:

— Ouvi falar de um novo tipo de Dominado pelo Caos que não pode ser identificado pelos olhos. Nem mesmo a criatura sabe o que ela é até o Inimigo obrigá-la a obedecer a sua vontade. Assim, tipo, até o seu gato pode estar espionando você ou...

O ônibus parou com um solavanco. Por um segundo, Call pensou que estivessem em outro posto de gasolina, mas então o Mestre Rufus se levantou.

— Chegamos — ele informou. — Façam uma fila no corredor de forma ordenada, por favor. — Por alguns minutos, tudo pareceu ser absolutamente normal, como se Call estivesse em uma excursão da escola. Os alunos pegaram suas malas e bolsas e as empurraram para fora do ônibus. Call ficou bem atrás de Aaron e, já que não tinha nenhuma bagagem para pegar, foi o primeiro a dar uma olhada ao redor.

CAPÍTULO CINCO

Call encarou o paredão de rocha. À esquerda e à direita, havia apenas floresta, porém, à sua frente, o menino vislumbrava as imensas portas duplas. Elas eram de um tom cinzento desgastado pelo tempo, com dobradiças de ferro em forma de redemoinhos que se curvavam, encaixando-se umas dentro das outras. Call imaginou que, a distância ou sem a luz dos faróis do ônibus, eles deveriam ficar praticamente invisíveis. Encravado na rocha sobre as portas havia um símbolo que ele desconhecia:

Logo abaixo dele havia as seguintes palavras: O fogo quer queimar. A água quer fluir. O ar quer se erguer. A terra quer unir. O caos quer devorar.

Devorar. A palavra disparou um arrepio que atravessou o corpo de Call. "Essa é sua última chance para fugir", o menino pensou. Mas ele não era muito rápido, e, de qualquer maneira, não havia para onde correr.

Os outros garotos pegaram suas coisas e estavam parados diante do paredão de rocha assim como Call. O Mestre

Rufus foi até a porta e todos ficaram em silêncio. O Mestre North deu um passo à frente:

— Vocês estão prestes a entrar nos corredores do Magisterium. Para alguns, será a realização de um sonho. Para outros, esperamos que seja o início de um. Para todos, digo que o Magisterium existe para sua própria segurança. Vocês possuem um grande poder, e, sem treinamento, esse poder é perigoso. Aqui, nós os ensinaremos a controlá-lo e também os instruiremos sobre as histórias de magos como vocês que datam desde o passado mais remoto. Cada um de vocês possui um destino único, diferente do caminho convencional que trilhariam longe daqui, um destino que encontrarão do outro lado destas paredes. Vocês já devem ter percebido isso quando vislumbraram os primeiros traços de seus poderes. Porém, enquanto estão aqui, diante desta montanha, imagino que pelo menos alguns de vocês devam estar pensando onde foi que se meteram.

Alguns dos alunos riram, se reconhecendo nas palavras do Mestre North.

— Há muitos anos, bem no início dos tempos, os primeiros magos pensaram a mesma coisa. Intrigados pelos ensinamentos dos alquimistas, em particular Paracelso, eles tentaram explorar a magia elemental. Esses magos tiveram um sucesso limitado até que um alquimista se deu conta de que seu jovem filho era capaz de realizar facilmente os mesmos exercícios que ele tinha de se esforçar muito para completar. Eles perceberam que a magia podia ser realizada por aqueles que tinham um poder inato, e os mais jovens obtinham melhores resultados. Depois dessa descoberta, os magos encontraram novos alunos para quem poderiam ensinar e com quem poderiam aprender, iniciando uma jornada por toda a Europa em busca de crianças com poderes. Muito poucas o possuíam, talvez uma em vinte e cinco mil, porém os magos reuniram aquelas que tinham potencial e deram início à primeira escola de magia. Ao longo do tempo, eles ouviram histórias de meninos e meninas sem treinamento que colocaram fogo em casas, se afogaram em tempestades, foram levados por tornados ou tragados por sumidouros. Após o treinamento, os magos aprenderam a andar sob a lava e sair ilesos, explorar as partes mais profundas do oceano sem precisar de um tanque de oxigênio e até mesmo voar.

Algo dentro de Call saltou ao ouvir as palavras do Mestre North. Ele se lembrava de ser muito pequeno e pedir ao pai para balançá-lo no ar, mas o pai não fez o que ele queria e lhe disse para parar de fingir. Será que ele podia mesmo aprender a voar?

"Se você pudesse voar", sussurrou uma pequena e ameaçadora parte do seu cérebro, "não importaria tanto o fato de não poder correr".

— Aqui vocês encontrarão os elementais, criaturas de grande beleza, mas que também representam um grande perigo. Eles existem em nosso mundo desde a aurora dos tempos. Vocês moldarão a terra, o ar, a água e o fogo, fazendo com que se inclinem diante de sua vontade. Vocês estudarão nosso passado à medida que se tornam nosso futuro. Vocês descobrirão o que o seu eu comum jamais teria o privilégio de ver. Vocês aprenderão coisas sensacionais e farão outras coisas ainda mais incríveis. Bem-vindos ao Magisterium.

Os alunos aplaudiram. Call olhou ao redor. Todos os olhos brilhavam. E, por mais que lutasse contra aquilo, ele tinha certeza de que a expressão em seu rosto era a mesma de seus colegas.

O Mestre Rufus deu um passo à frente.

— Amanhã vocês verão mais da escola, mas, esta noite, sigam seus mestres e se acomodem em seus quartos. Por favor, permaneçam juntos enquanto eles os conduzem pelo Magisterium. O sistema de túneis é complexo, e, até que o conheçam bem, será fácil se perderem.

"Perder-se nos túneis", Call pensou. Era exatamente o que ele temia desde a primeira vez em que ouvira falar daquele lugar. Ele tremeu ao se lembrar do pesadelo em que ficava preso debaixo da terra. Algumas de suas dúvidas rastejaram de volta à sua mente. Os avisos do pai ecoavam em sua cabeça.

"Mas eles vão me ensinar a voar", ele pensou, como se discutisse com alguém que não estava ali.

O Mestre Rufus ergueu uma de suas mãos grandes, com os dedos espalmados, e disse algo em voz baixa. O metal de seu bracelete começou a brilhar, como se tivesse se tornado uma brasa branca e incandescente. Um momento depois, com um rangido agudo que se assemelhava a um grito, as portas começaram a se abrir.

Uma luz escapou dentre elas, e os alunos começaram a andar em sua direção, soltando suspiros e exclamações. Call entreouviu vários "Irado!" e "Maneiro!".

Um minuto depois, ele teve de admitir, mesmo a contragosto, que aquilo era *mesmo* meio irado.

As portas se abriam para um vasto hall de entrada, maior que qualquer espaço interno que Call poderia imaginar. Daria para colocar umas três quadras de basquete ali e ainda sobraria lugar. O chão era feito da mesma mica brilhante que ele vira na ilusão no hangar, porém as paredes eram cobertas de calcário, o que dava a impressão de que milhares de velas derretidas tiveram sua cera derramada por toda a superfície. Estalagmites se erguiam por todas as extremidades da sala e estalactites pendiam tão próximas que quase tocavam umas nas outras em alguns lugares. Um rio, de um azul brilhante que mais lembrava uma safira luminosa, cortava o salão. A água fluía através de um arco em uma das paredes e saía por outro. Uma ponte encravada na rocha dava acesso ao outro lado. Alguns padrões que Call ainda não era capaz de reconhecer foram encravados nos lados da ponte. De qualquer forma, aquelas inscrições lembravam as marcas na adaga que o pai atirara para ele.

Call parou quando todos os aprendizes chegaram ao mesmo tempo até onde ele estava, formando um ponto no meio da sala. A perna estava rígida devido à longa viagem de ônibus, e ele tinha consciência de que se moveria mais devagar do que nunca. Call torcia para que a caminhada até o lugar onde eles dormiriam não fosse muito longa.

As imensas portas se fecharam atrás deles com um estrondo que fez Call dar um pulo. Ele se virou para trás bem a tempo de ver uma fileira de estalactites afiadas cair do teto, uma após a outra, e, com um baque surdo, permanecer no chão, bloqueando as portas.

Drew, que estava atrás de Call, engoliu em seco de forma bastante audível.

— Mas... como vamos sair daqui?

— Não vamos — Call informou, feliz por finalmente ter alguma resposta. — Nunca mais sairemos daqui.

Drew se afastou, receoso. Call pensou que não poderia culpá-lo, mas já estava ficando um pouco cansado de ser tratado como esquisito apenas por dizer o óbvio.

Uma mão puxou uma das mangas de sua camiseta.

— Vamos. — Era Aaron.

Call se virou e viu que o Mestre Rufus e Tamara já tinham começado a andar. Tamara tinha um gingado no modo como caminhava que não existia antes, quando ela estava sob os olhares atentos dos pais. Resmungando baixinho, Call seguiu os outros três por um dos arcos e entrou em um dos túneis do Magisterium.

O Mestre Rufus esticou uma das mãos e uma chama surgiu em sua palma, iluminando o caminho como uma tocha. Call se lembrou do fogo sobre a água no teste final. Ele imaginou o que deveria ter sido feito para realmente falhar, falhar de uma maneira que não significasse estar ali.

Eles andaram em fila indiana por um corredor estreito que cheirava levemente a ácido sulfúrico e dava em outra sala com uma série de lagos. Dentro de um deles, a lama borbulhava, e, em outros, vários peixes cegos se dispersaram ao som dos passos dos humanos.

Call quis fazer uma piada sobre o fato de peixes cegos Dominados pelo Caos serem indetectáveis caso se tornassem servos do Inimigo da Morte, porque, bem, eles não tinham olhos. Mesmo assim, conseguiu se conter, imaginando os peixes espionando os alunos.

Em seguida, eles chegaram a uma caverna com cinco portas dispostas na parede mais afastada. A primeira era feita de ferro; a segunda, de cobre; a terceira, de bronze; a quarta, de prata. A última era de ouro resplandecente. Todas refletiam o fogo na mão do Mestre Rufus, fazendo com que as chamas dançassem de forma sinistra no espelho formado por suas superfícies polidas.

Lá no alto, Call pôde ver o lampejo de algo que brilhava, algo com uma cauda que se moveu rapidamente para as sombras e desapareceu.

O Mestre Rufus não os levou para o interior daquela caverna nem entrou em qualquer uma das portas, mas continuou andando até que chegaram a uma grande sala redonda, de teto alto e com cinco passagens arqueadas que levavam a cinco direções diferentes.

No teto, Call vislumbrou um grupo de lagartos grandes com gemas em suas costas. Algumas pareciam queimar, envolvidas por chamas azuis.

— Elementais — Tamara arfou.

— Por aqui. — Aquelas eram as primeiras palavras que o Mestre Rufus pronunciava.

Sua voz sonora ecoava pelo espaço vazio. Call se perguntou onde estavam todos os outros magos. Talvez já fosse mais tarde do que ele pensava e eles estivessem dormindo, no entanto a ausência de outras pessoas nas salas pelas quais o grupo passara fazia parecer que os quatro estavam completamente sozinhos ali, debaixo da terra.

Por fim, o Mestre Rufus parou diante de uma grande porta quadrada com um painel de metal no lugar da maçaneta. Ele ergueu um dos braços e o bracelete brilhou novamente, desta vez apenas um lampejo rápido. Ouviu-se um clique dentro da porta e ela se abriu.

— Nós podemos fazer isso? — perguntou Aaron, assombrado.

O Mestre Rufus sorriu para ele.

— Sim, com toda a certeza vocês poderão entrar em seus próprios quartos com seus braceletes, apesar de não terem permissão para adentrar todos os lugares. Venham conhecer seus quartos, onde passarão o Ano de Ferro de seu aprendizado no Magisterium.

— Ano de Ferro? — Call repetiu, se lembrando das portas.

O Mestre Rufus entrou, estendendo os braços ao redor do que parecia uma combinação de sala de estar com área de estudos. As paredes da caverna eram altas e arqueadas, formando um domo de cujo centro pendia um imenso castiçal de cobre com uma dúzia de braços curvados, cada um deles entalhado com desenhos de chamas e sustentando uma tocha acesa. No chão de pedra havia três carteiras agrupadas, formando vagamente um círculo, e dois sofás felpudos colocados um de frente para o outro diante de uma lareira grande o suficiente para assar uma vaca. Não apenas uma vaca, mas um *pônei*. Call se lembrou de Drew e escondeu um sorriso torto.

— Isso é incrível — disse Tamara enquanto rodopiava para conferir todos os detalhes. Por um momento, ela pareceu uma garota normal e não uma maga vinda de uma família ancestral, detentora de poderes mágicos.

Veias brilhantes de quartzo e mica corriam pelas paredes de pedra. Quando a tocha as atingia, elas refletiam um modelo de cinco símbolos iguais aos da entrada: um triângulo, um círculo, três linhas onduladas, uma flecha que apontava para cima e uma espiral.

— Fogo, terra, água, ar e caos — disse Aaron.

Ele devia ter prestado atenção às explicações do Mestre Rockmaple no ônibus.

— Muito bem — elogiou o Mestre Rufus.

— Por que eles estão combinados assim? — perguntou Call, apontando para as veias.

— Essa combinação dos símbolos forma um quincunce. E, agora, isto é para vocês. — Ele ergueu três braceletes de uma mesa que pareceu ser encravada a partir de um único pedaço de rocha. Tratava-se de faixas grossas de couro com uma tira de ferro presa no punho, fechada por uma fivela feita do mesmo metal.

Tamara pegou a dela como se fosse algum tipo de objeto sagrado.

— Uau.

— Eles são mágicos? — Call examinou seu bracelete, cético.

— Esses braceletes marcam seu progresso no Magisterium. Caso sejam aprovados no teste que farão no final do ano, ganharão um metal diferente. Ferro, depois cobre, bronze, prata e, finalmente, ouro. Quando completarem o Ano de Ouro, não serão mais considerados aprendizes, mas magos artífices, prontos para entrar no

Collegium. Em resposta à sua pergunta, Call, sim, eles são mágicos. Foram feitos por um ferreiro e servem como chaves, permitindo que vocês tenham acesso às salas de aula localizadas nos túneis. Vocês ganharão metais e pedras adicionais para acrescentar a seus braceletes, que significarão suas conquistas. Quando se formarem, esses braceletes refletirão o tempo que terão passado aqui.

O Mestre Rufus foi até uma pequena cozinha. Em cima de um fogão de aparência estranha, com pedras circulares no lugar dos queimadores, havia um armário de onde ele tirou três pratos de madeira vazios.

— Em geral, achamos melhor deixar que os aprendizes se acomodem em seus quartos antes de serem levados para o Refeitório, que é um local bastante movimentado. Por isso, vocês comerão aqui esta noite.

— Mas estes pratos estão *vazios* — Call observou.

Rufus procurou alguma coisa no bolso e tirou de lá um pacote de mortadela e um naco de pão, duas coisas que com toda a certeza não cabiam ali dentro.

— Sim, eles estão vazios, mas não por muito tempo. — Ele abriu a embalagem da mortadela, fez três sanduíches, colocou um em cada prato e depois os cortou em duas metades. — Agora imaginem sua comida preferida.

Call olhou do Mestre Rufus para Tamara e Aaron. Será que aquilo era algum tipo de magia que esperavam que eles fizessem? Será que o Mestre Rufus sugeria que, se eles imaginassem alguma coisa deliciosa enquanto comiam o sanduíche, a mortadela teria um gosto melhor? Será que ele *podia ler a mente de Call*? E se os magos estivessem monitorando seus pensamentos o tempo todo e...

— Call — o Mestre Rufus o chamou, fazendo com que pulasse de susto. — Há algo errado?

— Você pode ler os meus pensamentos? — Call deixou escapar.

Mestre Rufus piscou para ele uma vez, devagar, como um dos lagartos sinistros do teto do Magisterium.

— Tamara, eu posso ler a mente de Call?

— Os magos só podem ler a mente de alguém se a pessoa projetar seus pensamentos — ela respondeu.

O Mestre Rufus balançou a cabeça, concordando.

— E o que você acha que Tamara quer dizer com projetar, Aaron?

— Pensar com muita força? — ele tentou depois de pensar por um momento.

— Sim — disse o Mestre Rufus. — Então, por favor, pensem com bastante força.

Call imaginou seus pratos preferidos. As imagens passaram repetidas vezes por sua mente. Porém, ele sempre era distraído por alguma outra coisa, coisas que seriam engraçadas de ver. Como uma torta preparada dentro de um bolo. Ou trinta e sete bolinhos empilhados em forma de pirâmide.

Finalmente, o Mestre Rufus ergueu as mãos e Call não conseguiu mais pensar no que quer que fosse. O primeiro sanduíche começou a se expandir, filetes de mortadela saíram de dentro do pão e formaram espirais ao redor do prato. Um cheiro delicioso tomou conta da sala.

Aaron se inclinou sobre a refeição, claramente faminto apesar das batatas fritas que comera no ônibus. A mortadela se transformou em um prato, uma tigela e uma garrafa — a tigela estava cheia de macarrão com queijo cobertos por migalhas de pão, fumegante como se tivesse acabado de sair do forno; o prato continha um brownie coberto por uma bola de sorvete; e dentro da garrafa havia um líquido cor de âmbar que Call supôs ser suco de maçã.

— Uau — Aaron comentou, impressionado. — É exatamente o que eu imaginei. Mas isto é mesmo real?

O Mestre Rufus assentiu.

— Tão real quanto o sanduíche. Lembre-se do Quarto Princípio da Magia: "Você pode mudar a forma de algo, mas não sua natureza essencial." Já que não alterei a natureza da comida, ela foi de fato transformada. Sua vez, Tamara.

Call se perguntou se aquilo significava que o macarrão com queijo de Aaron teria gosto de mortadela. Mas pelo menos aquilo mostrara que Call não era o único que não se lembrava dos princípios da magia.

Tamara deu um passo à frente para pegar sua bandeja à medida que a comida se transformava em um grande prato de sushi com uma maçaroca verde em um dos cantos e uma tigela de molho de soja em outro. Para completar a refeição, ainda havia três motis redondos e cor-de-rosa. Para beber, chá verde quente, e ela pareceu estar realmente feliz com aquilo.

E então foi a vez de Call. Ele olhou para sua bandeja, cético, sem muita convicção do que encontraria. Porém, lá estava sua refeição favorita: pedaços de frango empanado acompanhados por um potinho de molho ranch, uma tigela de espaguete com molho de tomate e, de sobremesa, um sanduíche de manteiga de amendoim e cereal. Em sua caneca havia chocolate quente com chantili e marshmallows coloridos.

O Mestre Rufus parecia satisfeito.

— Agora vou deixá-los para que se acomodem. Logo alguém virá trazer os pertences de vocês...

— Posso ligar para o meu pai? — Call interrompeu. — Quero dizer, tem algum telefone que eu possa usar? Eu não tenho celular.

Houve um momento de silêncio e então o Mestre Rufus explicou de uma forma mais gentil do que Call esperava:

— Telefones celulares não funcionam no Magisterium, Callum. Estamos muito abaixo do nível do mar para isso.

E também não temos telefones fixos. Utilizamos os elementos para nos comunicar. Sugiro que você dê a Alastair algum tempo para que ele se acalme, e então você e eu entraremos em contato com ele.

Call engoliu qualquer tipo de protesto. Aquela não fora uma negativa cruel, porém havia sido uma resposta definitiva.

— Agora — Mestre Rufus continuou —, espero vocês acordados e vestidos às nove, amanhã. Além disso, conto que estejam atentos e prontos para aprender. Temos muito trabalho a realizar juntos e eu sentiria muito se vocês não fossem capazes de realizar as promessas que mostraram no Desafio.

Call presumiu que ele se referia a Aaron e a Tamara, já que cumprir a promessa que ele demonstrara mais cedo significaria colocar fogo no rio subterrâneo que atravessava a escola.

Quando o Mestre Rufus saiu, eles se sentaram nos bancos formados por estalagmites ao redor da mesa de pedra lisa e comeram juntos.

— E se você colocasse molho ranch no seu espaguete? — perguntou Tamara, olhando para o prato de Call com os pauzinhos parados no ar.

— Ficaria ainda mais delicioso — disse Call.

— Que nojo! — Tamara pincelou o wasabi no molho de soja sem derrubar uma única gota de molho fora da tigela.

— Da onde você acha que eles tiraram peixe fresco para o seu sushi, já que estamos em uma caverna? — Call mordeu um pedaço de frango. — Aposto que eles afundaram uma rede em um desses lagos subterrâneos e pegaram o que quer que tenha aparecido. Delícia, hein?

— Pessoal — interveio Aaron com a voz repleta de sofrimento. — Vocês estão me fazendo desistir de comer meu macarrão.

— Delícia! — disse Call novamente, enquanto fechava os olhos e balançava a cabeça para a frente e para trás como se fosse um peixe subterrâneo. Tamara pegou sua bandeja e foi até o sofá, onde se sentou de costas para Call e voltou a comer.

Eles continuaram a refeição em silêncio. Apesar de mal ter comido naquele dia, Call não conseguiu terminar seu prato. Ele imaginou o pai em casa, comendo à mesa da cozinha abarrotada de tralhas. Sentia saudade de tudo aquilo, mais do que já sentira de qualquer outra coisa em sua vida.

Call afastou a bandeja e se levantou.

— Vou para a cama. Qual delas é a minha?

Aaron se esticou no banco e inspecionou rapidamente o cômodo.

— Nossos nomes estão nas portas.

— Ah — respondeu Call, sentindo-se um pouco estranho e idiota. O nome dele estava lá, escrito nas veias do quartzo. *Callum Hunt.*

Ele atravessou a porta. Era um quarto luxuoso, muito maior que o da casa de Call. Um tapete grosso com padrões que repetiam os símbolos dos quatro elementos cobria o chão de pedra. A mobília parecia ter sido feita de madeira petrificada que resplandecia com uma espécie de brilho dourado. A cama era imensa, com pesados cobertores azuis e grandes travesseiros. Havia um armário e uma cômoda, mas, como Call não tinha roupa para trocar e não havia bagagem a ser entregue, ele se jogou na cama e cobriu o rosto com um travesseiro. Aquilo fez com que se sentisse um pouco melhor. Lá fora, na sala compartilhada, ele ouvia as risadinhas de Tamara e Aaron. Os dois nunca haviam conversado daquela maneira antes. Eles devem ter esperado que ele saísse.

Alguma coisa o cutucou no tronco. Ele tinha se esquecido da adaga que o pai lhe dera. Call tirou a arma do cinto e a examinou sob a luz das tochas. *Semíramis.* Ele se perguntou o que significaria aquela palavra. Ficou pensando se passaria os cinco anos seguintes sozinho naquela sala com sua adaga esquisita enquanto as pessoas riam dele. Com um suspiro, Call largou a arma na mesa de cabeceira, enfiou os pés debaixo dos cobertores e tentou dormir.

Entretanto, levou horas para cair no sono.

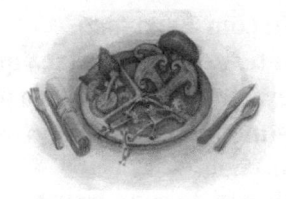

CAPÍTULO SEIS

Call acordou com um som que parecia o de alguém berrando em seu ouvido. Ele virou para o lado com tanta força que caiu da cama, batendo com os joelhos no chão da caverna. O som horrível prosseguia, ecoando pelas paredes.

A porta do quarto se escancarou e, aos poucos, os gritos cessaram. Aaron surgiu no quarto, seguido por Tamara. Ambos vestiam o uniforme do primeiro ano: túnicas de algodão cinza sobre calças largas feitas do mesmo material. Ambos traziam seus braceletes atados no pulso: Tamara no direito e Aaron no esquerdo. A menina havia prendido o cabelo comprido em duas tranças negras em ambos os lados da cabeça.

— Uau. — Call se sentou sobre os joelhos.

— Foi só o sinal — Aaron informou. — Significa que é hora do café.

Call nunca havia sido acordado para a escola por um despertador antes. O pai sempre entrava no seu quarto e balançava gentilmente o ombro do filho até que Call rolava para o lado, com os olhos ainda tomados pelo sono, e resmungava alguma coisa. O menino engoliu em seco, sentindo uma profunda saudade de casa.

Tamara apontou para algum ponto atrás de Call. Suas sobrancelhas delineadas com perfeição se ergueram.

— Você dormiu com a sua *faca*?

Call olhou para trás e viu que a faca que o pai lhe dera havia caído da mesa de cabeceira e fora parar em cima da cama. Ele provavelmente tinha mexido os braços durante a noite e esbarrado nela.

— Algumas pessoas têm bichos de pelúcia — Aaron deu de ombros. — Outras têm facas.

Tamara cruzou o quarto e se sentou na cama, pegando a adaga enquanto Call se levantava. Ele não se apoiou na armação da cama para manter o equilíbrio, apesar de sentir vontade. Com as roupas amassadas e o cabelo todo em pé, ele tinha noção de que os outros o observavam e se davam conta do quão devagar ele se movia para evitar que a perna já machucada se torcesse.

— O que isso quer dizer? — Tamara ergueu a arma e a inclinou. — Aqui do lado. Semí... ram... mis?

Já de pé, Call comentou:

— Aposto que você pronunciou errado.

— E eu aposto que você não sabe o que o nome dela significa. — Tamara abriu um sorriso malicioso.

Jamais ocorrera a Call que aquela palavra entalhada na lâmina fosse o *nome* da arma. Ele realmente não achava que adagas, por serem coisas, tivessem nomes. Mesmo assim, lembrou que o Rei Arthur tinha a Excalibur e, em *O Hobbit*, Bilbo tinha a Ferroada.

— Você pode apelidá-la de Miri. — Tamara entregou a arma para Call. — É uma boa adaga. Muito benfeita.

Ele examinou a expressão de Tamara, tentando captar algum sinal de zombaria, mas a menina parecia séria. Ao que tudo indicava, ela respeitava uma boa arma.

— Miri — ele repetiu, virando a arma em sua mão para que desencadeasse o brilho da lâmina.

— Vamos, Tamara. — Aaron puxou uma das mangas do manto da menina. — Call precisa se vestir.

— Eu não tenho uniforme — Call admitiu.

— É claro que tem. Está bem ali. — Tamara apontou para os pés da cama enquanto Aaron a puxava para fora do quarto. — Todos nós recebemos um. Eles devem ter sido trazidos pelos elementais do ar.

Tamara estava certa. Alguém tinha deixado um uniforme impecavelmente dobrado, do tamanho exato de Call, em cima do seu cobertor, junto com uma bolsa de couro. Quando aquilo havia sido deixado ali? Quando ele dormia? Será que ele não tinha mesmo percebido nada na noite anterior? Ele vestiu a roupa com cuidado, sacudindo-a antes para evitar qualquer alfinete ou botão que pudesse machucá-lo. O material era liso, macio e muito confortável. As botas que ele encontrou ao lado da cama eram pesadas e envolviam o tornozelo fraco de Call com força, conferindo-lhe equilíbrio. O único problema era que a veste não possuía nenhum bolso onde pudesse guardar a Miri. Por fim, ele enfiou a faca na meia velha e a prendeu no topo da bota. Ele passou a alça da bolsa pela cabeça e saiu para a sala compartilhada, onde Tamara e Aaron estavam sentados diante de um furioso Mestre Rufus com os braços cruzados.

— Vocês três estão atrasados — disse ele. — O alarme da manhã é um chamado para o café da manhã no Refeitório e não o seu despertador pessoal. É bom que não aconteça de novo, ou então vocês perderão o café.

— Mas a gente... — Tamara começou, virando a cabeça na direção de Call.

O Mestre Rufus olhou para ela, congelando-a no mesmo lugar.

— Você ia me dizer que já estava pronta, mas que outra pessoa fez com que se atrasasse, Tamara? Porque, nesse caso, eu iria lhe informar que é responsabilidade de meus aprendizes cuidar um dos outros e o fracasso de um é o fracasso de todos. Agora, o que você queria mesmo dizer?

Tâmara baixou a cabeça. As tranças balançaram.

— Nada, Mestre Rufus — ela concluiu.

Ele assentiu uma vez, abriu a porta e sumiu no corredor, deixando claro que eles deveriam segui-lo. Call mancou até a saída, torcendo com todas as forças para que a caminhada não fosse longa e torcendo mais ainda para conseguir evitar qualquer encrenca antes de comer alguma coisa.

De repente, Aaron apareceu ao lado dele. Call quase gritou de susto. Aaron tinha o hábito impressionante de fazer esse tipo de coisa, Call pensou. Ele deu um tapinha em um dos ombros de Call e lançou um significativo olhar para as próprias mãos. Call seguiu os olhos dele e viu que algo pendia dos dedos de Aaron. Era o bracelete de Call.

— Coloque isto — Aaron sussurrou. — Antes que Rufus veja. — Você tem de usar o bracelete o tempo todo.

Call resmungou, mas pegou o bracelete e o fechou ao redor do punho, onde a joia cintilou, um cinza chumbo como uma algema.

"Faz sentido", Call pensou. "Afinal de contas, eu sou um prisioneiro aqui."

Assim como Call imaginou, o Refeitório não era longe. E não parecia muito diferente do refeitório da escola, sob certa perspectiva: o som das crianças conversando, o barulho dos talheres.

O Refeitório havia sido instalado em outra caverna grande com mais daqueles pilares gigantescos que pareciam sorvete derretido transformado em pedra. Lascas de mica brilhavam na rocha e o teto da caverna desaparecia na escuridão sobre as cabeças deles. Porém, ainda era manhã, muito cedo para que Call se desse conta de toda a grandeza do lugar. Tudo que o menino queria era voltar para a cama, fingir que o dia anterior não havia acontecido e que ele estava de volta a sua casa com o pai, onde podia usar roupas normais, dormir em uma cama normal e comer comida normal.

E com toda a certeza não era comida normal o que esperava por ele na parte da frente do Refeitório. Caldeirões de ferro fumegantes enfileirados um ao lado do outro continham um sortimento de alimentos de aparência bizarra: tubérculos roxos cozidos, verduras de um verde tão escuro que eram quase negras, liquens indistintos e a cabeça de um cogumelo salpicada de vermelho tão grande quanto uma pizza e cortada em pedaços como uma torta. Cascas de árvore flutuavam em uma tigela de chá marrom bem quente. Garotos em uniformes nas cores azul, verde, branco, vermelho e cinza — cada cor representava um ano diferente do Magisterium — se serviam em xícaras feitas de madeira entalhada. Seus braceletes lançavam lampejos dourados, prateados, cor de cobre e de bronze, muitos deles incrustados com diferentes pedras coloridas. Call não tinha certeza do que aquelas pedras significavam, mas elas pareciam ser mesmo muito legais.

Tamara já estava colocando uma concha daquela coisa verde dentro do prato. Aaron, entretanto, observava as opções expressando o mesmo horror que Call sentia.

— Por favor, me diga que o Mestre Rufus vai transformar essas gororobas em alguma outra coisa — disse Aaron.

Tamara conteve uma risada e, logo em seguida, pareceu quase culpada. Call teve a impressão de que ela vinha de uma família onde as pessoas não riam muito.

— Vocês vão ver — ela disse.

— A gente vai ver? — Drew chiou. Ele parecia um pouco perdido sem sua camiseta de pônei agora que vestia a túnica lisa de gola alta e as calças que constituíam o uniforme dos alunos do Ano de Ferro. Estendeu uma das mãos, hesitante, para o caldeirão com o líquen, o derrubou e depois saiu de fininho, fingindo não ter nada a ver com aquilo.

Uma das magas atrás de uma mesa — Call a vira junto com seu elaborado colar em forma de cobra no dia do Desafio — suspirou e foi até a frente da sala limpar a bagunça. Call piscou quando seu colar de cobra pareceu se mover por um único segundo. Mas, logo em seguida, o menino decidiu que só podia estar vendo coisas. Talvez estivesse sofrendo de abstinência de cafeína.

— Onde está o café? — ele perguntou a Aaron.

— Você não devia tomar café — Aaron semicerrou os olhos enquanto pegava um pedaço de cogumelo. — Faz mal. Prejudica o seu crescimento.

— Mas eu tomo o tempo todo em casa — Call protestou. — Sempre tomo café. Bebo expresso.

Aaron deu de ombros, o que parecia ser seu movimento padrão quando era apresentado a alguma nova maluquice de Callum.

— Isto aqui é um chá esquisito.

— Mas eu amo café — Call se lamentou para o lodo verde diante dele.

— Sinto falta de bacon — comentou Célia, que estava atrás de Call na fila. Ela trazia uma nova presilha no cabelo, desta vez em forma de joaninha. Apesar de sua aparência animada, dava para ver que, no fundo, ela parecia abatida.

— Abstinência de cafeína me deixa louco — Call disse a ela. — Eu poderia esganar e matar alguém.

Ela riu como se ele tivesse feito uma piada muito cômica. Talvez ela pensasse que ele tivesse dito mesmo alguma coisa engraçada. Call se deu conta de que ela era linda, com o cabelo loiro e as sardas salpicadas pelo nariz levemente queimado do sol. Ele se lembrou de que Célia, junto com Jasper e Gwenda, era uma das aprendizes da Mestra

Milagros. Uma onda de simpatia atravessou o corpo de Call ao imaginar que ela tinha de viver no mesmo lugar que um babaca como o Jasper.

— Ele *poderia* matar alguém. — Tamara disse em tom casual, olhando para trás de um dos ombros. — Ele tem uma faca imensa...

— Tamara! — Aaron a interrompeu.

Ela lhe lançou um olhar inocente antes de pegar seu prato e ir para a mesa do Mestre Rufus. Pela primeira vez Call pensou que, no fim das contas, tinha algo em comum com Tamara: uma vocação para a encrenca.

A sala era repleta de mesas de pedra ao redor das quais os grupos de aprendizes sentavam em bancos. Alguns dos alunos do Segundo e do Terceiro Anos se sentavam com seus mestres, enquanto outros, sem seus professores. Todos os aprendizes do Ano de Ferro estavam reunidos com seus mestres — Jasper, Célia, Gwenda e um garoto chamado Nigel estavam com a Mestra Milagros, cujo tom de rosa no cabelo estava ainda mais vivo naquele dia; Drew, Rafe e uma garota chamada Laurel se sentavam com o mal-humorado Mestre Lemuel. Apenas alguns dos alunos em uniformes brancos e vermelhos do Quarto e do Quinto Anos estavam presentes, e se sentavam juntos em um canto, parecendo estar envolvidos em uma discussão muito séria.

— Onde está o resto do pessoal mais velho? — Call perguntou.

— Em missões — informou Célia. — Os aprendizes mais velhos têm aulas em campo e alguns magos adultos vêm para o Magisterium para fazer pesquisa e realizar experimentos.

— Entendo — Call sussurrou. — *Experimentos*!

Célia não pareceu particularmente preocupada. Ela apenas sorriu para Call e seguiu para a mesa de sua mestra.

Call se jogou em uma cadeira entre Aaron e o Mestre Rufus, que já estava sentado diante de um austero café da manhã composto por um único amontoado de líquen. O prato de Call estava tomado por cogumelos e aquela coisa verde, apesar de ele não se lembrar de ter pegado nada daquilo. "Devo estar mesmo ficando maluco", ele pensou antes de colocar uma garfada de cogumelos na boca.

O gosto explodiu na língua de Call. Era mesmo bom. *Muito* bom. Crocante nas bordas e levemente doce, como o sabor do xarope de bordo nas salsichas quando ele acabava colocando os dois juntos na boca.

— Hum... — Call pegou outro pedaço. Os vegetais eram cremosos e saborosos, como mingau com açúcar mascavo. Aaron levava à boca uma colherada atrás da outra, impressionado.

Ele esperava ver Tamara soltando um sorrisinho superior diante de sua surpresa, mas ela nem mesmo olhava para ele. Ela acenou para uma menina alta e magra do outro lado da sala. A garota tinha os mesmos olhos e as sobrancelhas perfeitas de Tamara. Um bracelete de cobre brilhou no pulso da menina quando ela ergueu um dos braços para acenar, preguiçosa, para Tamara.

— Minha irmã — Tamara disse, orgulhosa. — Kimiya.

Call observou a menina se sentar com o Mestre Rockmaple e alguns outros alunos vestidos de verde e depois voltou a olhar para Tamara. Ele imaginou como seria se sentir feliz ali, ficar alegre por ter sido escolhido em vez de considerar tudo aquilo um terrível acidente. Tamara e a irmã pareciam estar cem por cento certas de que aquele era um bom lugar e não o covil infernal que o pai de Call descrevera.

Mas por que seu pai mentiria?

O Mestre Rufus cortava o líquen de um jeito muito estranho, segmentando-o em partes como se fracionasse pedaços individuais de pão em fatias. Em seguida, ele cortou cada pedaço ao meio e repetiu a ação. Isso deixou Call tão irritado que ele se virou para Aaron e perguntou:

— E aí, tem alguma outra pessoa da sua família aqui?

— Não — disse Aaron, enquanto desviava o olhar como se não gostasse de tocar no assunto. — Não tenho família em lugar algum. Ouvi falar do Magisterium por uma menina que conheci. Ela viu um truque que costumo fazer quando fico entediado: faço com que ciscos de poeira se movam e formem desenhos. Ela disse que tinha um irmão que veio para cá e, apesar de ele não dever contar nada para ela, o garoto acabou falando um monte de coisas. Depois que ele se formou e a irmã foi morar com ele, comecei a treinar para o Desafio.

Call estreitou os olhos na direção de Aaron, protegido pela pilha de cogumelos. Havia algo por trás da forma excessivamente casual com que ele contara aquela história que fez com que Call imaginasse que Aaron ocultara alguma coisa. Mesmo assim, ele não queria perguntar. Odiava quando as pessoas se metiam na sua vida. Talvez Aaron também se sentisse do mesmo jeito.

Os dois ficaram em silêncio, empurrando a comida pelo prato. Tamara voltou a comer. Do outro lado do salão, Jasper de Winter movia os braços, claramente tentando atrair a atenção de Tamara. Call a cutucou com o cotovelo e a menina amarrou a cara.

Rufus pegou um pedaço pequeno e preciso de líquen.

— Posso ver que vocês três já se tornaram bastante próximos.

Ninguém disse nada. Os gestos de Jasper para Tamara se tornavam mais intensos, como se conseguissem se ampliar. Ele claramente implorava para que ela fizesse algo, apesar de Call não saber o que era. Pular no ar? Jogar seu mingau?

Tamara se virou para o Mestre Rufus, respirando fundo como se obrigasse a si mesma a fazer alguma coisa contra a própria vontade.

— O senhor acha que poderia reconsiderar sua posição a respeito de Jasper? Sei que o sonho dele era ser escolhido pelo senhor e ainda há espaço para mais um aluno no grupo... — Tamara parou de falar, provavelmente porque o Mestre Rufus olhava para ela como uma ave de rapina prestes a arrancar a cabeça de um rato.

Porém, quando ele finalmente falou, sua voz era calma e sem irritação.

— Vocês três são uma equipe. Trabalharão e lutarão juntos e, sim, vocês até mesmo comerão juntos, pelos próximos cinco anos. Escolhi vocês não apenas como indivíduos, mas como uma combinação. Ninguém mais se juntará ao grupo, porque isso alteraria esse ajuste. — Ele se pôs de pé, arrastando a cadeira para trás com um rangido estridente. — Agora, levantem-se! Vamos começar nossa primeira lição.

A educação de Call no uso da mágica estava prestes a ter início.

CAPÍTULO SETE

Call estava preparado para uma longa e dolorosa caminhada pelas cavernas, mas, em vez disso, o Mestre Rufus os conduziu por um corredor reto até um rio subterrâneo.

Call achou o lugar parecido com os túneis do metrô de Nova York. Ele já tinha ido até a cidade com o pai para caçar antiguidades e se lembrava de ter olhado para a escuridão em busca das luzes que indicavam a chegada do trem. Seus olhos acompanharam o rio da mesma maneira, apesar de não ter certeza do que procurava e se haveria algum sinal. Uma parede de rocha escarpada se ergueu atrás deles e a água fluiu depressa até uma caverna menor onde eles só conseguiam ver sombras. Um odor mineral e úmido tomava conta do ar, e na margem havia sete barcos cinzentos atracados organizadamente em fila. Eles eram feitos de tábuas presas uma ao lado da outra e que se encontravam na proa, onde eram afixadas com pregos de cobre. Tudo isso fazia com que parecessem pequenos barcos vikings. Call olhou ao redor em busca de remos, um motor ou até mesmo um poste que servisse de suporte para uma vela, mas não viu nada que pudesse servir para impulsionar os barcos.

— Vamos — disse o Mestre Rufus. — Entrem.

Aaron se equilibrou dentro do primeiro barco da fila e ergueu uma das mãos para ajudar Call a subir no barco. Ressentido, ele a aceitou. Tamara entrou atrás dele, aparentemente um pouco nervosa. Assim que ela se acomodou, o Mestre Rufus entrou no barco.

— Esta é a maneira mais usual de nos locomovermos pelo Magisterium, utilizando os rios subterrâneos. Até que vocês sejam capazes de navegar, eu os conduzirei pelas cavernas. Em breve vocês conhecerão os caminhos e aprenderão a persuadir a água a nos levar para onde quiserem ir.

O Mestre Rufus se abaixou na lateral do barco e sussurrou para a água. Uma marola suave se formou na superfície, como se o vento soprasse, apesar de não haver nem mesmo uma brisa embaixo da terra.

Aaron se inclinou para a frente a fim de fazer outra pergunta, mas, de repente, o barco começou a se mover e ele caiu para trás em seu banco.

Certa vez, quando Call era muito mais novo, o pai o levara a um grande parque com brinquedos que tomavam impulso exatamente daquela forma. Ele gritara como um louco em todos eles, apavorado, apesar da música animada e dos bonecos autômatos que dançavam. E eram apenas brinquedos. Aquilo era real. Call não conseguia parar de pensar em morcegos, rochas afiadas e que às vezes havia precipícios e buracos dentro das cavernas de um milhão de metros abaixo do nível do mar. Como eles seriam capazes de evitar coisas como aquelas? Como saberiam se seguiam pelo caminho certo naquela escuridão?

O barco cortava a água no escuro. Era a mais negra escuridão que Call já vira. Ele não conseguia ver nem ao menos um palmo diante de si. Seu estômago revirava.

Tamara fez um som baixinho. Call ficou contente por não ser ele quem surtava.

Foi então que a caverna ganhou vida ao redor deles. Eles passaram por salas onde as paredes eram iluminadas por um lodo verde bioluminescente. A própria água parecia se iluminar onde a proa do barco a tocava. Quando Aaron afundou a mão no rio, a água também se iluminou ao redor de seus dedos. Ele balançou a mão no ar e ela se transformou em uma cascata de centelhas.

— Legal — Aaron relaxou.

Aquilo era *mesmo* legal. Call começou a relaxar enquanto o barco deslizava silenciosamente pela água iluminada. Eles passaram pelas paredes de rocha listrada com dezenas de cores e uma sala onde longas vinhas de cor clara pendiam do teto, com os cachos alcançando o rio. Eles então deslizaram novamente por um túnel escuro e emergiram em uma nova câmara de pedra onde as estalactites de quartzo eram afiadas como lâminas de facas e as pedras pareciam crescer naturalmente no formato de bancos curvos e até mesmo de mesas. Em uma das câmaras, eles passaram por dois mestres que jogavam xadrez com peças que se moviam no ar.

— Te peguei — disse um deles, e as peças de madeira começaram a voltar para suas posições iniciais do jogo.

Como se fosse conduzido por uma mão invisível, o barco atracou próximo a uma pequena plataforma com alguns degraus, movendo-se gentilmente até parar no lugar certo.

Aaron foi o primeiro a descer, seguido por Tamara e depois Call. Aaron ergueu uma das mãos para ajudá-lo, mas Call deliberadamente o ignorou. Ele apoiou os braços nos lados do barco para tomar impulso e aterrissou, desajeitado, em terra firme. Por um momento, ele pensou que cairia para trás, indo parar no rio e respingando água bioluminescente para todos os lados. Uma mão grande segurou seu ombro, ajudando-o a recuperar o equilíbrio.

Ele olhou para trás e ficou surpreso ao ver que o Mestre Rufus o observava com uma expressão estranha no rosto.

— Não preciso da sua ajuda — Call disse, perplexo.

Rufus não falou nada. Call não conseguiu identificar nem um único traço de sua expressão. Ele tirou a mão do ombro do menino.

— Vamos — ele disse, e começou a atravessar uma ponte que cortava as margens feitas de quartzo. Os aprendizes correram aos tropeços para alcançá-lo.

O caminho levava até uma parede de granito sem nada de especial. Quando Rufus colocou uma das mãos na rocha, ela se tornou transparente. Call não ficou nem mesmo surpreso. Já tinha se acostumado com aquelas bizarrices. Rufus atravessou a parede como se ela fosse feita de ar. Tamara o seguiu. Call olhou para Aaron, que deu de ombros. Respirando fundo, Call os seguiu.

Ele entrou em uma câmara cujas paredes eram de rocha nua. O chão era feito de uma pedra bastante lisa. No centro da sala havia um monte de areia.

— Primeiro, gostaria de repassar os Cinco Princípios da Magia. Vocês devem se lembrar de alguns deles da primeira palestra que ouviram no ônibus, mas não espero que ninguém aqui, nem mesmo você, Tamara, independentemente de quantas vezes seus pais a sabatinaram, os compreenda de fato até que tenha aprendido muitas outras coisas. Vocês podem, entretanto, fazer anotações, e espero que meditem a respeito.

Call revirou a bolsa e tirou lá de dentro o que parecia ser um caderno costurado à mão e uma daquelas canetas irritantes utilizadas no Desafio. Ele a balançou levemente, torcendo para que não explodisse desta vez.

O Mestre Rufus começou a falar e Call fez um monte de garranchos para acompanhar a velocidade do discurso do mago. Ele escreveu:

1. O poder vem do desequilíbrio. O controle vem do equilíbrio;

2. Todos os elementos atuam de acordo com a natureza: o Fogo quer queimar, a Água quer fluir, o Ar quer se erguer, o Caos quer devorar;

3. Em toda magia há uma troca de poder;

4. É possível mudar a forma das coisas, mas não a sua natureza essencial;

5. Todos os elementos possuem um contrapeso. O fogo é o contrapeso da água. O ar é o contrapeso da terra. O contrapeso do caos é a alma.

— Durante os testes — continuou o Mestre Rufus —, todos vocês demonstraram poder. Porém, sem foco, o poder não significa nada. O fogo pode tanto queimar sua casa quanto aquecê-la; a diferença está na habilidade de controlar o fogo. Sem ter foco, lidar com os elementos pode ser uma ação muito perigosa. Não preciso dizer a alguns de vocês o quanto isso é perigoso.

Call olhou para cima, esperando que o Mestre Rufus estivesse olhando para ele, já que o professor parecia estar sempre olhando para Call quando dizia alguma coisa ruim. Entretanto, desta vez ele encarava Tamara. As bochechas dela ficaram vermelhas e seu queixo se ergueu como quem lança um desafio.

— Durante quatro dias na semana, vocês treinarão comigo. No quinto dia, assistirão às palestras ministradas por outro mago e, após um mês, vocês farão um exercício no qual colocarão em prática o que aprenderam. Nesse dia, vocês podem tanto competir com outro grupo de aprendizes quanto trabalhar junto com eles. Os fins de semana e as noites são livres para que vocês pratiquem ou realizem outros estudos. Temos uma biblioteca e também salas de treinamento, além da Galeria, onde vocês podem passar o tempo. Alguém tem alguma pergunta antes de começarmos nossa primeira lição?

Todos permaneceram calados. Call queria dizer algo sobre como ele adoraria saber como chegar à Galeria, mas se conteve. Ele se lembrou de falar para o pai no hangar que iria fazer de tudo para ser expulso do Magisterium, porém, naquela manhã, acordou se sentindo desencorajado, como se aquela não fosse uma boa ideia. Tentar levar bomba nos testes diante de Rufus não tinha funcionado, por isso fingir para ser expulso provavelmente também não daria certo. Era óbvio que o Mestre Rufus não iria deixar Call se comunicar com Alastair até que ele estivesse estabelecido na condição de aprendiz. Por mais que isso lhe desse nos nervos, ele provavelmente teria de se comportar da melhor forma possível até que Rufus relaxasse e lhe desse autorização para entrar em contato com o pai. E então, quando ele finalmente *pudesse* falar com Alastair, eles planejariam a fuga.

Ele só queria se sentir um pouco mais animado com a possibilidade de fugir.

— Muito bem. Vocês podem então me dizer por que arrumei a sala desta maneira?

— Você precisa fortificar o seu castelo de areia? — Call murmurou entredentes. Até mesmo o seu melhor comportamento não parecia ser tão bom assim. Aaron, que estava de pé ao lado dele, abafou uma risada.

O Mestre Rufus ergueu uma das sobrancelhas, mas não demonstrou de nenhuma outra forma que ouvira o comentário de Call.

— Eu gostaria que vocês se sentassem formando um círculo ao redor da areia. Podem se sentar da forma que se sentirem mais confortáveis. Assim que estiverem prontos, devem se concentrar em mover a areia com a força do pensamento. Sintam-na se erguer pela sola dos seus pés e no ar que respiram. Agora, mantenham o *foco* nela. De grão em grão, vocês separarão a areia em dois montes: um com os grãos claros e outro com os escuros. Podem começar!

O Mestre Rufus disse a última frase como se eles estivessem em uma corrida e a luz verde tivesse sido acesa, mas Call, Tamara e Aaron simplesmente olharam para ele, horrorizados. Tamara foi a primeira a recuperar a voz.

— Separar a areia? — ela repetiu. — Mas a gente não deveria aprender alguma coisa mais útil? Como lidar contra elementais trapaceiros, pilotar o barco ou...

— Duas pilhas — disse o Mestre Rufus. — Uma clara, outra escura. Comecem agora.

Ele deu meia-volta e se afastou. A parede se tornou transparente mais uma vez à medida que o mago se aproximava e depois voltou a se transformar em pedra quando ele a atravessou.

— A gente não vai receber nem um kit de ferramentas? — Tamara comentou, triste, ao lado de Call.

Os três estavam sozinhos em uma sala sem janelas nem portas. Call ficou contente por não ter claustrofobia, ou então estaria mordendo o próprio braço.

— Bem — disse Aaron —, acho que devemos começar.

Nem mesmo ele conseguiu pronunciar aquelas palavras com algum entusiasmo.

O chão estava gelado quando Call se sentou, e ele imaginou quanto tempo levaria para que a umidade começasse a fazer com que sua perna doesse. Ele tentou ignorar esse pensamento enquanto Tamara e Aaron se sentavam, formando um triângulo ao redor do monte de areia. Os três encararam os grãos. Por fim, Tamara ergueu uma das mãos e fez com que um pouco de areia se erguesse no ar.

— Claro — ela disse, fazendo com que um grão girasse pelo chão. — Escuro. — Ela arrastou outro grão pelo chão, fazendo com que parasse a certa distância do anterior. — Claro. Escuro. Escuro. Claro.

— Não posso acreditar que eu estava preocupado com os perigos da escola de magia. — Call estreitou os olhos enquanto contemplava o monte de areia.

— Dá para morrer de tédio — Aaron completou. Call riu baixo.

Tamara olhou para cima, infeliz.

— Esse pensamento é a única coisa que me faz seguir em frente.

Por mais difícil que Call achasse que era mover minúsculos grãos de areia com o poder do pensamento, na verdade, era ainda pior. Ele se lembrou das vezes em que movera coisas antes, como quando acidentalmente quebrara a tigela durante seu teste com o Mestre Rufus e como sentira uma espécie de zumbido em sua cabeça. Ele se concentrou naquele zumbido enquanto olhava para a areia, e os grãos começaram a se mover. A sensação era parecida com operar algum aparelho eletrônico com um controle remoto. Não eram os dedos dele que pegavam a areia, mesmo assim eles se moviam. As mãos estavam pegajosas e o pescoço, tenso. Fazer um único grão de areia pairar no ar por tempo suficiente para decidir se era claro ou escuro se mostrava complicado. Mais de uma vez ele se distraiu e colocou o grão no monte errado, de forma que tinha de encontrá-lo e levá-lo até o lugar certo, o que requereria tempo e ainda *mais* concentração.

Não havia relógio na parede, e nenhum deles usava relógio de pulso, de forma que Call não fazia a menor ideia de quanto tempo se passara. Por fim, outro estudante surgiu na sala. Ele era alto e magricela, estava vestido de azul, com um bracelete de bronze que indicava que já estava havia três anos no Magisterium. Call imaginou que deveria estar sentado com a irmã de Tamara e o Mestre Rockmaple no Refeitório naquela manhã.

Call estreitou os olhos para conferir se havia algo de particularmente sinistro nele, mas o garoto apenas sorriu debaixo de um emaranhado de cabelos castanhos bagunçados e largou junto aos seus pés uma sacola de juta com líquen e sanduíches de queijo e uma jarra de barro com água.

— Comam, crianças — ele disse, antes de sair pelo mesmo lugar por onde entrou.

Só então Call se deu conta de que estava faminto. Estava concentrado havia tantas horas que sentia uma grande confusão no cérebro. Estava exausto, cansado demais para conversar enquanto comia. O pior de tudo foi ver a areia que ainda faltava e perceber que eles haviam dividido apenas uma pequena parte do monte. A quantidade de grãos a ser separada era enorme.

Aquilo não era voar. Não era o que ele imaginara quando pensava em fazer magia. Aquilo era uma bela porcaria.

— Vamos continuar — disse Aaron. — Ou vamos ter de jantar aqui.

Call tentou se concentrar, focando toda a sua atenção em um único grão, mas então sua mente escapou pela tangente e tudo que ele sentia era raiva. A areia explodiu, todos os montes voaram para os lados, os grãos colidiram nas paredes e se espalharam pelo chão, todos misturados, em uma bagunça sem precedentes. Todo o trabalho duro que eles haviam realizado fora destruído.

Tamara prendeu a respiração, horrorizada.

— O que... o que você *fez*?

Até mesmo Aaron olhou para Call como se fosse estrangulá-lo. Era a primeira vez que Call via Aaron irritado.

— Eu... eu... — Call queria dizer que sentia muito, mas engoliu suas palavras. Sabia que elas não fariam a menor diferença. — Simplesmente aconteceu.

— Vou te matar — Tamara disse com toda a calma. — Vou separar as suas tripas em montinhos.

— Ui — gemeu Call, quase acreditando nela.

— Tudo bem. — Aaron respirou fundo algumas vezes para se acalmar. Ele mantinha as mãos na cabeça como se tentasse manter a raiva dentro do crânio. — Tudo bem, só precisamos começar de novo.

Tamara chutou a areia, mas logo em seguida se agachou e começou novamente o trabalho tedioso de mover os grãos, um por um, com o poder da mente. Ela nem mesmo olhava para Call.

Call tentou se concentrar mais uma vez, porém seus olhos ardiam. Quando o Mestre Rufus voltou para a sala e lhes informou que estavam liberados para jantar e voltar para os seus quartos, a cabeça de Call pulsava e ele decidiu que nunca mais iria à praia. Aaron e Tamara não olharam para ele enquanto seguiam pelos corredores.

O Refeitório estava repleto de alunos que conversavam amigavelmente, muitos deles rindo e gargalhando. Call, Tamara e Aaron pararam na porta atrás do Mestre Rufus e olharam, sonolentos, para o salão. Os três tinham areia nas mãos e traços de sujeira no rosto.

— Hoje comerei com os outros mestres — informou o Mestre Rufus. — Façam o que desejarem com o restante de sua noite.

Movendo-se como robôs, Call e os outros apanharam comida — sopa de cogumelo, mais pilhas de liquens de diferentes cores e, de sobremesa, um pudim esquisito, de aparência opalina — e foram se sentar junto com outro grupo de alunos do Ano de Ferro. Call reconheceu alguns deles, como Drew, Jasper e Célia. Ele se sentou diante de

Célia e ela não virou sua tigela de sopa na cabeça dele — algo que de fato acontecera em sua outra escola —, o que aparentemente era um bom sinal.

Os mestres se sentavam juntos a uma mesa redonda do outro lado do salão, provavelmente maquinando novas maneiras de torturar os alunos. Call tinha certeza de que podia ver alguns deles sorrindo de um jeito muito sinistro. Enquanto ele observava, três pessoas em uniformes verde-oliva — duas mulheres e um homem — atravessaram a porta. Eles cumprimentaram os mestres curvando discretamente a cabeça.

— Eles são membros da assembleia — Célia informou Call. — São o nosso governo, estabelecido após a Segunda Guerra dos Magos. Estão achando que um dos garotos mais velhos se transformou em um mago do caos.

— Como aquele tal de Inimigo da Morte? — Call perguntou. — O que acontece se eles encontrarem magos do caos? Eles os matam ou coisa assim?

Célia baixou a voz.

— É claro que não! Eles *querem* encontrar um mago do caos. Dizem que só um Makar pode deter outro Makar. Já que o Inimigo é o único Makar vivo, ele tem uma vantagem sobre nós.

— Se eles tiverem uma *desconfiança mínima* de que alguém aqui tem esse poder, vão averiguar — disse Jasper, aproximando o seu banco para se juntar à discussão. — Eles estão desesperados.

— Ninguém acredita que o Tratado vá durar — disse Gwenda. — E, se a guerra começar de novo...

— Bem, o que faz com que pensem que alguém aqui pode ser quem estão procurando? — Call perguntou.

— É como eu disse — Jasper explicou. — Eles estão desesperados. Mas não se preocupe, suas notas são muito baixas. Magos do caos têm que ser *bons* em magia.

Por um minuto, Jasper agira como um ser humano normal, mas aparentemente aquele minuto já acabara. Célia o encarou.

Eles começaram a conversar sobre suas primeiras lições. Drew contou que o Mestre Lemuel havia sido muito duro em suas primeiras aulas, e ele queria que todos os outros professores agissem da mesma forma. Todos começaram a falar ao mesmo tempo, fazendo descrições de aulas que soavam muito menos frustrantes e infinitamente mais divertidas que a de Call.

— A Mestra Milagros nos deixou pilotar os barcos — Jasper se vangloriou. — Tinha várias cachoeirinhas. Foi como fazer rafting. Iradíssimo.

— Ótimo — disse Tamara, sem muito entusiasmo.

— Jasper fez com que a gente se perdesse — Célia entregou enquanto mordiscava serenamente um pedaço de líquen, e os olhos de Jasper lampejaram de irritação.

— Foi só por um minuto — Jasper se explicou. — Deu tudo certo.

— O Mestre Tanaka nos ensinou a fazer bolas de fogo — comentou um menino chamado Peter, e Call se lembrou de que Tanaka era o nome do Mestre que escolheu seus aprendizes depois de Milagros. — Tivemos o fogo em nossas mãos e não nos queimamos. — Os olhos dele brilhavam.

— O Mestre Lemuel jogou pedras na gente — disse Drew. Todos olharam para ele.

— Como assim? — perguntou Aaron.

— Drew — silvou Laurel, outra das aprendizes do Mestre Lemuel —, ele não fez nada disso. O Mestre Lemuel estava nos mostrando como mover pedras com o poder da mente e o Drew ficou bem na frente de uma delas.

"Isso explica esses roxos imensos na clavícula de Drew", Call pensou, sentindo-se um pouco enjoado. Ele se lembrou dos avisos do pai sobre como os mestres não se importavam em machucar os alunos.

— Amanhã aprenderemos a mover metal — continuou Drew. — Aposto que ele vai atirar facas na gente.

— Eu preferiria que atirassem facas em mim a passar o dia inteiro em um monte de areia — comentou Tamara, apática. — Ao menos das facas se pode desviar.

— Bem, parece que Drew não consegue fazer isso. — Jasper abriu um sorriso maroto. Pelo menos ele implicava com alguém diferente de Call, embora Call não tenha achado a menor graça.

— Não é possível que tudo neste lugar sejam só lições. — A voz de Aaron era apenas uma sombra de seu tom geralmente pacífico. — Não é? Deve haver alguma coisa divertida. Que lugar era aquele que o Mestre Rufus comentou com a gente?

— Podemos ir para a Galeria depois do jantar — disse Célia diretamente para Call. — Tem jogos lá.

Jasper parecia irritado. Call sabia que deveria ir com Célia para a Galeria, não importava o que fosse aquele lugar. Qualquer coisa que deixasse Jasper louco da vida valia a pena, e, além disso, ele tinha de aprender a percorrer o Magisterium, desenhar um mapa do mesmo jeito que costumava fazer quando jogava *video game*.

Ele precisava de uma rota de fuga.

Call balançou a cabeça e comeu uma garfada cheia de líquen. Tinha gosto de carne. Ele olhou para Aaron na outra ponta da mesa. Ele também parecia muito cansado. Call sentia o corpo pesado. Tudo que ele queria era dormir. Começaria a procurar um jeito de dar o fora do Magisterium no dia seguinte.

— Acho que não estou muito no clima para jogos — disse Call. — Talvez outra hora.

↑≋△○@

— Talvez hoje tenha sido um teste — Tamara cogitou enquanto eles voltavam para seus quartos após o jantar. — Como a nossa paciência ou nossa habilidade de seguir ordens. Talvez amanhã o nosso verdadeiro treinamento tenha início.

Aaron, arrastando uma das mãos pela parede enquanto andava, levou um momento para responder:

— É. Talvez.

Call nada disse. Estava cansado demais.

Ele descobria que a magia era mesmo um trabalho árduo.

↑≋△○@

No dia seguinte, as esperanças de Tamara foram frustradas quando eles voltaram para o lugar que Call apelidara de Sala da Areia e do Tédio para terminar a triagem dos grãos. Eles ainda tinham um monte de areia para separar. Call se sentiu culpado mais uma vez.

— Quando terminarmos, faremos outra tarefa diferente, não é? — Aaron perguntou para o Mestre Rufus.

— Concentrem-se em uma tarefa de cada vez — replicou o mago, enigmático, e atravessou a porta.

Com suspiros profundos, eles se sentaram para trabalhar. A triagem da areia durou a semana inteira. Tamara passava todo o tempo após as aulas com a irmã ou Jasper, ou com outros alunos de legado com cara de ricos, e Aaron ficava junto com *todo mundo*, enquanto Call se amuava no quarto. Eles passaram mais uma semana inteira separando a areia — o montículo de grãos parecia crescer cada vez mais, como se alguém não quisesse que aquele teste terminasse. Call ouvira falar de um tipo de tortura onde uma única gota de água pingava na testa da pessoa sem parar até que o cara ficasse louco. Ele nunca tinha entendido como aquilo funcionava, mas, agora, compreendia perfeitamente.

"Tem de haver um jeito mais fácil", ele pensou, embora a parte do seu cérebro que fazia esse tipo de maquinação devesse ser a mesma utilizada pela magia, porque Call não conseguia pensar em nada.

— Olha só — Call finalmente falou —, vocês são bons nisso, não é? Vocês foram os melhores magos nos testes. Tiveram as melhores notas.

Os outros dois olharam para ele sem entender nada. Aaron parecia ter sido atingido por um pedregulho quando ninguém olhava.

— Acho que sim — Tamara concordou, apesar de não parecer muito empolgada com esse fato. — Fomos pelo menos os melhores do nosso ano.

— Certo. Bem, eu sou péssimo, o pior. Fiquei em último lugar e já estraguei as coisas para a gente, de modo que é evidente que eu não sei nada de nada. Só que deve haver uma maneira mais rápida. Algo que deveríamos estar fazendo. Alguma lição que deveríamos aprender. Vocês conseguem pensar em algo? *Qualquer coisa?* — Havia um quê de súplica no tom de Call.

Tamara hesitou. Aaron balançou a cabeça.

Call percebeu a expressão no rosto da garota.

— O que foi? Você *sabe* de alguma coisa?

— Bem, existem alguns princípios mágicos... algumas... maneiras especiais de tirar vantagem dos elementos. — As tranças negras de Tamara balançavam enquanto ela mudava de posição. — Coisas que provavelmente o Mestre Rufus não quer que a gente saiba.

Aaron balançou a cabeça, ansioso. A esperança de se livrar logo daquela sala iluminou seu rosto.

— Vocês se lembram de quando Rufus falou sobre sentir o poder da terra e todo o resto? — Tamara não olhava para eles. Em vez disso, encarava a pilha de areia como se sua atenção estivesse voltada para algo bem longe dali. — Bem, existe uma maneira de conseguir mais poder, mais depressa. Mas vocês precisarão se abrir para o elemento... e, bem, comer um grão de areia.

— Comer areia? — Call repetiu. — Você só pode estar de brincadeira.

— É uma coisa meio perigosa, por causa de todo aquele papo do Primeiro Princípio da Magia. Mas funciona exatamente pelo mesmo motivo. Você se aproxima do elemento, tipo, se estiver fazendo magia da terra, você come pedras ou areia; magos do fogo comem palitos de fósforo; magos do ar podem consumir sangue para o seu oxigênio. Não é uma boa ideia, mas...

Call se lembrou de Jasper sorrindo diante do sangue que fluía de seu dedo durante o Desafio. Seu coração parou dentro do peito.

— Como você sabe disso?

Tamara olhou para a parede e respirou fundo.

— Meu pai. Ele me ensinou a fazer isso, mas disse que eu só deveria usar esse truque em caso de emergência. Mesmo assim, nunca fiz, porque tenho medo. Se reunir muito poder e não conseguir controlá-lo, você pode ser tragado para dentro do elemento. Ele queima a sua alma e a substitui por fogo, ar, água, terra ou caos. Você se torna uma criatura desse elemento. Um elemental.

— Um daqueles lagartos? — Aaron perguntou.

Call ficou aliviado por não ser ele a perguntar aquilo, pois tinha a mesma dúvida.

Tamara balançou a cabeça, concordando.

— Existem elementais de todos os tamanhos. Alguns são pequenos como aqueles lagartos, outros são grandes e transbordam magia, como serpes, dragões e serpentes marinhas. Eles podem até mesmo ter o tamanho de um ser humano. Por isso, temos de tomar cuidado.

— Eu posso ser cuidadoso — disse Call. — E você, Aaron?

Aaron passou as mãos sujas de areia pelo cabelo loiro e deu de ombros.

— Qualquer coisa é melhor que isso. E, se terminarmos mais rápido do que o Mestre Rufus planejou, ele vai nos dar outra coisa para fazer.

— Tudo bem. Vamos ver no que isso vai dar. — Tamara lambeu a ponta de um dos dedos e tocou o monte de areia. Alguns grãos grudaram em sua pele. Ela pôs o dedo na boca.

Call e Aaron repetiram o gesto. Quando Call colocou o dedo úmido na boca, não conseguiu evitar pensar no que teria dito algumas semanas antes se alguém lhe contasse que estaria sentado em uma caverna subterrânea comendo areia. A areia não tinha um gosto ruim. Na verdade, não tinha gosto de nada. Ele engoliu os grãos ásperos e esperou.

— E agora? — Call indagou depois de alguns segundos. Ele começava a ficar nervoso. "Nada acontecera com Jasper no Desafio", Call disse para si mesmo. "Nada aconteceria com eles."

— Agora a gente precisa se concentrar — Tamara informou.

Call olhou para a areia. Desta vez, quando ele arrastou seus pensamentos para o montículo de areia, pôde sentir cada um dos grãozinhos. Pedaços minúsculos de concha brilharam em sua mente, além de fragmentos de cristal e pedras hexagonais amareladas e pontiagudas. Aquilo podia ser pesado e era bem capaz que a areia escapasse por entre seus dedos, espalhando-se pelo chão. Ele tentou esquecer tudo que estava ao seu redor — Tamara e Aaron, a pedra gelada debaixo de seu corpo, o vento débil que soprava na sala — e limitou sua concentração às duas únicas coisas que importavam: ele e a pilha de areia. A areia lhe transmitia uma sensação sólida e leve, como isopor. Seria fácil erguer os grãos. Ele poderia erguer todo o monte com uma das mãos. Com um dedo. Com um... pensamento. Call imaginava a pilha se erguendo e os grãos se separando...

A pilha de areia deu uma guinada, despejando alguns poucos grãos no topo, e então se ergueu, pairando sobre os três como uma pequena nuvem de chuva.

Tamara e Aaron olhavam para a areia. Call caiu de costas, aparando a queda com as mãos. Era como se suas pernas tivessem sido picadas por agulhas e alfinetes. Ele devia ter se sentado de mau jeito e estava muito concentrado para se dar conta disso.

— É a vez de vocês — Call disse enquanto sentia que as paredes se aproximavam, que podia sentir a pulsação da terra sob os pés. Ele imaginou como seria afundar no chão.

— Claro — concordou Aaron. A nuvem de areia se dividiu em duas metades, uma composta por areia clara, outra, por escura. Tamara ergueu as mãos e lentamente traçou uma espiral no ar. Call e Aaron observaram, impressionados, enquanto a areia formava diversos padrões de redemoinhos sobre suas cabeças.

A parede se abriu. O Mestre Rufus surgiu no umbral. Seu rosto era uma máscara. Tamara soltou um gritinho agudo e o monte de areia flutuante desabou, espalhando baforadas de poeira que fizeram Call engasgar.

— O que vocês fizeram? — o Mestre Rufus inquiriu.

Aaron ficou pálido.

— Eu... nós não tínhamos a intenção...

O Mestre Rufus gesticulou de modo brusco para eles.

— Aaron, cale-se. Callum, venha comigo.
— Como assim? — Call começou. — Mas eu... Isso não é justo!
— Vamos. Comigo — Rufus repetiu. — *Agora*.
Call se levantou com cuidado, sentindo pontadas na perna ruim. Olhou rapidamente para Aaron e Tamara, mas eles encaravam as próprias mãos com a cabeça baixa. "Quanta lealdade", ele pensou enquanto seguia o Mestre Rufus para fora do salão.

↑≈△○@

Rufus o guiou em uma caminhada curta por alguns corredores sinuosos até seu escritório. A sala não era como Call esperava. Os móveis eram modernos. Estantes de metal tomavam um dos lados do cômodo e diante delas havia um sofá macio, grande o suficiente para tirar uma soneca. Inúmeras folhas de papel pendiam de uma das paredes, presas por percevejos, contendo o que pareciam ser equações escritas às pressas, porém, em vez de números, elas continham símbolos estranhos. Diante dos papéis havia uma mesa de trabalho feita de madeira bruta cuja superfície era sarapintada de manchas e coberta por facas, béqueres e os corpos empalhados de animais de aparência bastante esquisita. Junto a modelos delicados de engrenagens que pareciam ser uma mistura de ratoeira com relógio, havia um animal vivo dentro de uma pequena jaula — um daqueles lagartos com chamas azuis nas costas. A escrivaninha de Rufus ocupava um dos cantos da sala. Era um modelo antigo, com tampo de correr, que contrastava com o resto do ambiente. Sobre ela, um pote de vidro continha a miniatura de um tornado que girava sem sair do lugar.

Call não conseguia tirar os olhos do pote, esperando que o tornado saltasse lá de dentro a qualquer momento.
— Callum, sente-se. — O Mestre Rufus indicou o sofá. — Quero explicar por que trouxe você para o Magisterium.

CAPÍTULO OITO

Call olhou fixamente para o mago. Depois de duas semanas separando areia, o garoto até já desistira da ideia de que Rufus algum dia seria direto com ele. Na verdade, Call desistira totalmente da ideia de descobrir por que, afinal, estava no Magisterium.

— Sente-se — Rufus repetiu, e desta vez Call obedeceu, contraindo-se ao sentir uma pontada na perna. O sofá era confortável após as horas passadas no chão de pedra fria, e ele se deixou afundar sobre o assento.

— O que você está achando da escola até agora?

Antes que Call pudesse responder, ouviu-se o som de um vento que se agitava. O menino piscou e percebeu que o barulho vinha do pote sobre a escrivaninha do Mestre Rufus. O pequeno tornado se tornou mais escuro e se condensou, assumindo uma nova forma. Um momento depois, ele se transformou na miniatura de um membro da Assembleia, um homem de cabelos muito escuros, que vestia uma farda verde-oliva da marinha. A imagem pestanejou por um momento.

— Rufus? — ele chamou. — Rufus, você está aí?

O mestre fez um som de impaciência e virou o pote de cabeça para baixo.

— Agora, não — ele disse para a imagem, que se transformou novamente em um tornado.

— É tipo um telefone? — Call perguntou, impressionado.

— Parecido. Como expliquei antes, a concentração de magia elemental no Magisterium interfere na maioria dos aparatos tecnológicos. Além disso, preferimos fazer as coisas à nossa própria maneira.

— Meu pai provavelmente está preocupado por não ter recebido nenhuma notícia minha até agora... — Call começou.

O Mestre Rufus se encostou na escrivaninha e cruzou os braços sobre o peito largo.

— Antes de qualquer outra coisa, quero saber o que você tem achado do Magisterium e do seu treinamento.

— Fácil — Call respondeu. — Chato e inútil, mas fácil.

Rufus abriu um sorriso tímido.

— O que você fez lá foi mesmo muito inteligente — disse ele. — Você quer me irritar porque acredita que assim eu o mandarei para casa. E creio que você queira voltar para o seu pai.

Na verdade, Call havia desistido do plano. Dizer coisas insolentes era algo que lhe ocorria naturalmente. Ele deu de ombros.

— Você deve se perguntar por que eu o escolhi. Justo você, que tirou as piores notas. O menos competente de todos os aspirantes a mago. Creio que você esteja imaginando que fiz isso porque vi algo em você. Algum potencial que escapou aos outros mestres. Alguma fonte inexplorada de habilidade. Talvez até mesmo algo que me tenha feito recordar de mim mesmo.

O tom do Mestre era de leve deboche. Call ficou em silêncio.

— Eu o escolhi — Rufus continuou — porque você tem a habilidade e o poder, mas também muita raiva. E praticamente não tem controle sobre nenhuma dessas coisas. Não queria que você fosse um fardo para algum dos outros magos. Nem queria que um deles o escolhesse por razões equivocadas. — Os olhos dele relancearam para o tornado dentro do pote de cabeça para baixo. — Muitos anos atrás, cometi um erro com um aluno. Um erro que teve graves consequências. Escolher você foi a minha punição.

O estômago de Call revirou como se ele fosse um cachorrinho que acabara de receber um chute. Doía ouvir que ele era desagradável a ponto de servir de punição para alguém.

— Então me mande para casa — ele explodiu. — Se você só me escolheu porque achava que os outros magos não deveriam me ensinar, me mande para casa.

Rufus balançou a cabeça.

— Você ainda não entendeu. Uma magia como a sua sem o devido controle é um perigo. Mandar você de volta seria o equivalente a jogar uma bomba na sua cidadezinha. Mas não se engane, Callum. Se insistir em desobedecer, se você se recusar a aprender a controlar sua magia, então eu vou ter de mandá-lo de volta para casa. Mas, antes disso, terei de interditar sua magia.

— Interditar minha magia?

— Sim. Até que um mago passe pelo Primeiro Portal no fim de seu Ano de Ferro, sua magia pode ser interditada por um dos mestres. Você não será capaz de acessar os elementos nem de usar seu poder. E também teremos de apagar suas memórias relacionadas à magia, de forma que você perderá alguma coisa, uma parte essencial de quem você é, embora não saiba mais do que se trata essas lembranças. Você pode passar o resto da vida atormentado pela falta de algo que não se lembra de ter perdido. É isso o que você quer?

— Não — Call sussurrou.

— Se eu achar que você está atrapalhando os outros ou que não é capaz de ser treinado, sua estadia no Magisterium estará terminada. Entretanto, se você prosseguir com seus estudos durante o ano e passar pelo Primeiro Portal, ninguém jamais poderá tirar sua magia. Aguente firme durante este ano e você poderá deixar o Magisterium, se assim o desejar. Você já terá aprendido o suficiente para não ser mais um perigo para o mundo. Pense nisso, Callum Hunt, enquanto separa a areia do jeito que eu o instruí. Grão a grão. — O Mestre Rufus parou por um momento e em seguida fez um gesto dispensando Call. — Pense nisso e faça sua escolha.

↑≈△○@

Concentrar-se em mover a areia era tão extenuante quanto sempre fora, porém era ainda pior quando Call se lembrava do quanto ficara contente com sua esperteza por ter imaginado uma solução melhor. Por um momento, ele achou que os três poderiam realmente se tornar uma equipe, talvez até amigos.

Aaron e Tamara se concentravam em silêncio. Quando Call olhava para eles, ambos desviavam o olhar. Estavam provavelmente loucos da vida com ele, Call pensou. Afinal, havia sido ele quem insistira em pensar em uma maneira mais prática de concluir o exercício. E, mesmo que ele tivesse sido o único a ser arrastado para a sala de Rufus, todos os três estavam encrencados. Talvez Tamara até pensasse que ele a tinha dedurado. Além disso, a magia dele havia espalhado os montes no primeiro dia. Call era um fardo no grupo, e todos sabiam disso.

"Ótimo", Call pensou. "O Mestre Rufus disse que eu só tenho que suportar este ano, então eu vou fazer isso.

Vou ser o melhor mago deste lugar, só porque ninguém acha que eu posso fazer isso. Nunca tentei de verdade antes, mas vou tentar agora. Vou ser melhor que vocês dois, e, depois, quando eu os tiver impressionado e vocês quiserem ser meus amigos, vou dar as costas e dizer que não preciso nem de vocês nem do Magisterium. Assim que eu passar pelo Primeiro Portal e vocês não puderem mais interditar minha magia, vou para casa e ninguém vai pode me deter."

"É isso que vou dizer ao meu pai assim que conseguir usar aquele tornado-telefone."

Call passou o resto do dia movendo a areia com a mente, mas, em vez de fazer isso como na primeira aula, empenhando-se para capturar cada grão, empurrando-o com os esforços mais desesperados de seu cérebro, desta vez ele se permitiu fazer uma experiência. Call tentou utilizar toques cada vez mais leves para que a areia rolasse pelo chão em vez de flutuar. Afinal, ele já fizera aquilo antes. O truque era não pensar no monte como algo único — uma nuvem de areia —, mas sim como trezentos grãos isolados.

Talvez ele pudesse fazer a mesma coisa agora, pensar em todos os grãos escuros como uma única coisa.

Call tentou *empurrá-los* com a mente, mas a quantidade era muito grande e o menino perdeu o foco. Ele desistiu da ideia e se concentrou em cinco grãos de areia escura. Desta vez conseguiu movê-los, rolando-os juntos em direção ao monte correto.

Call caiu para trás, impressionado, sentindo que acabara de fazer algo incrível. Ele queria dizer algo para Aaron, mas manteve a boca fechada e praticou sua nova técnica, saindo-se cada vez melhor, até que conseguiu mover vinte grãos de cada vez. Entretanto, não conseguiu ultrapassar esse número, independentemente do quanto se esforçasse. Aaron e Tamara viram o que ele fazia, mas nenhum dos dois falou nada nem tentou imitá-lo.

Naquela noite, Call sonhou com areia. Ele estava sentado na praia, tentando construir um castelo para uma ratazana-toupeira que pegara durante uma tempestade, mas o vento soprava a areia para longe, enquanto a água se aproximava cada vez mais. Por fim, frustrado, ele se levantou e chutou o castelo até que caísse por terra e se transformasse em um imenso monstro com enormes braços e pernas feitos de areia. A criatura o perseguiu pela praia, sempre prestes a pegá-lo, mas nunca conseguia chegar perto o suficiente enquanto berrava para ele com a voz do Mestre Rufus: "Lembre-se do que o seu pai falou sobre a magia, garoto. Vai lhe custar tudo o que você tem".

↑≈△O◉

No dia seguinte, em vez de levar os alunos até o salão e ir embora logo em seguida, o Mestre Rufus se sentou em um canto distante da Sala da Areia e do Tédio, pegou um livro e um pacote de papel encerado e começou a ler. Depois de cerca de duas horas, ele abriu o pacote, que continha um sanduíche de queijo e presunto no pão integral.

Ele pareceu indiferente ao método de Callum de mover mais de um grão ao mesmo tempo, de modo que Aaron e Tamara começaram a fazer o mesmo. A partir daí, as coisas andaram mais depressa.

Naquele dia, eles finalmente conseguiram separar toda a areia antes da hora do jantar. O Mestre Rufus olhou para o trabalho realizado, assentiu, satisfeito, e chutou a areia para que formasse novamente uma única grande pilha.

— Amanhã vocês irão separar cinco gradações de cor — ele informou.

Os três suspiraram em uníssono.

↑≋△○@

As coisas seguiram sem grandes mudanças por uma semana e meia. Fora da sala de aula, Tamara e Aaron ignoravam Call, que, por sua vez, os ignorava também. Entretanto, eles melhoraram sua habilidade de mover a areia, tornando-se mais precisos e hábeis no controle de diversos grãos ao mesmo tempo.

Durante as refeições, eles ouviam sobre as lições dos outros aprendizes, que pareciam muito mais interessantes que a areia — especialmente quando as coisas davam errado. Como quando Drew pôs fogo em si mesmo e conseguiu incendiar um dos barcos, além de chamuscar o cabelo de Rafe antes de ser expulso da aula. Ou quando os alunos de Milagros e Tanaka praticavam juntos e Kai Hale jogou um lagarto elemental nas costas de Jasper (Call pensou que Kai merecia uma medalha). Ou quando Gwenda decidiu que gostava tanto daquele cogumelo que lembrava uma pizza que queria mais um pedaço dele e então inflou tanto o cogumelo que estava em seu prato que ele tomou conta do Refeitório e empurrou todo mundo — até mesmo os mestres — para fora, impedindo que as pessoas usassem a sala por vários dias até que o crescimento do cogumelo fosse controlado.

O menu do jantar na noite em que eles puderam retornar ao Refeitório foi líquen e mais pudim. Não havia nem mesmo uma sombra de cogumelo. O que era interessante sobre o líquen é que o gosto nunca era o mesmo — algumas vezes tinha gosto de carne e, em outras, de tacos de peixe ou de vegetais com molho picante, mesmo tendo sempre a mesma cor. O pudim cinzento daquela noite tinha gosto de caramelo. Quando Célia flagrou Call dando meia-volta para ir para o seu quarto, cutucou o pulso dele com a colher, toda animada.

— Qual é, vocês deveriam ir até a Galeria — ela disse. — Lá tem uns petiscos muito legais.

Call olhou de relance para Aaron e Tamara, que deram de ombros, concordando. Os dois ainda estavam sendo frios e não puxavam assunto com Call, conversando apenas quando era estritamente necessário. Call imaginou se eles pensavam em perdoá-lo algum dia ou se aquela situação incômoda perduraria pelo resto do tempo que passariam ali.

Call largou a tigela de volta na mesa e alguns minutos depois se viu em um grupo sorridente de alunos do Ano de Ferro que seguiam para a Galeria. Enquanto andavam, Call percebeu que os cristais brilhantes incrustados nas paredes faziam com que o corredor parecesse estar coberto por uma fina camada de neve.

Ele se perguntou se algum desses corredores levava à sala de Mestre Rufus. Não houve um dia em que ele não pensasse em escapulir até lá para usar o telefone-tornado. Mas, até que o Mestre Rufus os ensinasse a controlar os barcos, Call precisaria de uma nova rota.

Eles caminharam por alguns túneis que não eram familiares a Call. Um deles parecia apresentar uma leve subida, com um atalho sobre um lago subterrâneo. Desta vez, Call não se importou com a distância extra, pois essa parte das cavernas continha um monte de coisas legais para serem vistas: uma formação calcária composta por calcita branca que lembrava uma cachoeira congelada, concreções no formato de ovos fritos e estalagmites que se tornavam azuis ou verdes graças ao cobre contido na rocha.

Por se mover mais devagar que os outros, Call era o último do grupo, de forma que Célia diminuiu um pouco o passo para conversar com ele. Ela mostrou coisas que Call ainda não tinha visto, como os buracos bem no alto da rocha onde viviam os morcegos e as salamandras. Eles passaram por uma grande sala circular da qual saíam duas passagens. Sobre uma delas lia-se a palavra "Galeria", escrita com letras ornamentadas feitas de um cristal brilhante. Na outra, havia a inscrição "Portal das Missões".

— O que é isso? — Call perguntou.

— Outro caminho que dá para fora das cavernas — Drew entreouviu a conversa e respondeu, mas logo em seguida pareceu estranhamente culpado, como se não devesse ter contado aquilo.

Talvez Call não fosse o único que não entendia as regras da escola de magia. Quando olhou mais de perto, percebeu que Drew parecia estar tão exausto quanto ele.

— Mas não podemos sair — Célia acrescentou, lançando um olhar amargo para Call, como se achasse que, toda vez que ele ouvia falar sobre uma nova saída, começaria imediatamente a pensar se seria possível escapar por ali. — Essa porta é destinada apenas aos aprendizes que estão em missão.

— Missão? — Call repetiu enquanto seguia os outros até a Galeria. Ele se lembrou de que Célia já mencionara algo a respeito, quando explicou o motivo pelo qual nem todos os aprendizes estavam no Magisterium.

— A serviço dos mestres. Lutando contra os elementais. Ou contra os Dominados pelo Caos — Célia explicou. — Sabe, essas paradas de magia.

"Claro", Call pensou. "Pegue algumas beladonas e mate uma serpe no caminho de volta. Sem problema." Porém, como não queria irritar Célia, já que ela era a única pessoa que ainda falava com ele, Call decidiu guardar esses pensamentos para si.

A Galeria era imensa, com um teto que subia por pelo menos algumas dezenas de metros acima deles e um lago em uma das extremidades que se espalhava até perder-se de vista, pontuado por várias ilhotas. Alguns garotos mergulhavam na água, que fluía sem pressa. Um filme era projetado em uma parede de cristal — Call já vira aquele filme, mas tinha certeza de que o que acontecia na tela não era exatamente fiel à versão a que ele assistira.

— Adoro essa parte — Tamara comentou e correu para onde um pessoal estava acomodado em fileiras de cogumelos gigantes que pareciam ter sido forrados com veludo. Jasper apareceu do nada e se jogou no cogumelo bem ao lado dela. Aaron parecia um pouco confuso, mesmo assim os seguiu.

— Você precisa provar as bebidas gasosas. — Célia puxou Call até uma saliência na pedra onde um enorme recipiente de vidro, repleto de um líquido que lembrava água, repousava ao lado de três estalactites. Ela pegou um copo, encheu-o com um pouco do conteúdo na torneira do recipiente e o colocou debaixo de uma das estalactites. Um jorro de líquido azul foi borrifado sobre a água e um pequeno redemoinho surgiu dentro do copo, misturando as duas substâncias. Bolhas começaram a surgir no topo da bebida.

— Prove isso! — Célia o encorajou, animada.

Call lançou um olhar suspeito para a bebida antes de pegar o copo das mãos dela e dar um grande gole.

Ele teve a sensação de que cristais doces de mirtilo, caramelo e morango explodiam dentro de sua boca.

— Isso é *fantástico* — ele elogiou quando terminou de engolir.

— O verde é o meu preferido. — Célia sorriu para o copo que havia acabado de servir para si. — Tem gosto de pirulito derretido.

Sobre a saliência, havia pilhas de outras guloseimas de aparência interessante: tigelas repletas de pedras claramente feitas de açúcar, pretzels enrolados no formato de símbolos alquímicos sobre os quais dava para ver o brilho do sal e um pote com o que, à primeira vista, pareciam ser batatas fritas crocantes, só que, vistas mais de perto, apresentavam um tom de dourado mais escuro que o das batatas comuns. Call experimentou uma. O gosto era quase igual ao de pipoca com manteiga.

— Vamos. — Célia o pegou por um dos pulsos. — Estamos perdendo o filme. — Ela o conduziu até os cogumelos aveludados. Call a acompanhou um tanto relutante. O clima ainda estava muito carregado entre ele, Tamara e Aaron. Ele achou que seria melhor evitá-los e explorar a Galeria sozinho. Mas, de qualquer forma, ninguém prestava mesmo atenção nele. Todos pareciam hipnotizados pelo filme que era projetado na parede mais afastada. Jasper não parava de se inclinar para dizer coisas no ouvido de Tamara que a faziam rir, enquanto Aaron conversava com Kai, que se sentara ao seu lado. Felizmente, havia vários garotos mais velhos por ali para que Call pudesse se sentar longe dos outros aprendizes de seu grupo sem parecer que aquela fora uma escolha intencional.

Quando Call relaxou em seu assento, percebeu que o filme não estava sendo exatamente *projetado*. Um bloco sólido de ar colorido pairava sobre a parede de pedra. As cores serpenteavam, aparecendo e sumindo tão depressa que era impossível acompanhar todas as mudanças, o que criava a ilusão de uma tela.

— Magia do ar — disse ele, quase que apenas para si mesmo.

— É o Alex Strike que faz os filmes. — Célia abraçou os próprios joelhos, concentrada no que acontecia na tela. — Você deveria conhecê-lo.

— E por que eu deveria?

— Ele é do Ano de Bronze. Um dos melhores alunos. Ele ajuda o Mestre Rufus de vez em quando. — A voz dela era repleta de admiração.

Call olhou sobre um dos ombros. Nas sombras detrás das fileiras de almofadas em forma de cogumelo havia uma cadeira mais alta. O garoto moreno e magricela que levara sanduíches para eles alguns dias antes estava sentado nela. Seus olhos estavam fixos na tela diante dele. Os dedos se moviam para a frente e para trás, lembrando vagamente alguém que manipula uma marionete. Toda vez que ele movia as mãos, as formas na tela se alteravam.

"Isso é mesmo muito legal", disse aquela vozinha traiçoeira dentro de Call. "Quero fazer isso." Ele fez a voz se calar. Daria no pé assim que passasse pelo Primeiro Portal da Magia. Jamais iria para o Ano de Cobre, de Bronze ou a qualquer outro além do de Ferro.

Terminado o filme — Call tinha certeza de que não se lembrava de nenhuma cena de *Guerra nas Estrelas* em que Darth Vader dançava conga com os Ewoks, se bem que ele assistira ao filme uma única vez —, todos se levantaram em um pulo e começaram a aplaudir. Alex Strike jogou o cabelo para trás e sorriu. Quando viu que Call olhava para ele, cumprimentou-o balançando levemente a cabeça.

Todos logo se espalharam pela sala para brincar com outras coisas divertidas. Era como um fliperama, Call pensou, só que sem nenhum tipo de supervisão. Havia uma piscina onde a água quente borbulhava e mudava de cor. Alguns dos estudantes mais velhos, incluindo a irmã de Tamara e Alex, nadavam dentro dela, distraindo-se ao fazer pequenos redemoinhos dançarem sobre a superfície. Call colocou as pernas na água por algum tempo — a sensação era boa depois de todas as andanças dos últimos dias — e então se juntou a Drew e Rafe, que alimentavam os morcegos domesticados. Os bichos pousavam nos ombros deles para receber pedaços de frutas. Drew dava risadinhas quando as asas macias faziam cócegas em suas bochechas. Mais tarde, Call se juntou a Kai e Gwenda em um jogo estranho que envolvia acertar com um taco uma bola de fogo azul. Quando a bola o atingiu no peito, Call percebeu que, na verdade, ela era gelada. Cristais de gelo ficaram pendurados em seu uniforme cinzento, mas ele não se importou. A Galeria era tão divertida que ele se esqueceu de se preocupar com o Mestre Rufus, com seu pai, com a interdição de sua magia ou até mesmo com o fato de Tamara e Aaron o odiarem.

"Será que vai ser difícil desistir de tudo isso?", ele se perguntou. Call pensou que poderia ser um mago e brincar com bolhas e transformar o ar em uma tela de cinema. Imaginou que era bom nessa coisa de magia, que poderia se tornar até mesmo um mestre. Porém, a imagem de seu pai sentado sozinho à mesa da cozinha o afligiu e ele se sentiu péssimo.

Quando Drew, Célia e Aaron decidiram voltar para seus quartos, Call resolveu acompanhá-los. Se ficasse acordado até mais tarde, passaria todo o dia seguinte de mau humor, e, além disso, não estava certo se sem eles acertaria o caminho. Eles refizeram o mesmo caminho pelas cavernas. Era a primeira vez em dias que Call se sentia relaxado.

— Onde está Tamara? — Célia perguntou enquanto caminhavam.

Call a tinha visto com a irmã quando deixaram a Galeria e estava prestes a responder quando Aaron falou:

— Discutindo com a irmã.

Call ficou surpreso.

— Como assim?

Aaron deu de ombros.

— Kimiya estava dizendo a Tamara que durante o Ano de Ferro ela não deveria perder tempo brincando na Galeria, sendo que poderia estar estudando.

Call franziu a testa. Ele sempre meio que quisera ter um irmão, mas agora passou a reconsiderar esse seu desejo.

Ao lado dele, Aaron congelou.

— Que barulho é esse?

— Está vindo do Portal das Missões. — Célia parecia preocupada.

Um momento depois, Call ouviu o mesmo som: o rufar do solado de botas sobre a rocha, o eco de vozes que reverberava pelas paredes de pedra. Alguém pedia ajuda.

Aaron saiu correndo pela passagem que levava ao Portal das Missões. Os outros hesitaram antes de acompanhá-lo. Drew estava tão inseguro que seguia na mesma velocidade de Call, que, por sua vez, se esforçava para correr o máximo que podia. A passagem começou a ficar repleta de gente que os empurrava para abrir caminho, quase derrubando Call. Algo pressionou seu braço e ele foi jogado para o lado junto a uma parede, protegido da multidão.

Aaron. Aaron o imprensou contra a pedra enquanto observava, com os lábios apertados, um grupo de garotos mais velhos — um grupo usava braceletes de prata e outro, de ouro — mancar pela passagem. Alguns eram carregados em macas improvisadas feitas com galhos de árvore. Dois aprendizes erguiam outro garoto — toda a frente de seu uniforme parecia ter sido queimada, e a pele debaixo dele estava vermelha e repleta de bolhas. Todos tinham marcas de queimadura nos uniformes e seus rostos estavam cobertos por uma fuligem negra. Muitos sangravam.

Drew parecia prestes a cair em prantos.

Call ouviu Célia, que se encostara na parede ao lado de Aaron, sussurrar algo sobre elementais do fogo. Call observou um garoto em uma maca se contorcer, agoniado. Uma das mangas do uniforme havia sido queimada, e o braço parecia estar iluminado pelo lado de dentro, como uma brasa em uma fogueira.

"O fogo quer queimar", Call pensou.

— Vocês! Vocês, do Ano de Ferro! Vocês não deveriam estar aqui! — Era o Mestre North, com uma expressão crescente de irritação à medida que se afastava do grupo de feridos. Call não tinha certeza de como ele os vira nem por que estava ali.

O mestre não precisou falar duas vezes. Mais que depressa, eles deram o fora.

CAPÍTULO NOVE

O dia seguinte foi de mais areia e mais cansaço. Naquela noite, no Refeitório, Call se jogou diante da mesa com um prato repleto de líquen acompanhado por uma pilha de biscoitos de aparência tão cristalina que chegavam a brilhar. Célia mordeu um deles e se ouviu um som que lembrava vidro sendo quebrado.

— É seguro comer isso, não é? — Call perguntou a Tamara, que comia mais uma colherada de algum tipo de pudim roxo que manchava seus lábios e deixava sua língua azul-escura.

Ela revirou os olhos. Havia manchas escuras debaixo deles, mas sua aparência era, como sempre, elegante. Call sentiu uma pontada de ressentimento no peito. Tamara só podia ser um robô, ele concluiu. Um robô com sentimentos humanos. Ele torceu para ela entrar em curto-circuito.

Célia, vendo a ferocidade na maneira como ele olhava para Tamara, tentou falar algo, mas estava com a boca cheia de biscoito. Alguns bancos à frente, Aaron dizia:

— Tudo que fazemos é dividir areia em montes. Por horas e mais horas. Quero dizer, é claro que deve haver uma razão para isso, mas...

— Sinto muito por você — Jasper o interrompeu. — Os aprendizes do Mestre Lemuel têm lutado contra os elementais e nós temos feito coisas incríveis com a Mestra Milagros. Produzimos bolas de fogo, e ela nos ensinou a utilizar o metal presente na terra para levitar. Já consigo me erguer quase três centímetros do chão.

— Uau — comentou Call, cheio de desprezo. — Quase três centímetros.

— É por sua causa que o Aaron e a Tamara estão sofrendo — Jasper rebateu, com os olhos brilhando de raiva. — Porque você foi muito mal nos testes. É por isso que todo o grupo está preso em uma caixa de areia enquanto o resto de nós já está com o time em campo.

Call sentiu o sangue subir à cabeça. Aquilo não era verdade. Não podia ser verdade. Ele viu Aaron, na outra ponta da mesa, balançar a cabeça, prestes a dizer algo, mas Jasper não parou. Com um sorriso de escárnio, ele acrescentou:

— Se eu fosse você, não desdenharia dos nossos exercícios de levitação. Se você pudesse ao menos aprender a levitar, talvez não ficasse atrasando a Tamara e o Aaron ao mancar atrás deles.

No momento que se seguiu após essas palavras deixarem sua boca, Jasper pareceu chocado, como se nem mesmo ele esperasse ir tão longe.

Aquela não era a primeira vez que alguém dizia algo do gênero para Call, mas a sensação era sempre como se jogassem um balde de água fria bem na sua cara.

Aaron sentou-se ereto, com os olhos arregalados. Tamara bateu na mesa com uma das mãos espalmadas.

— Cale a boca, Jasper! Não estamos separando areia por causa do Call. Estamos fazendo isso por minha causa. A culpa é minha, ok?

— O quê? Não! — Jasper estava totalmente confuso. Era óbvio que ele não queria irritar Tamara. Talvez até mesmo quisesse impressioná-la com toda aquela conversa. — Você foi muito bem no Teste. Todos nós fomos, exceto ele. Esse garoto roubou o meu lugar. O seu mestre sentiu pena dele e quis...

Aaron ficou de pé, segurando o garfo em uma das mãos. Ele parecia furioso.

— Não era o *seu* lugar — ele cuspiu as palavras em Jasper. — Não se trata apenas de pontos, mas sim de quem cada mestre deseja ensinar. E eu posso perceber muito bem por que o Mestre Rufus não quis *você*.

Aaron falou tão alto que as pessoas nas mesas mais próximas se viraram para ele. Com um último olhar enojado para Jasper, Aaron largou o garfo sobre a mesa e se afastou com os ombros rígidos.

Jasper se voltou para Tamara.

— Eu achava que você tinha um maluco no seu grupo, mas agora estou vendo que são dois.

Tamara observou Jasper com atenção por um longo momento e em seguida pegou sua tigela de pudim e a virou bem em cima da cabeça dele. Uma gororoba roxa escorreu pelo rosto de Jasper. Ele gemeu, surpreso.

Por um instante, Call ficou surpreso demais para ter qualquer tipo de reação, mas logo caiu na gargalhada. Célia o acompanhou e em pouco tempo toda a mesa morria de rir enquanto Jasper lutava para tirar a tigela da cabeça. Call gargalhou ainda mais alto.

No entanto, Tamara não estava rindo. Parecia que ela não acreditava que tinha perdido a compostura daquela maneira. A garota ficou congelada na mesma posição por um longo momento e então se levantou com dificuldade e correu até a porta, seguindo na mesma direção por onde Aaron saíra. Do outro lado do Refeitório, sua irmã, Kimiya, a observava em desaprovação, com os braços cruzados sobre o peito.

Jasper jogou a tigela sobre a mesa e lançou para Call um olhar carregado com o mais puro e angustiado ódio. Seu cabelo estava coberto por uma camada de pudim.

— Poderia ter sido pior — disse Call. — Em vez de pudim, poderia ter sido aquela coisa verde.

A Mestra Milagros surgiu ao lado de Jasper. Ela lhe entregou alguns guardanapos e exigiu que lhe explicassem o que havia acontecido. O Mestre Lemuel, que estava sentado a uma mesa próxima, se levantou e foi até eles para repreender todos da mesa. Em determinado momento, o Mestre Rufus se juntou a ele. Seu rosto permanecia impassível, como sempre. O blá-blá-blá de vozes adultas parecia não ter fim, mas Call não prestava atenção.

Durante seus doze anos de vida, Call não conseguia se lembrar de ter sido defendido por mais ninguém além de seu pai. Nem mesmo quando as pessoas chutavam sua perna ruim durante o futebol ou riam dele por ficar no banco durante as aulas de Educação Física ou por ser o último a ser escolhido em todos os times. Ele se lembrou de Tamara virando a tigela de pudim na cabeça de Jasper e das palavras de Aaron dizendo: "não se trata apenas de pontos, mas sim de quem cada mestre deseja ensinar", e sentiu uma onda de calor dentro do peito.

Mas, então, ele se recordou do verdadeiro motivo pelo qual o Mestre Rufus queria ensiná-lo e o calor desapareceu.

Call voltou para os seus aposentos sozinho, seguindo os túneis de pedra que ecoavam o som de seus passos. Quando chegou à sala coletiva, Tamara estava sentada no sofá com as mãos curvadas ao redor de uma caneca fumegante feita de pedra. Aaron conversava com ela em voz baixa.

— E aí? — Call ficou parado no batente da porta, sentindo-se incomodado, sem saber se deveria ou não ir embora. — Obrigado por... bem, eu só queria agradecer.

Tamara olhou para ele e fungou.

— Você vai entrar ou não?

Já que seria ainda mais incômodo ficar no corredor, Call deixou que a porta batesse atrás de si e começou a caminhar rumo ao seu quarto.

— Call, fique aqui — Tamara pediu.

Ele se virou para olhar para ela e Aaron, que estava sentado no braço do sofá, lançando olhares ansiosos para ambos. O cabelo escuro de Tamara continuava perfeito e sua coluna, ereta, embora o rosto estivesse com várias manchas, como se ela tivesse chorado. Os olhos de Aaron demonstravam preocupação.

— O que aconteceu com a areia foi culpa minha — disse Tamara. — Desculpe. Desculpe por ter colocado você em encrenca. Aliás, em primeiro lugar, desculpe por ter sugerido algo tão perigoso. E desculpe também por não ter contado nada antes.

Call deu de ombros.

— Eu pedi que você desse alguma ideia. Qualquer uma. Não foi culpa sua.

Ela lhe lançou um olhar estranho.

— Mas eu achei que você estivesse morrendo de raiva.

Aaron assentiu.

— É, pensamos que você estivesse irritado. Você mal falou com a gente durante *três semanas inteiras.*

— Não — Call corrigiu. — Vocês é que não falaram *comigo* durante três semanas inteiras. Eram vocês que estavam com raiva de mim.

Os olhos verdes de Aaron se arregalaram.

— Por que a gente estaria irritado com você? Foi você quem se encrencou com o Rufus, não nós. E você nem jogou a culpa na gente, embora pudesse ter feito isso.

— De nós três, sou eu quem sabe mais sobre essas coisas. — Tamara apertava tanto a asa da caneca que os nós de seus dedos ficaram esbranquiçados. — Vocês dois não sabem praticamente nada sobre magia, o Magisterium, os elementos. Mas eu sei. Minha... irmã mais velha...

— Kimiya? — Call estava confuso. Sua perna doía. Ele se apoiou na mesa de centro, esfregando o joelho sobre o uniforme de algodão.

— Tenho outra irmã — Tamara sussurrou.

— O que aconteceu com ela? — A voz de Aaron não era mais que um murmúrio para acompanhar o tom da menina.

— O pior — emendou Tamara. — Ela se transformou em uma daquelas coisas sobre as quais eu contei a vocês. Um elemental humano. Existem grandes magos que podem nadar pela terra como se fossem peixes, fazer com que adagas sejam lançadas das paredes, criar tempestades elétricas ou redemoinhos gigantes. Minha irmã queria ser um deles, então instigou sua magia até ser tomada pelo seu próprio poder.

Tamara balançou a cabeça e Call imaginou o que passava pela mente dela enquanto contava a eles aquelas coisas.

— A pior parte é lembrar o quanto meu pai ficou orgulhoso no início, enquanto ela ia bem. Ele costumava dizer que Kimiya e eu deveríamos ser como ela. Agora, ele e minha mãe não falam mais nem uma única palavra sobre nossa irmã. Eles nem mesmo mencionam seu nome.

— E qual era o nome dela?

Tamara pareceu surpresa.

— Ravan.

Aaron ergueu uma das mãos por um segundo, como se quisesse afagar os ombros de Tamara, mas não tinha certeza se deveria fazer isso.

— Você não vai acabar como ela — Aaron a consolou. — Não precisa se preocupar.

Ela balançou a cabeça mais uma vez.

— Eu disse a mim mesma que não seria como meu pai e minha irmã, que eu jamais correria esse risco. Queria provar que podia fazer tudo do jeito certo, sem precisar de nenhum atalho e que *ainda assim* eu seria a melhor. Só que apelei para atalhos e ensinei vocês a fazer o mesmo. Não consegui provar nada.

— Não diga isso — insistiu Aaron. — Você provou algo esta noite.

Tamara fungou.

— O quê?

— Que o Jasper fica muito melhor com pudim no cabelo — Call sugeriu.

Aaron revirou os olhos.

— Não era isso o que eu ia dizer... apesar de querer muito ter visto essa cena.

— Foi incrível. — Call abriu um sorriso.

— Tamara, você provou que se importa com seus amigos. E nós nos importamos com você. E vamos garantir que você não usará mais nenhum atalho. — Aaron olhou para Call. — Não é?

— É. — Call estudou a ponta de suas botas, sem ter certeza se ele era a melhor pessoa para aquela atribuição. — E, Tamara?...

Ela esfregou o canto dos olhos com uma das mãos enluvadas.

— O quê?

Ele não ergueu os olhos e podia sentir o calor da vergonha lhe subir pelo pescoço e fazer com que suas orelhas ficassem coradas.

— Ninguém nunca tinha me defendido como vocês me defenderam hoje.

— Sério que você falou alguma coisa legal pra gente? — Tamara perguntou. — Tem certeza de que está se sentindo bem?

— Eu não sei — Call respondeu. — Talvez eu precise me deitar um pouco.

Só que Call não foi se deitar. Ele ficou acordado conversando com seus amigos durante boa parte daquela noite.

CAPÍTULO DEZ

No final do primeiro mês, Call não se importaria de ter de se matar de estudar com os outros aprendizes para qualquer que fosse o teste que tivessem de fazer, contanto que não precisasse mais ter de suportar a Sala da Areia e do Tédio. Ele se sentou, apático, formando um triângulo junto com Aaron e Tamara para separar os grãos de areia de diferentes cores como pareciam fazer havia pelo menos um milhão de anos. Aaron tentou iniciar uma conversa, mas Tamara e Call estavam entediados demais para pronunciar algo além de resmungos. De vez em quando, porém, eles olhavam uns para os outros e trocavam sorrisos, os sorrisos secretos da verdadeira amizade. Uma amizade exausta, mas, ainda assim, uma real amizade.

Na hora do almoço, a parede se abriu e, para variar, não era Alex Strike, mas sim o Mestre Rufus, que carregava em uma das mãos o que parecia ser uma grande caixa de madeira com algo semelhante a uma trombeta que quase escapava lá de dentro. Na outra mão, ele trazia uma sacola que continha algo colorido.

— Continuem de onde pararam, crianças — ele disse, colocando a caixa sobre uma pedra ali por perto.

Aaron ficou surpreso.

— O que é aquilo? — ele sussurrou para Call.

— Um gramofone — respondeu Tamara, que não parou de triar a areia nem mesmo enquanto olhava para Rufus. — Toca música, mas funciona com magia e não com eletricidade.

Naquele momento, uma música saiu da trompa do gramofone. Era muito alta e Call não conseguiu reconhecer a melodia. Tinha uma batida, um som repetitivo, inacreditavelmente irritante.

— Não é aquela música do *Cavaleiro Solitário*? — Aaron perguntou.

— É o prelúdio de *Guilherme Tell*[4] — o Mestre Rufus berrou mais alto que a música, saltando pela sala. — Ouçam essas trombetas! Faz nosso sangue pulsar, pronto para fazer magia!

Na verdade, aquela música fazia com que fosse muito, mas *muito* difícil pensar no que quer que fosse. Call teve de fazer um grande esforço para se concentrar, o que tornava um desafio erguer até mesmo um único grão no ar. Quando ele pensava ter a areia sob controle, a música se elevava e sua concentração descia ralo abaixo.

Ele deixou escapar um som de frustração e abriu os olhos para ver o Mestre Rufus tirar da sacola um verme cor de beterraba. Call torceu com todas as suas forças para que o bicho fosse feito de goma, pois o Mestre Rufus começou a mordiscar a ponta do seu rabo.

Call imaginou o que aconteceria se, em vez de tentar mover a areia, ele se concentrasse em estraçalhar o gramofone na parede da caverna. Ele olhou para cima e percebeu que Tamara o encarava.

— Nem *pense* nisso — ela disse, como se conseguisse ler seus pensamentos. Tamara estava toda vermelha, com o cabelo grudado na testa enquanto se esforçava para se concentrar na areia apesar da música.

Um verme de um tom de azul intenso atingiu Call em um dos lados da cabeça, fazendo com que ele derrubasse toda a areia flutuante sobre o seu colo. O verme quicou no chão e ficou ali parado. "Tudo bem, é mesmo um verme de goma", Call pensou, apesar de que aquilo que tinha diante de seus olhos em nada lembrasse qualquer substância gelatinosa.

Por outro lado, a expressão "gelatinosa" podia descrever várias outras coisas presentes no Magisterium.

— Não consigo. — Aaron respirou fundo. Ele mantinha as mãos erguidas, a areia girava diante dele. Seu rosto estava vermelho com a concentração. Um verme de cor laranja o atingiu em um dos ombros. Rufus abriu a sacola e jogava punhados de seres gelatinosos sobre eles.

— Ai — fez Aaron. Os vermes não machucavam, mas eram bastante assustadores. Um bicho verde ficou grudado no cabelo de Tamara. Ela parecia prestes a cair em prantos.

A parede se abriu novamente. Desta vez, era *realmente* Alex Strike. Ele trazia uma sacola e tinha um sorriso estranho, quase malicioso, que se espalhou pelo seu rosto quando ele olhou para o Mestre Rufus, que ainda arremessava vermes nos aprendizes. Eles, por sua vez, se esforçavam para se concentrar.

— Entre, Alex! — convidou Rufus, animado. — Deixe os sanduíches logo ali! Aprecie a música!

Call se perguntou se Alex se recordava de seu Ano de Ferro. Ele esperava que Alex não visitasse nenhum outro grupo de aprendizes, aqueles que estavam aprendendo coisas legais que envolviam fogo e levitação. Caso Jasper descobrisse qualquer detalhe do que Call estava tendo de fazer naquele dia, nunca mais deixaria de zombar dele.

"Isso não importa", Call disse para si mesmo, áspero. "Concentre-se na areia."

Tamara e Aaron moviam os grãos, rolando-os pelo chão para erguê-los logo em seguida. Embora trabalhassem em velocidade menor, eles mantinham o foco e não paravam nem mesmo quando eram atingidos na parte de trás da cabeça por um verme de goma. Tamara tinha mais um verme preso em uma das tranças, mas não parecia ter nem mesmo se dado conta de sua presença.

Call fechou os olhos e se concentrou em sua própria mente.

O menino sentiu um verme gelado colidir com uma de suas bochechas, mas, desta vez, não deixou que a areia caísse. A música martelava em seus ouvidos, porém ele não deu atenção a nada disso. Primeiro, ele moveu um grão após o outro e, então, tornou-se mais confiante e passou a deslocar cada vez mais areia.

"Vou jogar isso na cara do Mestre Rufus", ele pensou.

Outra hora se passou antes que fizessem uma pausa para o almoço. Quando recomeçaram com o trabalho, o mago os bombardeou com valsas. Enquanto os aprendizes separavam a areia, Rufus sentou em um pedregulho e começou a fazer palavras cruzadas. Ele não pareceu se importar quando os três passaram da hora e perderam o jantar no Refeitório.

Eles se arrastaram até seus aposentos, cansados e sujos, para encontrarem a mesa posta na sala compartilhada. Call se deu conta de que estava, para sua surpresa, de bom humor, considerando tudo o que tinha passado naquele dia, e Aaron fez com que ele e Tamara caíssem na gargalhada com sua imitação de Mestre Rufus dançando valsa com um verme.

Na manhã seguinte, o Mestre Rufus apareceu na porta da sala compartilhada assim que o sinal tocou, trazendo braçadeiras que distinguiriam suas equipes durante o primeiro teste. Todos eles gritaram de tanta empolgação. Tamara berrou porque estava feliz; Aaron, porque gostava de ver as outras pessoas felizes e Call porque tinha certeza de que eles morreriam.

— O senhor sabe qual será o tipo de teste? — Tamara perguntou, amarrando, ansiosa, a braçadeira ao redor do pulso. — Ar, fogo, terra ou água? O senhor podia nos dar uma dica? Só uma diquinha, bem pequenininha...

O Mestre Rufus observou Tamara, severo, até que ela parou de falar.

— Nenhum aprendiz receberá informações antecipadas sobre a maneira como serão testados. Isso lhes daria uma vantagem injusta. Vocês devem vencer graças aos próprios méritos.

— Vencer? — Call repetiu, surpreso. Não havia lhe ocorrido que o Mestre Rufus esperasse que eles passassem no teste. Não depois de um mês inteiro de areia. — Não vamos *vencer*. — Ele estava mais preocupado com a possibilidade de eles não *sobreviverem*.

— É esse o espírito. — Aaron escondeu um sorriso. Ele já havia colocado a braçadeira bem acima do cotovelo. De alguma forma, aquela coisa caiu bem nele. Call a amarrou na testa e tinha certeza absoluta de que parecia mais uma bandagem.

O Mestre Rufus revirou os olhos. Call ficou apreensivo ao perceber que os cantos da boca do professor se contraíram para cima em um sorriso involuntário, como se de fato começasse a entender as expressões do Mestre Rufus e a responder a elas.

Talvez, quando eles chegassem ao Ano de Prata, o Mestre Rufus fosse capaz de explicar teorias mágicas complicadas apenas com um único esgar de suas sobrancelhas espessas.

— Acompanhem-me — disse o mago, com um farfalhar dramático de sua túnica. Ele então deu meia-volta e os conduziu porta afora, pelo que Call começava a achar que era o corredor principal da escola. Um lodo fosforescente brilhou quando eles passaram, descendo por uma escada espiralada que Call não vira antes, entrando em uma caverna.

Em sua outra escola, ele sempre queria ter permissão para praticar esportes. Pelo menos ali eles lhe davam uma chance. E ele teria de atender às expectativas.

A caverna era do tamanho de um estádio, com imensas estalactites e estalagmites que se projetavam para cima e para baixo, como dentes. A maior parte dos outros aprendizes do Ano de Ferro estava ali junto com seus mestres. Jasper conversava com Célia, fazendo gestos frenéticos para as estalagmites em um dos cantos, que cresceram entrelaçadas de forma bastante confusa. A Mestra Milagros flutuou no ar a curta distância do chão e encorajou um dos garotos a acompanhá-la. Todos iam de um lado para o outro com uma energia inquieta. Drew parecia especialmente tenso. Ele sussurrava com Alex. O que quer que Alex estivesse dizendo, não parecia deixar Drew muito feliz.

Enquanto caminhava pelo salão, Call olhou ao redor, tentando adivinhar o que poderia acontecer. Ao longo de uma das paredes havia uma grande caverna que aparentemente era separada do salão principal por barras, como uma jaula feita de calcita. Call olhou o que havia lá dentro, preocupado que o teste fosse mais assustador do que ele imaginara. Ele esfregou a perna, distraído, e imaginou o que o pai diria.

Provavelmente alguma coisa como "é agora que você vai morrer".

Ou talvez aquela fosse uma oportunidade para mostrar a Aaron e Tamara que valera a pena tê-lo defendido.

— Aprendizes do Ano de Ferro! — o Mestre North disse, depois que mais alguns alunos chegaram aos poucos depois do Mestre Rufus. — Eu lhes passarei seu primeiro exercício. Vocês terão de lutar contra os elementais.

Suspiros abafados de pavor e empolgação tomaram conta da sala. Os nervos de Call se contraíram. Eles estavam falando sério? Ele podia apostar que nenhum dos aprendizes estava preparado para aquilo. Olhou para Aaron e Tamara no intuito de perceber algum sinal de desacordo. Ambos estavam pálidos. Tamara apertava a braçadeira.

Call tentava freneticamente se lembrar da palestra do Mestre Rockmaple duas sextas-feiras antes. O mago falara sobre os elementais:

"Dispersar os elementais daninhos antes que estes prejudiquem alguém é uma das mais importantes responsabilidades de um mago", ele explicara. "Quando eles se sentem ameaçados, podem se dispersar de volta para seus elementos. E necessitam de muita energia para retornar."

Então tudo o que tinham de fazer era assustar os elementais. Ótimo.

O Mestre North franziu a testa como se tivesse acabado de se dar conta de que os estudantes pareciam preocupados.

— Vocês se sairão bem — ele garantiu.

Essas palavras soaram para Call como um otimismo descabido. Ele visualizou seus cadáveres espalhados pelo chão enquanto serpes sedentas por vingança arremetiam sobre suas cabeças, e o Mestre Rufus balançava a cabeça e dizia: "Talvez os aprendizes sejam melhores no próximo ano".

— Mestre Rufus — Call sussurrou, tentando manter a voz baixa. — Não podemos fazer isso. Não praticamos...

— Vocês sabem aquilo que precisam saber — disse Rufus, misterioso. Ele se virou para Tamara. — O que os elementos querem?

Tamara engoliu em seco.

— "O fogo quer queimar" — ela respondeu. — "A água quer fluir. O ar quer se erguer. A terra quer unir. O caos quer devorar."

Rufus bateu com uma das mãos no ombro de Tamara.

— Vocês três devem se lembrar dos Cinco Princípios da Magia e sobre o que lhes ensinei, e aí se sairão bem. — Com essas palavras, ele se afastou para se juntar aos outros magos do outro lado da sala. Eles moldaram as pedras para que se transformassem em bancos, onde se sentaram bastante confortavelmente. Alguns outros magos entravam na sala. Também havia alunos mais velhos, como Alex. A luz da caverna refletia em seus braceletes. Os Aprendizes do Ano de Ferro estavam posicionados no meio da sala, e a luz se tornava cada vez mais fraca até que eles ficaram cercados pela escuridão e pelo silêncio. Aos poucos, os grupos de aprendizes começaram a se misturar em uma única multidão que encarava a jaula enquanto ela se abria para o desconhecido.

Por um bom tempo, Call tentou enxergar algo por trás da escuridão até que começou a se perguntar se havia mesmo alguma coisa ali. Talvez o intuito do teste fosse conferir se os aprendizes realmente acreditavam que os magos fariam algo tão ridículo quanto permitir que garotos de doze anos lutassem contra serpes em um combate digno de gladiadores.

Eles viram olhos brilhantes na escuridão. Grandes patas dotadas de garras esmagavam a terra e logo em seguida três criaturas emergiram da caverna. Tinham a altura de dois homens e se erguiam sobre as patas traseiras, os corpos eram curvados para a frente e arrastavam caudas com ferrões. Asas gigantescas batiam no ar no lugar de braços. Bocas imensas e repletas de dentes rosnavam para o teto.

Todos os avisos do pai de Call passavam pela mente do menino, fazendo com que ele tivesse a impressão de que não conseguiria respirar. Não se lembrava de já ter sentido tanto medo na vida. Todos os monstros de sua imaginação, todas as criaturas dentro do armário ou debaixo da cama perdiam a importância diante daqueles pesadelos com garras famintas que vinham em sua direção.

"A água quer fluir", Call refletiu consigo. "O ar quer se erguer. A terra quer unir. O caos quer devorar. Call quer viver."

Jasper, que parecia possuído por um sentimento completamente diferente em relação à sua própria sobrevivência, se pôs na frente do grupo de aprendizes e, com um uivo sonoro, correu na direção das serpes. Ele ergueu uma das mãos com a palma voltada para os monstros.

Uma bola de fogo minúscula saiu de seus dedos, voando por cima da cabeça de uma das serpes.

A criatura rosnou, furiosa, e Jasper recuou. Ele ergueu a palma novamente, mas, desta vez, tudo que saiu de seus dedos foi fumaça. Não havia nem sinal de fogo.

Uma serpe deu um passo na direção de Jasper. Ela abriu a boca e uma neblina azul espessa jorrou de suas mandíbulas. Aos poucos, a neblina formou uma bola no ar, mas não devagar o suficiente para que Jasper fosse capaz de escapar. Ele rolou para o lado, mas a neblina o envolveu. Um momento depois, ele se ergueu sobre a fumaça, sendo levantado como se estivesse dentro de uma bolha de sabão.

As outras duas serpes levantaram voo.

— Ah, droga — comentou Call. — Como vamos lutar contra essas coisas?

Um lampejo de raiva passou pelo rosto de Aaron.

— Não é justo.

Jasper começou a berrar, quicando de um lado para o outro na fumaça do sopro da serpe. Lânguida, a primeira serpe o golpeou com a cauda. Call não conseguiu deter uma sombra de pena. Os outros aprendizes congelaram, olhando para cima.

Aaron respirou fundo e disse:

— Vamos ver no que isso vai dar.

Enquanto Call e os outros observavam, ele correu para a frente do grupo e se jogou o mais perto possível da cauda da serpe. Conseguiu agarrá-la quando a criatura a bateu no chão e a serpe soltou um grito de surpresa que soou como um trovão. Aaron agarrou a cauda com uma expressão sombria no rosto enquanto era jogado para cima e para baixo como se montasse um cavalo chucro. Jasper, dentro da bolha, se ergueu e subiu até o teto, junto às estalactites, berrando e chutando.

A serpe estalou a cauda como se fosse um chicote e Aaron foi jogado para longe. Tamara arfou. Rufus ergueu uma das mãos, disparando cristais de gelo que se uniram no ar, formando uma mão que pegou Aaron a centímetros do chão e permaneceu assim, imóvel.

Call sentiu uma onda de alívio no peito. Ele não percebera até aquele momento o quanto estava preocupado com o fato de os mestres não se mexerem para ajudá-los, que eles simplesmente deixassem que os aprendizes morressem.

Aaron lutava contra os dedos de gelo, tentando se libertar. Alguns outros aprendizes do Ano de Ferro caminharam juntos em direção à segunda serpe. Gwenda lançou fogo por entre seus dedos, tão azul quanto as chamas nas costas dos lagartos. A serpe bocejou e lhes lançou um jorro lento de seu sopro fumacento. Um por um, os aprendizes foram erguidos no ar, aos berros. Célia lançou uma rajada de gelo enquanto era levantada. Ela errou o alvo, atingindo apenas o lado esquerdo da cabeça da segunda serpe, fazendo-a rugir.

— Call! — Ele girou o corpo ao ouvir o sussurro urgente de Tamara, bem a tempo de vê-la mergulhar atrás de um conjunto de estalagmites. Call começou a caminhar até ela, mas parou ao ver Drew estático, imóvel, distante do grupo.

Call não foi o único a perceber isso. A terceira serpe, com os olhos apertados que chispavam um brilho amarelo e predatório, se virou para encarar o apavorado aprendiz.

Drew deixou os dois braços caírem ao lado do tronco, com as palmas voltadas para o chão, enquanto murmurava freneticamente. Ele então se ergueu devagar até chegar ao nível dos olhos da criatura.

"Ele está fingindo que foi atingido pela fumaça", Call se deu conta. "Esperto."

Drew conjurou uma bola de vento em suas mãos e mirou no alvo. A serpe bufou, surpresa, quebrando a concentração de Drew e fazendo com que ele rodopiasse, levado pelo ar. Sem perder tempo, a serpe esticou a cabeça para a frente e deu um golpe com o bico que atingiu de raspão uma das pernas da calça de Drew. O tecido se rasgou enquanto o menino freneticamente quicava no ar.

Call correu para ajudar — no exato momento em que a segunda serpe arremeteu do teto da caverna, indo em sua direção.

— Corra, Call! — Drew berrou. — Depressa!

"Seria uma boa sugestão", Call pensou, "se eu *pudesse* correr". A perna fraca se retorcia enquanto ele tentava sair em disparada sobre o chão irregular. Ele tropeçou e até foi capaz de recuperar o equilíbrio, porém não rápido o suficiente. Os olhos negros e frios da serpe estavam focados nele, as garras se estendiam à medida que a criatura se aproximava. Call começou a correr de forma bamboleante. A perna doía toda vez que pisava na rocha. Ele não era rápido o bastante. Call olhou para trás e acabou tropeçando. Seu corpo levantou voo e bateu com toda a força contra uma pedra granulada e pontuda.

Ele rolou até ficar de barriga para cima. A serpe empinou-se sobre ele. Uma parte de seu cérebro lhe dizia que os mestres interviriam antes que alguma coisa séria acontecesse, porém outra parte muito maior tremia de medo. A serpe parecia tomar todo o campo de visão de Call, com as mandíbulas abertas, revelando uma bocarra escamosa e dentes afiados...

Call levantou os braços. Ele sentiu uma tênue corrente de calor ao redor de si. Uma onda de areia e pedras se ergueu do chão e, em seguida, atingiu o peito da serpe.

O monstro voou para trás e bateu com toda a força na parede da caverna antes de desmoronar no chão. Call piscou, levantando-se devagar. Quando conseguiu, por fim, ficar de pé, olhou ao redor com novos olhos.

"Ah", ele pensou ao contemplar a baderna em que o salão havia se transformado. Rajadas de fogo cruzavam o ambiente e os aprendizes rodopiavam pelo ar ao perderem a concentração, e sua magia os atirava de um lado para o outro. Imediatamente, ele entendeu por que eles haviam passado tanto tempo praticando na sala da areia. Contra todas as probabilidades, a magia se tornara algo automático para ele. Call sabia da concentração de que necessitava.

Com dificuldade, a serpe se pôs de pé, mas Call estava, por fim, preparado. Ele se concentrou, estendeu as mãos e três estalactites se desprenderam do teto com um estalo, caindo violentamente e prendendo a serpe pelas asas.

— Rá! — vibrou Call.

A besta abriu o bico e Call tentou recuar, sabendo que não seria rápido o suficiente para evitar o sopro do monstro...

— Me passe a Miri — Tamara berrou, surgindo das sombras. — Rápido!

Call alcançou o cinto, pegou a faca e atirou-a para Tamara. A boca da serpe estava aberta e a fumaça começava a serpentear para fora. Com dois passos rápidos, Tamara atravessou a fumaça até a criatura e se preparou para apunhalar um de seus olhos. Quando ela estava prestes a acertar o alvo, o monstro desapareceu em uma grande nuvem de fumaça azul, retornando para o seu elemento com um ganido de raiva. Tamara começou a flutuar em direção ao teto.

Call a agarrou pela perna. Era como se segurasse o fio de um balão de gás, já que ela continuava a flutuar.

Tamara sorriu para Call. Estava coberta de sujeira e areia. O cabelo solto caía em seu rosto.

— Olha — disse ela, gesticulando com Miri, e Call se virou bem a tempo de ver Aaron, finalmente livre do gelo, enviar um enxurrada de pedrinhas contra a serpe. Célia, lá de cima, também jogava uma chuva de pedras. No ar, as pedras formavam um imenso pedregulho que dispersou a criatura antes de se transformar em cascalho ao bater na parede mais afastada.

— Só mais um — disse Call, ofegante.

— Não mais — Tamara lhe informou, alegre. — Eu peguei dois. Bem, quero dizer, você me deu uma ajudinha com o segundo.

— Olha que eu posso soltar você agora mesmo — Call ameaçou, dando um puxão na perna dela.

— Tudo bem, tudo bem, você ajudou muito. — Tamara riu bem no momento em que a sala rompeu em aplausos. Os mestres aplaudiam olhando, como Call percebeu, para ele, Tamara, Aaron e Célia. A respiração de Aaron estava acelerada, ele olhava de suas mãos para o lugar onde a serpe desapareceu, como se não conseguisse acreditar que havia movido aquele pedregulho. Call conhecia aquela sensação.

— Oba! —Tamara movia os braços para cima e para baixo enquanto flutuava. Um momento depois, os aprendizes que juntos voavam para o teto desciam vagarosamente e Call soltou o tornozelo de Tamara para que ela pudesse aterrissar de pé. Ela lhe devolveu Miri enquanto os outros aprendizes voltavam para o chão. Alguns deles riam, outros, como Jasper, permaneciam silenciosos e com uma expressão carrancuda no rosto.

Tamara e Call foram até Aaron entre o burburinho de vozes. As pessoas gritavam e aplaudiam, animadas, quando eles passavam. Call sempre imaginou que aquilo deveria ser como ganhar um jogo de basquete, apesar de nunca ter vencido um. Ele nem mesmo tinha chegado a jogar em um time.

— Call. — Ele ouviu uma voz atrás dele. Ele se virou para ver Alex com um grande sorriso nos lábios. — Fiquei de olho em você.

Call piscou.

— Por quê? — Call pensou no que Alex queria dizer com aquilo.

— Porque você é como eu. Dá para ver.

— É, está certo — Call disse. Aquilo era ridículo. Alex era o tipo de cara que em sua escola antiga jogaria Call em uma poça de lama. O Magisterium era mesmo diferente, mas não era possível que fosse *tão* diferente assim.

— Na verdade, nem fiz muita coisa — Call continuou. — Simplesmente fiquei ali parado até que me lembrei de correr... Exceto pelo fato de que, então, me lembrei de que *não posso* correr.

Call viu o Mestre Rufus contornar a multidão para se aproximar de seus aprendizes. Ele tinha um sorrisinho discreto no rosto, o que para o Mestre Rufus era o mesmo que dar piruetas pelos corredores.

Alex abriu um amplo sorriso.

— Você não precisa correr — disse ele. — Aqui eles o ensinarão a lutar. E, acredite em mim, você vai ser bom nisso.

↑≈△○@

Call, Tamara e Aaron voltaram para seus aposentos com a sensação de que, desde que chegaram ao Magisterium, as coisas se encaixavam em seus devidos lugares. Eles se deram melhor do que qualquer outro grupo de aprendizes, e todo mundo sabia disso. E o melhor de tudo é que o Mestre Rufus tinha lhes dado pizza. Pizza *de verdade*, saída de *uma caixa de papelão* com queijo derretido e várias coberturas diferentes de líquen, cogumelos roxos ou qualquer uma daquelas coisas esquisitas que cresciam no subterrâneo. Enquanto comiam na sala compartilhada, disputavam amigavelmente quem devorava mais pedaços. Tamara venceu a disputa de quem comia mais depressa.

Os dedos de Call ainda estavam um pouco gordurosos quando ele abriu a porta do quarto. Entupido de pizza, refrigerante e gargalhadas, fazia tempo que não se sentia tão bem.

Porém, tudo isso mudou no momento em que ele viu o que o esperava sobre a cama.

Era uma caixa. Uma caixa de papelão fechada por uma grossa camada de fita adesiva, com seu nome escrito na caligrafia inconfundível de seu pai, que lembrava uma teia de aranha:

CALLUM HUNT
O MAGISTERIUM
LURAY, VIRGÍNIA

Por um momento, Call ficou parado, olhando. Ele caminhou devagar até a caixa e a tocou, passando os dedos pelas emendas da fita adesiva. O pai sempre usava uma fita rígida para lacrar caixas, quando ele precisava enviar algum produto comprado por alguém de fora da cidade. Era praticamente impossível abri-las.

Call tirou Miri do cinto. A lâmina afiada rasgou o papelão como se fosse uma folha de papel. Roupas foram despejadas sobre a cama: a calça jeans de Call, jaquetas e camisetas, um pacote de sua bala de goma azeda preferida, um despertador portátil e uma cópia de *Os Três Mosqueteiros*, que ele e o pai estavam lendo juntos.

Quando Call pegou o livro, um bilhete dobrado caiu de uma das páginas. Call o pegou e leu.

Callum,

Sei que a culpa não foi sua. Sinto muito por tudo o que aconteceu. Mantenha a cabeça erguida na escola.

Afetuosamente,

Alastair Hunt

O pai assinara com o seu nome completo, como se Call fosse alguém que ele mal conhecia. Segurando a carta nas mãos, Call se afundou na cama.

CAPÍTULO ONZE

Call não conseguiu dormir naquela noite. Ainda estava nervoso por causa da luta, e sua mente repassava as palavras no bilhete do pai, tentando descobrir o que elas queriam dizer. Não ajudou em nada o fato de Call ter comido de uma vez só todo o pacote de balas de goma que tinha ganhado, o que fez com que ele tivesse a impressão de ser capaz de flutuar até o teto da caverna sem a necessidade do sopro de uma serpe para erguê-lo. Se o pai tivesse enviado o skate de Call (e era irritante pensar que ele não fizera isso), o menino poderia estar subindo pelas paredes côncavas sobre as rodinhas.

O pai escrevera que não estava com raiva, e as palavras que ele usara também não soavam raivosas, mas ele parecia ser outra pessoa. Triste. Fria, talvez. Distante.

Talvez o pai estivesse preocupado com a possibilidade de os magos interceptarem a correspondência de Call e lerem seu bilhete. Talvez ele tenha ficado com medo de escrever qualquer coisa pessoal. Nem era preciso dizer que o pai podia ser meio paranoico às vezes, especialmente quando o assunto possuía alguma relação com os magos.

Se Call simplesmente pudesse falar com ele, só por um segundo. Queria que o pai tivesse certeza de que ele estava bem e de que ninguém além dele abriria o pacote.

Até onde ele percebera, o Magisterium não era assim tão ruim. Era até meio divertido.

Se pelo menos tivesse telefones naquela escola!

Os pensamentos de Call imediatamente se voltaram para a miniatura de tornado sobre a mesa do Mestre Rufus. Se ele esperasse aprender a pilotar barcos para se esgueirar até lá, podia ter de esperar *uma eternidade* para falar com o pai. No teste, ele provara que podia adaptar sua magia a muitas situações para as quais não fora especificamente treinado. Talvez ele pudesse adaptá-la a essa também.

Após passar tanto tempo com apenas dois uniformes, era incrível ter um monte de roupas para escolher. Uma parte dele queria vestir todas ao mesmo tempo e se pavonear pelo Magisterium como se fosse um pinguim.

Por fim, ele escolheu um jeans preto e uma camiseta com um logo desbotado do Led Zeppelin, a composição que ele considerou mais discreta para se esconder nas sombras. Após meditar por um momento, ele prendeu Miri em uma das passagens do cinto na calça e escapuliu para a escuridão da sala compartilhada.

O menino olhou ao redor e subitamente se deu conta de que as coisas dele e as de Tamara estavam espalhadas por todos os cantos. Ele deixou o caderno no balcão da pequena cozinha, a bolsa jogada ao acaso sobre o sofá e uma das meias estava no chão ao lado de uma pilha de biscoitos cristalinos com algumas mordidas. Tamara espalhara ainda mais suas coisas: livros que trouxera de casa, elásticos de cabelo, brincos com pingentes, canetas com penas nas pontas e pulseiras. Porém, não havia nada que pertencesse a Aaron. Todas as poucas coisas que o garoto possuía estavam em seu quarto, que ele mantinha extremamente arrumado, com a cama feita com todo o cuidado, como se estivesse em uma escola militar.

Call podia ouvir as respirações constantes dele e de Tamara vindas de seus quartos. Por um momento, se perguntou se não seria melhor simplesmente voltar para a cama. Ele ainda não conhecia os túneis muito bem e se lembrou de todos os avisos sobre os perigos de se perder. Os aprendizes também não deveriam sair de seus quartos àquela hora sem a permissão dos mestres, de modo que ele corria o risco de se meter em encrenca.

Respirando fundo, Call expulsou todas aquelas dúvidas de sua mente. Ele conhecia o caminho até o gabinete do Mestre Rufus durante o dia. Tudo que tinha de fazer era encontrar os barcos.

O corredor do lado de fora da sala compartilhada era iluminado pela luz fraca das pedras e estava em um silêncio profundo, sinistro. A quietude era pontuada apenas pelas gotas de sedimento que escapavam das estalactites para as estalagmites.

— Tudo bem — Call murmurou. — Lá vamos nós.

Ele começou descendo um caminho que levava até o rio. O som de seus passos na pedra criava um padrão, como passos de *shuffle*, em meio ao silêncio.

O salão por onde o rio seguia era ainda menos iluminado que o corredor. A água era escura, um fluxo pesado de sombras. Com cuidado, Call atravessou o caminho pedregoso que levava até a beira do rio, onde um dos barcos estava atracado. Ele tentou se equilibrar, mas a perna ruim oscilou e Call teve de ficar de joelhos e engatinhar para entrar no barco.

Parte da palestra do Mestre Rockmaple sobre os elementais fora sobre as criaturas que podiam ser encontradas na água. De acordo com ele, era possível persuadir esses elementais com bastante facilidade. Por meio de uma pequena quantidade de poder, eles costumavam obedecer às ordens dos magos. O único problema é que o Mestre Rockmaple falara apenas sobre a teoria, mas não explicara nenhuma *técnica*. Call não tinha a menor ideia de como fazer aquilo.

O barco balançou sob seus joelhos. Imitando o Mestre Rufus, ele se curvou sobre uma das bordas e sussurrou:

— Tudo bem, estou me sentindo um idiota fazendo isso. Mas, bem... será que você podia me ajudar? Estou tentando descer o rio e não sei como fazer isso... Olha, será que você podia tentar evitar que o barco bata nas paredes ou fique girando sem sair do lugar? Por favor?

Onde quer que os elementais estivessem, ou o que quer que fizessem naquele momento, eles não responderam.

Por sorte, a corrente já seguia na direção que ele desejava ir. Inclinando-se para a frente, Call empurrou as margens com a ponta dos dedos, o que fez o barco oscilar até o centro do rio. Por um momento, ele sentiu um sucesso inebriante, até se dar conta de que não teria como *parar* o barco.

Reconhecendo que não havia muito que pudesse fazer, ele se jogou sobre o assento na popa e se resignou a se preocupar com aquilo apenas quando chegasse ao outro lado do rio. A água batia dos lados do barco e com frequência um peixe se erguia sobre ela com sua cor clara e brilhante para logo em seguida mergulhar e desaparecer nas profundezas do rio mais uma vez.

Infelizmente, ele não pareceu ter feito a coisa certa quando resolveu sussurrar para os elementais. O barco sacudia tanto que Call se sentiu enjoado. Em certo momento, teve de remover uma estalagmite para que o barco não encalhasse.

Por fim, ele chegou a uma margem que conseguiu reconhecer como próxima ao gabinete de Rufus. Olhou ao redor em busca de uma maneira de se aproximar da margem. Não estava muito a fim de colocar a mão naquela água fria e escura, mas, mesmo assim, ele o fez, passando a remar freneticamente.

A proa se chocou contra a margem, e Call se deu conta de que teria de sair na água rasa, já que não conseguia apoiar o barco em uma saliência como o Mestre Rufus fazia. Reunindo suas forças, ele colocou uma das pernas para fora, que imediatamente afundou no limo. Ele perdeu o equilíbrio, caiu e bateu a perna ruim contra um dos lados do barco. Por um longo momento, a dor o deixou sem ar.

Quando se recuperou, percebeu que sua situação era ainda pior. O barco havia flutuado para o meio do rio, longe do seu alcance.

— Volte! — ele berrou para o barco. Então, percebendo seu erro, Call se concentrou na água. Por mais que se esforçasse, tudo o que conseguia fazer era criar pequenos redemoinhos. Ele passara um mês trabalhando com areia, mas ainda não experimentara os outros elementos.

Ele estava encharcado e logo o barco iria embora, desaparecendo em um túnel e adentrando as profundezas das cavernas. Resmungando, ele caminhou pela água até a margem. O jeans estava pesado e molhado, grudando em suas pernas. O tecido também estava gelado. Ele teria de andar todo o caminho de volta daquele jeito... caso conseguisse achar o caminho de volta.

Call deixou essas preocupações para depois e seguiu em direção à pesada porta de madeira do gabinete do Mestre Rufus. Prendendo a respiração, tentou girar a maçaneta. A porta se abriu sem nem mesmo um rangido.

O pequeno tornado ainda girava sobre a escrivaninha com tampo de correr do Mestre Rufus. Call deu um passo para dentro. O lagartinho continuava sobre a bancada como antes, com as chamas ardendo nas costas. Ele observou Call com seus olhos luminosos.

— Deixe-me sair — disse o lagarto. Sua voz era um coaxo sussurrante, embora as palavras soassem claras. Call o encarou, confuso. As serpes não falaram durante o exercício, e ninguém nunca comentara nada sobre os elementais poderem *falar*. Talvez os elementais do fogo fossem diferentes.

— Deixe-me sair — ele repetiu. — A chave! Vou contar onde ele deixa a chave e você vai me soltar.

— Não vou fazer isso — Call informou ao lagarto, franzindo a testa. Ele ainda não tinha se recuperado do fato de aquele bicho falar. Afastando-se da gaiola, o menino se aproximou do tornado sobre a escrivaninha.

— Alastair Hunt — ele sussurrou para a areia rodopiante.

Nada aconteceu. Talvez não fosse assim tão fácil quanto ele pensava.

Call colocou uma das mãos no vidro, esforçou o pensamento o quanto pôde para pensar no pai. Lembrou-se do perfil aquilino de Alastair, e o som familiar que ele fazia enquanto consertava coisas na garagem. Lembrou-se dos olhos cinza do pai, de sua voz que se elevava quando torcia para seu time e que se tornava mais baixa quando falava sobre coisas perigosas, como magos. Call pensou em como o pai sempre lia para ele antes de dormir e como seus casacos de lã cheiravam a fumaça de cachimbo e a limpador de madeira.

— Alastair Hunt — ele repetiu, e desta vez a areia rodopiante se contraiu e em seguida se solidificou. Em segundos, Call olhava para a figura do pai, com os óculos sobre a cabeça. Ele vestia um moletom e uma calça jeans e tinha um livro aberto no colo. Call acabara de interromper sua leitura.

De repente, o pai se levantou, olhando na direção de Call. O livro escorregou para o lado, saindo do campo de visão.

— Call? — o pai chamou com a voz repleta de incredulidade.

— Sim! — Call respondeu, empolgado. — Sou eu. Recebi as roupas e a sua carta e queria encontrar uma maneira de entrar em contato com você.

— Ah — disse o pai, estreitando os olhos como se quisesse vê-lo melhor. — Bem, isso é bom, muito bom. Fico feliz por as coisas terem chegado até aí.

Call assentiu. Algo no tom cauteloso do pai cortou um pouco do prazer que sentia em vê-lo.

O pai colocou os óculos sobre o nariz.

— Você parece bem.

Call olhou para as próprias roupas.

— É, estou bem. Até que aqui não é tão ruim. Quero dizer, pode ser bem chato de vez em quando... e assustador às vezes. Mas estou aprendendo umas coisas. E não sou um mago dos piores. Quero dizer, até agora.

— Jamais pensei que você seria inábil, Call. — O pai se levantou e pareceu caminhar até Call. Sua expressão era estranha, como se reunisse forças para realizar alguma tarefa bastante difícil.

— Onde você está? Alguém sabe que você está falando comigo?

Call negou balançando a cabeça.

— Estou no gabinete do Mestre Rufus. Eu... tipo... peguei emprestado o tornado em miniatura.

— Pegou o quê? — O pai de Call franziu a testa, juntando as sobrancelhas, confuso, e logo em seguida soltou um suspiro. — Deixa para lá. Estou feliz por ter a oportunidade de lembrar você sobre o que é importante. Os magos não são o que parecem. A magia que estão lhe ensinando é perigosa. Quanto mais você souber sobre o mundo mágico, mais será atraído por ele... Atraído por seus conflitos ancestrais e tentações arriscadas. Por mais que você esteja se *divertindo* — o pai pronunciou a expressão como se fosse venenosa —, por mais amigos que esteja fazendo, não se esqueça de que essa não é uma vida para você. Precisa dar o fora assim que for possível.

— Você está me dizendo para fugir?

— Isso seria o melhor para todos — Alastair respondeu com a mais completa sinceridade.

— Mas e se eu decidir que quero ficar? — Call indagou. — E se eu chegar à conclusão de que sou feliz no Magisterium? Você vai me deixar ir em casa de vez em quando?

Houve um silêncio. A pergunta ficou no ar entre eles. Mesmo se algum dia se tornasse um mago, também queria continuar a ser o filho de Alastair.

— Eu não... eu... — O pai respirou fundo.

— Sei que você odeia o Magisterium porque a mamãe morreu no Massacre Gelado — Call falou depressa, tentando pronunciar as palavras antes que perdesse a coragem.

— *O quê?* — Os olhos de Alastair se arregalaram. Ele parecia furioso. E com medo.

— Entendi o porquê de você nunca ter me contado nada a respeito. Não estou com raiva. Mas aquilo foi uma guerra. Estamos passando por uma trégua. Não acontecerá nada comigo aqui no...

— Call! — Alastair grasnou. O rosto dele ficou pálido. — Você não pode de maneira alguma ficar nessa escola. Você não entende... é muito perigoso. Call, você precisa me escutar. Você não sabe o que você é.

— Eu... — Call foi cortado pelo som de algo se partindo atrás dele. Ele se virou para ver que, de alguma forma, o lagarto conseguira derrubar a gaiola da beira da bancada, que fora parar no chão ao lado do menino, coberta por uma montanha de papéis e os restos de um dos modelos de Rufus. Lá dentro, o elemental murmurava palavras como *Splerg!* e *Gelferfren!*

Call se virou novamente para o tornado, mas já era tarde demais. Sua concentração fora quebrada. O pai desaparecera e suas últimas palavras permaneciam no ar.

"Você não sabe o que você é."

— Seu lagarto estúpido — Call berrou, chutando uma das pernas da bancada. Mais papéis caíram no chão.

O elemental ficou quieto. Call caiu mais uma vez na cadeira de Rufus com a cabeça nas mãos. O que seu pai havia dito? O que ele queria dizer?

"Call, você precisa me escutar. Você não sabe o que você é."

Um arrepio desceu pela espinha de Call.

— Deixe-me sair — insistiu o lagarto.

— Não! — Call berrou, contente por ter um alvo para sua raiva. — Não, eu não vou deixar você sair, pare de pedir!

O lagarto observou de sua gaiola quando Call se ajoelhou para pegar os papéis e as engrenagens do modelo. Ao esticar uma das mãos para alcançar um envelope, os dedos de Call se fecharam ao redor de um pequeno pacote que também devia ter caído da mesa. Ele o puxava para si quando percebeu maïs uma vez a inconfundível caligrafia que lembrava uma teia de aranha de seu pai. A correspondência era endereçada a William Rufus.

"Ah", Call pensou. "Uma carta do meu pai. Isso não pode ser bom."

Ele deveria abri-la? A última coisa que precisava era de seu pai dizendo coisas malucas para o Mestre Rufus e implorando para que Call fosse enviado para casa. De qualquer forma, Call já estava encrencado por ter saído escondido, por isso talvez não fosse possível se meter em *mais* confusão por abrir a correspondência alheia.

Ele cortou a fita com a borda dentada de uma engrenagem e desdobrou um bilhete muito parecido com o que ele recebera, e então se pôs a ler:

Rufus,

Se algum dia você já confiou em mim, se já sentiu alguma lealdade pelo tempo em que fui seu aluno e pela tragédia que compartilhamos, você precisa interditar a magia de Callum até o fim do ano.

Alastair

CAPÍTULO DOZE

Por um longo momento, Call ficou tão irritado que sentia vontade de quebrar alguma coisa e, ao mesmo tempo, seus olhos ardiam como se ele estivesse prestes a cair em prantos.

Tentando segurar a raiva, Call pegou o objeto que estava no pacote embaixo da carta de seu pai. Era o bracelete de um antigo aluno do Ano de Prata cravejado com cinco pedras — uma vermelha, uma verde, uma azul, uma branca e outra tão negra quanto a água dos rios que corriam pelas cavernas. Call olhou para elas. Será que aquele era o bracelete de seu pai da época em que frequentou o Magisterium? Por que Alastair o enviara para Rufus?

"Uma coisa é certa", Call pensou. "O Mestre Rufus jamais receberá essa mensagem." Ele enfiou a carta e o envelope no bolso e pôs o bracelete no pulso. Seu braço era muito fino, de forma que ele posicionou o bracelete mais para cima e o cobriu com a manga da camiseta.

— Você está roubando — disse o lagarto. As chamas ainda ardiam ao longo de suas costas, azuis com lampejos de verde e amarelo. Elas faziam com que as sombras dançassem pelas paredes.

Call congelou.

— E daí?

— Deixe-me sair — o lagarto repetiu. — Deixe-me sair ou contarei que você roubou as coisas do Mestre Rufus.

Call soltou um suspiro. Ele não pensara direito. O elemental não apenas sabia que ele abrira o pacote, como também que conversara com o pai. O bicho ouvira o aviso misterioso de Alastair. Call não podia deixar que ele contasse essas coisas para o Mestre Rufus.

O menino se ajoelhou e ergueu a gaiola pela alça de ferro localizada em seu topo, colocando-a de volta na bancada do Mestre Rufus. Ele observou o lagarto mais de perto.

O corpo não era maior que uma das botas de seu pai. Parecia até uma miniatura de um dragão-de-komodo. Tinha até mesmo uma barba escamosa e uma coisa que lembrava sobrancelhas... sim, aquele bicho definitivamente tinha sobrancelhas. Os olhos eram grandes e vermelhos e faiscavam como brasas. A gaiola cheirava levemente a enxofre.

— Você saiu escondido no meio da noite — disse o lagarto. — Você saiu escondido, roubou coisas e o seu pai quer que você fuja.

Call não sabia o que fazer. Caso deixasse o elemental sair da gaiola, ele ainda poderia contar ao Mestre Rufus tudo o que vira. Ele não podia correr o risco de ser descoberto. Não queria que sua magia fosse interditada. E também não queria decepcionar Aaron e Tamara, não agora que eles tinham começado a ficar amigos.

— É — Call concordou. E adivinha o que mais eu vou roubar? *Você*.

Lançando um último olhar para o gabinete, Call deu o fora, levando a gaiola com o lagarto. O elemental corria de um lado para o outro, fazendo com que a gaiola sacudisse. Call não ligou a mínima.

Ele desceu até a água, torcendo para que a corrente tivesse trazido o barco de volta, porém não havia nada além das ondas do rio subterrâneo que batiam na praia rochosa. Call se perguntou se poderia nadar de volta, mas a água era congelante, a corrente seguia na direção contrária e ele jamais fora o mais forte dos nadadores. Além disso, Call ainda tinha de se preocupar com o lagarto e ele duvidava que a gaiola flutuasse.

— As correntes do Magisterium são escuras e estranhas — comentou o elemental. Os olhos vermelhos brilhavam na escuridão.

Call inclinou a cabeça, estudando a criatura.

— Você tem um nome?

— Apenas o nome que você me der — respondeu o lagarto.

— Cabeça de Pedra? — Call sugeriu ao olhar as pedras de cristal na cabeça da criatura.

Uma baforada de fumaça saiu das orelhas do bicho. Ele parecia irritado.

— Você falou que eu podia escolher um nome — Call lembrou, se agachando na margem com um suspiro.

O lagarto espremeu a cabeça entre as barras e estendeu a língua, que, por sua vez, enlaçou um peixinho minúsculo antes de voltar para dentro da boca. O bicho começou a mastigar com uma satisfação inquietante.

Tudo aconteceu tão depressa que Call deu um pulo, quase deixando a gaiola cair. Aquela língua era assustadora.

— Crista de Fogo? — Call se levantou e fingiu não estar surtando. — Cara de Peixe?

O lagarto o ignorou.

— Warren? — Call insistiu. Esse era o nome de um dos caras que de vez em quando jogavam pôquer com seu pai nas noites de domingo.

O lagarto assentiu, satisfeito.

— Warren — ele repetiu. — Warrens estão lá, em cima da terra, onde as criaturas vivem. Warrens para andar sorrateiros, espionar e se camuflar!

— Ah, ótimo — disse Call, extremamente nervoso.

— Há outros caminhos além do rio. Você não sabe o caminho até o seu ninho, mas eu sei.

Call observou o elemental, que também olhava para ele por entre as barras de ferro.

— Um atalho que levará de volta ao meu quarto?

— Para qualquer lugar! Para todos os lugares! Ninguém conhece o Magisterium melhor que Warren. Mas você vai ter de me tirar da gaiola. Você vai ter de concordar em me tirar da gaiola.

Como Call poderia acreditar em um lagarto que, para início de conversa, nem mesmo era um lagarto de verdade?

Talvez, se ele *bebesse* um pouco da água — que era nojenta, repleta de peixes cegos, enxofre e minerais esquisitos —, pudesse turbinar sua magia. Como fizera com a areia. Como ele não deveria fazer. Talvez pudesse mudar a direção da corrente e trazer o barco de volta para ele.

É, tudo bem. Ele não fazia a menor ideia de como fazer aquilo.

"Call, você precisa me ouvir. Você não sabe o que você é."

Aparentemente ele não sabia de um monte de coisas.

— Tudo bem — disse Call. — Se me levar de volta para o meu quarto, eu tiro você da gaiola.

— Deixe-me sair agora — o lagarto tentou persuadi-lo. — Assim poderemos ir mais depressa.

— Bela tentativa — Call bufou. — Para que lado nós vamos?

O lagartinho lhe deu as coordenadas e o menino começou a andar. As roupas ainda estavam molhadas e causavam uma sensação gelada contra a sua pele.

Eles passaram por camadas de rocha que pareciam derreter umas sobre as outras, colunas e cortinas de calcário que pareciam cair como drapeados. Eles passaram por um fluxo de lama borbulhante que serpenteava entre os pés de Call. Warren o encorajou a seguir em frente. As chamas azuis nas costas da criatura transformaram a gaiola em uma lanterna.

Em certo ponto, o corredor se estreitou tanto que Call teve de se virar de lado e se espremer entre as paredes de pedra. Ele finalmente saiu do outro lado como a rolha de uma garrafa e com um longo rasgo na camiseta onde o tecido ficara preso na ponta afiada de uma rocha.

— Shhh — Warren sussurrou, agachando-se para se pôr à frente de Call. — Silêncio, maguinho.

Call estava parado em uma quina escura que desembocava em uma imensa caverna repleta de vozes que ecoavam. O salão era quase circular, e o teto era um gigantesco domo feito de rocha. As paredes eram decoradas com conjuntos de pedras preciosas que formavam símbolos estranhos, provavelmente símbolos alquímicos. No meio da sala havia uma mesa de pedra retangular iluminada por um candelabro preso no teto com cerca de doze velas, das quais escorria um grosso fluxo de cera. As grandes cadeiras de espaldar alto eram ocupadas por mestres que, por sua vez, também pareciam formações rochosas.

Call se espremeu nas sombras para não ser visto e colocou a gaiola atrás de si para esconder a luz que emanava das costas do lagarto.

— O jovem Jasper demonstrou bravura ao se lançar na frente das serpes — disse o Mestre Lemuel, olhando de relance para a Mestra Milagros. O rosto do mago mostrava que ele se divertia. — Mesmo que não tenha obtido sucesso.

O ódio correu pelas veias de Call. Ele, Tamara e Aaron deram duro para se sair bem no teste e eles conversavam sobre *Jasper*?

— A bravura jamais levou ninguém muito longe — retrucou o Mestre Tanaka, o professor alto e magro responsável pela educação de Peter e Kai. — Os estudantes que retornaram de nossa mais recente missão eram muito corajosos e os mais bravos foram também os que apresentaram os piores ferimentos que vi desde a guerra. Eles mal conseguiram retornar vivos. Nem mesmo os alunos do quinto ano estão preparados para elementais que lutam juntos daquela maneira...

— O Inimigo está atrás de nós — o Mestre Rockmaple o interrompeu, passando uma das mãos pela barba avermelhada. A visão dos estudantes feridos, ensanguentados e queimados que cruzavam um dos portões da escola impressionara Call, e ele ficou feliz por saber que aquela não era rotina entre os alunos que saíam em missões. — O Inimigo está quebrando a trégua de uma forma na qual não somos capazes de rastreá-lo. Ele está se preparando para reiniciar a guerra. Posso apostar que, enquanto nos iludimos achando que ele está em seu santuário, em algum local remoto, trabalhando em seus experimentos terríveis, o Inimigo, na verdade, desenvolve e prepara armas ainda mais poderosas e devastadoras, sem mencionar as alianças.

O Mestre Lemuel bufou.

— Não temos nenhuma prova. Tudo isso pode ser apenas fruto de uma mudança entre os elementais.

O Mestre Rockmaple se virou para ele.

— Como você pode confiar no Inimigo? Um ser que é capaz de colocar um pedaço do vazio dentro de um animal ou até mesmo dentro de uma criança, e que massacra os mais vulneráveis entre nós, é capaz de fazer qualquer coisa.

— Não estou dizendo que confio nele! Só não quero lançar o pânico prematuro de que a trégua tenha sido quebrada. No fim das contas, pode ser que *nós mesmos* venhamos a quebrá-la graças aos nossos medos e, ao fazê-lo, incitemos uma nova guerra, talvez até pior do que a última.

— Tudo seria diferente se tivéssemos um Makar ao nosso lado — A Mestra Milagros prendeu a mecha cor-de-rosa atrás da orelha, nervosa. — Os novatos deste ano tiveram notas excepcionais no Desafio. É possível que o nosso Makar esteja entre eles? Rufus, você já teve esse tipo de experiência antes.

— É cedo demais para afirmar qualquer coisa — respondeu Rufus. — O próprio Constantine não mostrava nenhum sinal de afinidade com a magia do caos até completar quatorze anos.

— Talvez naquela época você se recusasse a procurar por esses traços da mesma maneira que faz agora.

Rufus balançou negativamente a cabeça. A expressão no rosto do mago era severa sob a luz tremeluzente.

— Isso não importa — disse ele. — Precisamos de outro plano. A Assembleia precisa de um novo plano. É um fardo pesado demais para ser colocado sobre os ombros de qualquer criança. Todos nós devemos nos lembrar da tragédia de Verity Torres.

— Concordo que um plano é necessário — concordou o Mestre Rockmaple. — Seja qual for o esquema do Inimigo, não podemos simplesmente enfiar nossas cabeças na areia e agir como se não fosse nada de mais. Nem podemos esperar para sempre por algo que pode jamais vir a acontecer.

— Já chega dessa discussão — disse o Mestre North. — A Mestra Milagros comentou mais cedo sua descoberta de um possível erro no terceiro algoritmo da fórmula de transformação do ar em metal. Pensei que talvez pudéssemos discutir tal anomalia.

Anomalia? Call chegou à conclusão de que não valia a pena correr o risco de ser descoberto para ouvir algo que, de qualquer forma, ele não conseguiria entender. Assim, ele deslizou novamente para o vão entre as rochas. Ele se contorceu e saiu do outro lado com as palavras do pai martelando em sua cabeça. O que foi mesmo que ele disse? "Quanto mais você souber sobre o mundo mágico, mais será atraído por ele... Atraído por seus conflitos ancestrais e tentações arriscadas."

A guerra contra o Inimigo devia ser o conflito que o pai de Call mencionara.

Warren enfiou o focinho escamoso entre as barras, a língua movendo-se rapidamente no ar.

— Vamos por um novo caminho. Caminho melhor. Menos mestres. Mais seguro.

Call resmungou e seguiu as instruções de Warren. Ele começava a se perguntar se o lagarto realmente sabia para onde ia ou se apenas levava Call para os confins das cavernas. Talvez ele e Warren fossem passar o resto de suas vidas vagando por aqueles túneis sinuosos. Eles poderiam se tornar lendas para os novos aprendizes, que sussurrariam uns com os outros, aterrorizados, sobre o estudante desaparecido e seu lagarto das cavernas engaiolado.

Warren indicou a direção e Call escalou uma pilha de pedras, fazendo com que alguns cascalhos voassem.

Os corredores se tornaram maiores, ziguezagueando com padrões brilhantes que confundiram a mente de Call, como se pudessem ser compreendidos apenas por quem soubesse decifrá-los. Eles passaram por uma caverna repleta de plantas subterrâneas esquisitas: grandes samambaias com folhas de pontas vermelhas enraizadas em poças de águas resplandecentes e imóveis, além de ramagens de liquens que pendiam do teto e esbarravam nos ombros de Call. Ele olhou para cima e achou ter visto um par de olhos brilhantes que desapareceram nas sombras. Ele parou.

— Warren...

— Aqui, aqui — disse o lagarto, urgindo, e moveu rapidamente a língua na direção de um portal arqueado do outro lado da sala. Alguém cinzelou algumas palavras no alto do arco:

OS PENSAMENTOS SÃO LIVRES E
NÃO OBEDECEM A NENHUMA REGRA

Além do arco, uma luz estranha bruxuleava. Call caminhou até lá, pois sua curiosidade sempre vencia. Era um brilho dourado como o do fogo, apesar de não estar mais quente quando ele atravessou o portal. Ele se encontrava em outro espaço amplo, uma caverna que parecia descer em espiral ao longo de uma passagem íngreme e sinuosa. Ao longo das paredes havia prateleiras com milhares e milhares de livros, a maioria deles com páginas amareladas e encadernações antigas. Call foi até o centro da sala, onde o caminho íngreme tinha início, e olhou por cima da borda para o sem-fim de andares que se estendiam até lá embaixo, todos iluminados pela mesma luz dourada e circundados por mais prateleiras.

Call encontrara a Biblioteca.

E havia outras pessoas por lá. Ele pôde ouvir os ecos de uma conversa sussurrada. Mais mestres? Não. Olhando ao redor, ele viu Jasper três andares abaixo, vestido com seu uniforme cinza. Célia estava diante dele. Já devia ser muito tarde, e Call não fazia a menor ideia do que eles faziam fora de seus quartos.

Jasper tinha um livro aberto sobre a mesa de pedra. Suas mãos estavam estendidas diante do corpo. Ele dobrou e esticou os dedos repetidas vezes, rangendo os dentes e apertando os olhos, tentando forçar a magia para fora de seu corpo. Call começou a ficar com medo de que a cabeça de Jasper explodisse. E também repetidas vezes uma faísca ou uma lufada de fumaça brotaram entre os dedos do menino, mas nada além disso. Ele parecia estar prestes a soltar um grito de frustração.

Célia andava de um lado para o outro do lado oposto da mesa.

— Você me prometeu que, se eu o ajudasse, você também me ajudaria, mas já são quase duas da manhã e você ainda não me ajudou em *nada*.

— Nós ainda estamos na *minha* parte! — Jasper berrou.

— Ótimo — Célia disse, como quem enfrentava um terrível sofrimento, e se sentou em um banco de pedra. — Tente de novo.

— Preciso fazer isso direito — Jasper disse, de maneira branda. — Preciso fazer isso. Sou o melhor. Sou o *melhor* mago do Ano de Ferro do Magisterium. Melhor que Tamara. Melhor que Aaron. Melhor que Callum. Melhor que qualquer outro.

Call não tinha certeza se pertencia à lista de pessoas com que Jasper se preocupava por serem possivelmente melhores que ele, entretanto esse comentário o deixou lisonjeado. Ele também ficou um pouco desapontado ao ver Célia com Jasper.

Warren se empoleirou na jaula. Call se virou para conferir o motivo daquele rebuliço.

O lagarto encarava a pintura emoldurada de um homem com olhos imensos, em tom vermelho-alaranjado e com as pupilas espiraladas. O padrão dos olhos havia sido ampliado e reproduzido ao lado do corpo do retratado. "Um Dominado pelo Caos", pensou Call. Um arrepio atravessou seu corpo diante daquela visão, junto com algo mais, uma sensação que ele não conseguia definir, como se coçasse do lado de dentro da cabeça ou como se sentisse fome ou sede.

— Quem está aí? — Jasper olhou para cima. Ele ergueu uma das mãos, na defensiva, ocultando parte do rosto.

Sentindo-se um idiota, Call acenou.

— Sou só eu. Estou um pouco... perdido... e, como vi uma luz vindo daqui, eu...

— Call? — Jasper se afastou do livro e agitou as mãos. — Você está me espionando! — ele berrou. — Você me seguiu até aqui?

— Não, eu...

— Você vai nos dedurar? É essa a ideia? Você vai me meter numa encrenca só para não correr o risco de eu me dar melhor do que você no próximo teste? — Jasper abriu um sorriso sarcástico, apesar de estar claramente inquieto.

— Se eu quisesse me dar melhor do que você, tudo que eu precisaria fazer é esperar pelo próximo teste — rebateu Call, incapaz de resistir.

Jasper parecia prestes a explodir.

— Vou contar para todo mundo que você saiu por aí escondido no meio da noite!

— Ótimo — disse Call. — E aí eu vou contar para todo mundo a mesma coisa sobre você.

— Você não ousaria. — Jasper agarrou as bordas da mesa.

— Você não faria isso, não é, Call? — Célia perguntou.

De repente, Call não queria mais estar ali. Não queria estar discutindo com Jasper ou ameaçando Célia, vagando pela escuridão ou se escondendo em um canto enquanto os mestres conversavam sobre coisas que faziam com que os pelos do seu pescoço se arrepiassem. Ele queria estar na cama, pensando na conversa que teve com o pai e tentando descobrir o que Alastair quisera dizer e se havia alguma maneira de aquilo não ser tão ruim quanto parecia. Além disso, ele queria caçar debaixo da cama alguma bala de goma que por acaso tivesse caído no chão.

— Olha, Jasper — ele disse —, não peguei você no flagra de propósito. Você já deveria estar cansado de saber que ver você é realmente uma das últimas coisas que eu quero na vida.

Jasper soltou as mãos. Seu corte caro de cabelo começava a perder a forma e o cabelo lhe caía sobre os olhos.

— Você não entende? Isso torna as coisas ainda piores.

Call piscou.

— Como assim?

— Você não sabe. — As mãos de Jasper se fecharam em punhos. — Você simplesmente não sabe como é. Minha família perdeu tudo na Segunda Guerra. Dinheiro, reputação, tudo.

— Jasper, pare. — Célia ergueu os braços na direção de Jasper, tentando fazê-lo desistir daquela lenga-lenga. Não funcionou.

— E se eu me transformar em alguém — Jasper continuou —, se eu for o *melhor*... isso pode mudar tudo. Mas, por sua causa, estar aqui não significa *nada*. — Ele bateu com uma das mãos na mesa. Para surpresa de Call, faíscas saíram dos dedos de Jasper, que ergueu as mãos, encarando-as.

— Acho que você conseguiu pôr sua magia para funcionar. — A voz de Call soou estranha na sala por ser tão suave após todos os berros de Jasper. Por um segundo, os dois meninos olharam um para o outro até que Jasper se virou e Call, sentindo-se incomodado, começou a caminhar de volta para a porta da Biblioteca.

— Desculpe, Call — Célia gritou atrás dele. — Ele vai estar mais calmo amanhã de manhã.

Call não respondeu. Não era justo, ele pensou. Aaron não tinha família, Tamara tinha aqueles parentes assustadores e agora Jasper. Logo ele não teria mais ninguém para odiar sem se sentir mal por isso.

Ele pegou a gaiola e seguiu pela passagem mais próxima.

— Chega de rodeios — ele informou ao lagarto.

— Warren conhece o melhor caminho. Às vezes, o melhor caminho não é o mais rápido.

— Warren não devia falar sobre si mesmo na terceira pessoa — Call comentou, apesar de deixar que o elemental o guiasse pelo resto do caminho até seu quarto. Quando ele ergueu uma das mãos para abrir a porta, o lagarto repetiu:

— Deixe-me sair.

Call parou.

— Você prometeu. Deixe-me sair. — O lagarto olhou para ele, implorando com seus olhos flamejantes.

Call colocou a gaiola no chão de pedra diante da porta da sala compartilhada e se ajoelhou. Quando estava prestes a abrir a portinhola, percebeu que se esquecera de uma pergunta básica, que deveria ter feito logo de cara.

— Ei, Warren, *por que* o Mestre Rufus deixava você preso em uma gaiola no gabinete dele?

As sobrancelhas do elemental se ergueram.

— Enganador — ele disse.

Call balançou a cabeça, sem ter muita certeza sobre a qual dos dois Warren se referia.

— O que você quer dizer com isso?

Com um suspiro, Call abriu a gaiola. O lagarto correu pela parede até um nicho repleto de teias de aranha localizado no teto. Call mal pôde ver o fogo que ardia nas costas da criatura. O menino pegou a gaiola e a colocou atrás de um agrupamento de estalagmites, esperando poder se livrar dela de forma definitiva na manhã seguinte.

— Tudo bem, boa noite — disse Call antes de entrar. Quando o menino abriu a porta, o elemental correu na sua frente, entrando antes dele.

Call tentou enxotar o lagarto de volta para o lado de fora, mas Warren o seguiu até o quarto e se enroscou, encostando-se em uma das pedras brilhantes da parede, o que o deixou quase invisível.

— Vai passar a noite aqui? — Call perguntou.

O lagarto permaneceu tão imóvel quanto uma pedra, com os olhos vermelhos semicerrados, a língua cutucando levemente um dos lados da boca.

Call estava muito exausto para se preocupar com o fato de ter um elemental em seu quarto. Apesar de a criatura estar adormecida, aquilo podia não ser muito seguro. Ele jogou a caixa e todas as coisas que Alastair lhe enviara no chão e se enrolou na cama com uma das mãos agarrada ao bracelete do pai. Os dedos acariciaram as pedras lisas até que ele caiu no sono. Seu último pensamento antes de adormecer foram os olhos espiralados e brilhantes dos Dominados pelo Caos.

CAPÍTULO TREZE

Call acordou na manhã seguinte com medo de o Mestre Rufus dizer algo sobre os papéis espalhados, o modelo destruído e o envelope que sumira de seu gabinete... e ainda mais apavorado com a possibilidade de o professor comentar alguma coisa sobre o elemental desaparecido. Ele se arrastou até o Refeitório, mas, quando chegou lá, entreouviu uma discussão acalorada entre o Mestre Rufus e a Mestra Milagros.

— Pela última vez, Rufus. — O tom de voz da professora era o de alguém extremamente magoado. — *Não estou com o seu lagarto.*

Call não sabia se se sentia mal ou se caía na gargalhada.

Depois do café da manhã, Rufus os conduziu rio abaixo, onde os instruiu para que praticassem pegar um pouco de água, jogá-la para cima e agarrá-la novamente sem se molhar. Logo, Call, Tamara e Aaron estavam sem ar, morrendo de rir e ensopados. No fim do dia, Call estava tão cansado que o que acontecera havia menos de um dia parecia distante e irreal. Ele voltou para o quarto com a intenção de meditar a respeito da carta do pai e do bracelete, mas sua atenção foi desviada pelo fato de Warren ter comido um de seus cadarços, sugando-o como se fosse um macarrão.

— Lagarto idiota — ele murmurou, escondendo a braçadeira que usara no exercício das serpes e a carta amassada do pai na última gaveta da escrivaninha, que fechou com um empurrão para evitar que o elemental as comesse também.

Warren não disse nada. Os olhos dele se tornaram cinzentos, e Call desconfiava que o cadarço não tinha lhe feito muito bem.

O que mais o distraía de seu plano de tentar entender o que o pai queria dizer acabaram sendo, para surpresa de Call, as aulas. Não havia mais a Sala da Areia e do Tédio. Em vez disso, o Mestre Rufus lhes passou uma série de novos exercícios que fizeram com que as semanas seguintes passassem depressa. O treinamento ainda era árduo e frustrante, mas, à medida que o Mestre Rufus revelava mais sobre o mundo mágico, Call flagrava uma fascinação crescente dentro de si.

O Mestre Rufus os ensinou a sentir sua afinidade com os elementos e a entender melhor o significado por trás do que chamou de Quinário, que, junto com o restante dos Cinco Princípios da Magia, Call já podia recitar de cor.

O fogo quer queimar.

A água quer fluir.

O ar quer se erguer.

A terra quer unir.

O caos quer devorar.

Eles aprenderam a criar pequenas chamas e a fazer com que o fogo dançasse na palma de suas mãos. Aprenderam a fazer ondas nos lagos da caverna e a chamar peixes de cor clara (apesar de o Mestre Rufus não ter falado nada sobre operar os barcos, o que chateou Call extremamente). Eles até começaram a aprender a coisa preferida de Call: levitação.

— Concentração e prática — disse o Mestre Rufus enquanto os conduzia até uma sala coberta com colchonetes que lembravam um pula-pula, com enchimento de musgo e agulhas de pinheiros extraídos das árvores do lado de fora do Magisterium. — Não existem atalhos, magos. Há apenas concentração e prática. Então, comecem!

Os três se revezaram para tentar captar a energia do ar ao redor deles e usá-la para tomar impulso sobre a sola de seus pés. Era muito mais difícil manter o equilíbrio do que Call imaginara. Eles caíram várias e várias vezes sobre os colchonetes, dando risadinhas, esbarrando uns nos outros. Aaron terminou com uma das marias-chiquinhas de Tamara na boca e Call com um dos pés de Tamara em seu pescoço.

Por fim, quase no fim da aula, Call teve um estalo e conseguiu se erguer no ar, a cerca de trinta centímetros do chão, sem oscilar nem uma única vez. Não havia gravidade para puxar sua perna, nada que o impedisse de levitar de um lado para o outro além de sua própria falta de prática. Sonhos em que ele voava pelos corredores do Magisterium mais depressa do que algum dia ele poderia ter corrido explodiram em sua cabeça. Seria como andar de skate, só que melhor, mais rápido, mais alto e até mesmo com algumas manobras ainda mais malucas.

Tamara voltou os olhos para Call e ele perdeu a concentração, caindo com um baque no colchonete. Ele ficou ali deitado por um segundo, apenas respirando.

Enquanto ele estava no ar, sua perna não havia doído nem um pouquinho.

A aula terminou e Aaron e Tamara não conseguiram se erguer, porém o Mestre Rufus pareceu encantado com essa ausência de progresso. Ele declarou repetidas vezes que aquilo era a coisa mais engraçada que ele tinha visto em muito tempo.

O professor lhes prometeu que até o final do ano eles seriam capazes de invocar cada um dos elementos, atravessar o fogo e respirar debaixo d'água. No Ano de Prata, seriam capazes de se utilizar dos poderes menos evidentes dos elementos: transformar o ar em ilusões, o fogo em profecias, a terra em elos e a água em cura. A ideia de ser capaz de fazer essas coisas empolgava Call, mas, sempre que ele pensava no final do ano, lembrava-se das palavras escritas no bilhete que o pai enviara ao Mestre Rufus.

"Você precisa interditar a magia de Callum até o final do ano."

Magia da terra. Se ele conseguisse ser aprovado para o Ano de Prata, talvez aprendesse o que realmente significava interditar as coisas.

Em uma das palestras de sexta-feira, o Mestre Lemuel falou sobre contrapesos, advertindo-os de que, se por acaso se excedessem no uso de um elemento e sentissem que estavam sendo atraídos para ele, deveriam alcançar seu oposto, da mesma forma que tinham utilizado a terra quando lutavam contra o elemental do ar.

Call perguntou o que eles deveriam fazer para alcançar a *alma*, já que seu contrapeso era o caos. O Mestre Lemuel rosnou que, se Call estava lutando contra a magia do caos, não importava o que ele alcançasse, porque estava, de qualquer forma, diante da morte iminente. Drew lhe lançou um olhar solidário.

— Tudo bem — ele disse em um sussurro.

— Pare com isso, Andrew — censurou o Mestre Lemuel com uma voz congelante. — Você sabe que houve um tempo em que aprendizes que demonstravam desrespeito por seus mestres eram surrados com uma vara de marmelo.

— Lemuel — a Mestra Milagros o interrompeu, nervosa ao ver a expressão horrorizada no rosto dos alunos. — Eu não acho...

— Infelizmente, isso foi há séculos — continuou o Mestre Lemuel. — Mas posso lhe garantir, Andrew, que, se você continuar a cochichar pelas minhas costas, se arrependerá de ter vindo para o Magisterium. — Os lábios dele se curvaram em um sorriso. — Agora venha aqui e demonstre como alcançar a água enquanto está usando o fogo. Gwenda, será que você poderia ajudá-lo com o contrapeso?

Gwenda foi até a frente da sala, após hesitar por um momento. Drew se arrastou atrás dela, com as costas curvadas. Ele suportou vinte minutos de provocações inclementes de Lemuel por não ter conseguido apagar a chama em uma de suas mãos, mesmo quando Gwenda lhe passou uma tigela com água com um entusiasmo tão repleto de esperança que um pouco do líquido chegou a cair sobre seu tênis.

— Vamos, Drew — ela sussurrava sem parar, até que o Mestre Rufus acabou mandando que se calasse.

Isso fez com que Call apreciasse mais o Mestre Rufus, mesmo quando ele lhes deu uma palestra sobre as obrigações dos magos, cuja maioria parecia bastante óbvia, como manter a magia em segredo, não utilizá-la para ganhos pessoais ou fins malignos e compartilhar todo o conhecimento adquirido em suas pesquisas com o restante da comunidade de magos. Ao que tudo indicava, os magos que atingiam a maestria em seus estudos dos elementos tinham de selecionar aprendizes como parte dessa coisa de "compartilhar o conhecimento", o que significava que havia diferentes mestres no Magisterium em diferentes épocas, apesar de aqueles que encontraram sua vocação como professores terem permanecido na escola.

A obrigação de ter aprendizes explicava muita coisa a respeito do Mestre Lemuel.

Call se interessou mais pela segunda palestra do Mestre Rockmaple sobre os elementais. Em sua maioria, foi provado que não existiam criaturas conscientes. Algumas mantinham a mesma forma que tiveram por séculos, enquanto outras se alimentavam de magia e se tornavam grandes e perigosas. Umas poucas eram conhecidas por absorver lagartos. Call sentiu um arrepio ao pensar em Warren depois de ouvir aquilo. Que diabos ele havia soltado no Magisterium? O que exatamente estava dormindo debaixo da sua cama e comendo seus cadarços?

Call também aprendeu mais sobre a Terceira Guerra dos Magos, mas nada que lhe desse a mais remota ideia do motivo pelo qual o pai queria interditar sua magia.

Tamara começou a rir mais à medida que o tempo passava. Às vezes, suas risadas eram acompanhadas por um olhar de culpa, enquanto Aaron se tornava estranhamente mais sério ao passo que os três se adaptavam à rotina do Magisterium. Call percebeu que já aprendera a andar pela escola e não tinha mais medo de se perder no caminho para a Biblioteca, para as salas de aula ou até mesmo para a Galeria. Ele também não achava mais estranho comer cogumelos e pilhas de líquen que tinham gosto de um frango assado delicioso, espaguete ou yakisoba.

Ele e Jasper ainda mantinham distância, mas Célia continuou a ser sua amiga, agindo como se nada de estranho tivesse acontecido naquela noite.

Call começou a temer o fim do ano, quando o pai queria que ele voltasse para casa em definitivo. Ele tinha amigos pela primeira vez na vida, amigos que não o achavam muito estranho nem o consideravam um ser de outro mundo por causa de sua perna. E ele tinha a magia. Não queria desistir de nada disso, apesar de ter prometido exatamente o contrário.

Era difícil se dar conta da passagem das estações debaixo da terra. Às vezes, o Mestre Rufus e os outros mestres os levavam para o lado de fora para exercícios de terra. Sempre era legal ver no que os outros alunos eram bons. Quando Rufus os ensinou a misturar a magia elemental para acelerar o crescimento das plantas, Kai Hale fez com que uma única muda brotasse e crescesse tanto que no dia seguinte o Mestre Rockmaple teve de sair com um machado para cortar a árvore. Célia conseguia chamar animais do subterrâneo (apesar de, para a frustração de Call, ela não ter atraído nenhuma ratazana-toupeira pelada). E Tamara era incrível em usar o magnetismo da terra para encontrar o caminho quando todos estavam perdidos.

À medida que o mundo exterior começava a ficar vermelho com as cores do outono, as cavernas se tornavam mais frias. Grandes tigelas de metal repletas de pedras quentes foram enfileiradas nos corredores, aquecendo o ar, e uma fogueira passara a ser acesa na Galeria quando eles assistiam a filmes.

O frio não incomodava Call. Ele sentia como se, de alguma forma, estivesse se tornando mais forte. Tinha quase certeza de que crescera pelo menos uns dois centímetros. E conseguia andar por mais tempo, apesar da perna, provavelmente porque o Mestre Rufus costumeiramente gostava de conduzi-los por longas caminhadas pelas cavernas ou em escaladas nas grandes rochas acima da superfície.

À noite, Call às vezes pegava o bracelete do pai e relia ambas as cartas. Ele desejava poder contar a Alastair sobre as coisas que vinha fazendo, porém jamais pôs esse desejo em prática.

Eles estavam no auge do inverno quando o Mestre Rufus anunciou que já era hora de começarem a explorar as cavernas sozinhos, sem sua ajuda. Ele já havia lhes mostrado como encontrar o caminho nas cavernas mais profundas utilizando a magia da terra para acender uma pedra e criar marcas pelo caminho que os conduziriam de volta.

— Você quer que a gente se perca de propósito? — disse Call.

— É, algo assim — respondeu Rufus. — O plano é que vocês sigam minhas instruções, encontrem a sala que lhes será designada e retornem sem se perder. Mas essa última parte depende apenas de vocês.

Tamara bateu palmas e abriu um sorriso levemente diabólico.

— Parece divertido.

— Vocês devem completar essa tarefa *juntos* — o Mestre Rufus lhe disse. — Nada de sair correndo na frente e deixar esses dois tropeçando no escuro.

O sorriso de Tamara esmaeceu um pouco.

— Ah, tudo bem.

— Podemos fazer uma aposta — Call propôs, pensando em Warren. Se conseguisse usar alguns dos atalhos que o lagarto havia lhe mostrado, ele poderia encontrar o caminho certo antes dela. — Ver quem acha o caminho primeiro.

— Será que algum de vocês me ouviu? — o Mestre Rufus indagou. — Eu disse...

— Juntos — repetiu Aaron. — Prometo que vamos ficar grudados uns nos outros.

— Vejo que você vai mesmo fazer isso — comentou o Mestre Rufus. — Agora, eis a tarefa. Nas profundezas do segundo andar das cavernas, há um lugar chamado Lago das Borboletas. A água vem de uma nascente na superfície e é repleta de minerais, o que a torna excelente para forjar armas, como a adaga que você carrega no cinto. — Ele apontou na direção de Miri, fazendo com que Call tocasse o cabo da adaga quase sem se dar conta. — A lâmina foi feita aqui, no Magisterium, com a água do Lago das Borboletas. Quero que vocês três encontrem a sala, peguem um pouco da água e a tragam para mim aqui, neste mesmo lugar.

— Você vai nos emprestar um balde? — perguntou Call.

— Creio que você já saiba a resposta, Callum. — Rufus tirou um pergaminho de dentro do uniforme e o passou para Aaron. — Aqui está o mapa. Sigam-no com exatidão e chegarão ao Lago das Borboletas, mas se lembrem de acender as pedras para marcar o caminho. Vocês não poderão confiar no mapa para trazê-los de volta.

O Mestre Rufus se acomodou em uma grande saliência na pedra que se moldou calmamente debaixo do mago até se transformar em algo que lembrava uma poltrona.

— Alternem-se para carregar a água. Se vocês a derrubarem, terão de voltar para buscar mais.

Os três aprendizes trocaram olhares.

— Quando começamos? — quis saber Aaron.

O Mestre Rufus tirou um pesado livro de capa dura do bolso e começou a lê-lo.

— Imediatamente.

Aaron abriu o pergaminho sobre uma pedra, com uma expressão séria no rosto, e logo em seguida olhou para o Mestre Rufus.

— Tudo bem — ele disse depressa. — Devemos ir para o leste.

Call se aproximou, olhando o mapa sobre os ombros de Aaron.

— O caminho mais rápido parece passar pela Biblioteca.

Tamara virou o mapa em um sorriso cínico.

— Agora, sim, o norte está voltado para a direção certa. Isso deve ajudar.

— E a Biblioteca continua a ser o caminho certo — insistiu Call. — Por isso, vamos combinar que você nem ajudou tanto assim.

Aaron revirou os olhos, se pôs de pé e dobrou o mapa.

— Vamos antes que vocês dois arrumem uma bússola e comecem a medir as distâncias com um barbante.

Eles saíram da sala, primeiramente seguindo por áreas que já lhes eram familiares. Os três passaram pela Biblioteca e desceram seus corredores espiralados como se caminhassem dentro de uma concha. Esse caminho levava aos níveis inferiores das cavernas.

O ar se tornou mais frio e pesado, com um forte odor de minerais. Call se sentiu imediatamente estranho. As passagens ali eram estreitas e o teto, baixo. Aaron, o mais alto dos três, quase tinha de se abaixar para atravessá-las.

Por fim, a passagem se abriu em uma caverna maior. Tamara tocou uma das paredes, acendeu um cristal e iluminou as raízes, que formavam gavinhas sinistras, que lembravam as patas de uma aranha e iam quase até o topo de uma cachoeira de águas cor de laranja que lançava uma fumaça sulfurosa, enchendo o ambiente com um odor de enxofre. Cogumelos imensos cresciam às margens do fluxo-d'água, listrados em tons brilhantes e artificiais de verde, azul-turquesa e púrpura.

— O que acontece se a gente comer esse troço? — Call matutou enquanto eles abriam caminho entre as plantas.

— Eu não tentaria descobrir. — Aaron ergueu uma das mãos. Ele tinha aprendido a fazer uma bola de fogo azul uma semana antes e estava muito empolgado, de modo que passara a fazer bolas de fogo o tempo todo, até mesmo quando eles não precisavam de luz. Aaron mantinha o fogo em uma das mãos e o mapa na outra. — Por aqui. — O menino fez um gesto na direção de uma passagem à esquerda. — Do outro lado da Sala das Raízes.

— As salas têm nomes? — Tamara contornou alguns cogumelos com todo o cuidado.

— Não, eu é que decidi chamá-las assim. Porque, pensa bem, a gente não vai se esquecer delas se tiverem um nome, não é?

Tamara franziu a testa enquanto pensava a respeito.

— Acho que você tem razão.

— Melhor que Lago das Borboletas — Call comentou. — Quero dizer, que raio de nome é esse para um lago que ajuda a fabricar armas? Deveria se chamar Lago Assassino. Ou Tanque das Facadas. Ou, quem sabe, Poço do Homicídio.

— É — disse Tamara, seca. — E a gente podia começar a chamar você de Mestre Óbvio.

A câmara seguinte possuía espessas estalactites, brancas como dentes gigantes de tubarão, posicionadas uma ao lado da outra como se realmente estivessem presas à mandíbula de algum monstro havia muito enterrado. Call, Aaron e Tamara passaram por essas formações assustadoras e afiadas que pendiam do teto e chegaram a uma abertura estreita e circular. Ali, a rocha era pontuada por formações cavernosas que pareciam ter sido engolidas, como se fossem cupinzeiros gigantes. Call se concentrou e um cristal no canto oposto começou a brilhar para que eles não se esquecessem de que aquele era o caminho certo.

— Este lugar está no mapa? — ele perguntou.

Aaron semicerrou os olhos.

— Sim. Na verdade, estamos quase lá. Só mais uma sala ao sul... — Ele sumiu por um portal escuro e reapareceu um momento depois com o rosto corado devido à sensação de vitória. — Encontrei!

Tamara e Call se acotovelaram atrás dele. Por um momento, permaneceram em silêncio. Mesmo depois de todos os tipos de salões subterrâneos espetaculares que já vira, como a Biblioteca e a Galeria, Call sabia que estava diante de algo especial. De um nicho no alto de uma das paredes, uma torrente de água se derramava em um grande lago azul resplandecente, como se fosse iluminado pelo lado de dentro. As paredes eram macias, cobertas por líquen verde reluzente. O contraste do verde com o azul fazia com que Call tivesse a impressão de estar dentro de uma bola de gude. O ar era perfumado pelo odor de especiarias desconhecidas e hipnotizantes.

— Hum — Aaron disse, quebrando o silêncio após alguns minutos. — É meio estranho ele ser chamado de Lago das Borboletas.

Tamara caminhou até a beirada.

— Acho que é por causa da cor daquelas borboletas azuis. Como elas se chamam mesmo?

— Monarcas — Call respondeu. Seu pai sempre fora fã de borboletas. Ele tinha uma grande coleção delas, espetadas com alfinetes em um quadro sobre a escrivaninha.

Tamara esticou uma das mãos. O lago se agitou e uma esfera de água ergueu-se sem perder a forma, mesmo quando a menina a moveu e fez com que o líquido se ondulasse.

— Pronto — disse Tamara, um pouco esbaforida.

— Ótimo — incentivou Aaron. — Por quanto tempo você acha que consegue sustentar a água?

— Não sei. — Ela jogou uma trança escura e grossa para trás, tentando esconder qualquer sinal de esforço. — Eu aviso quando minha concentração começar a falhar.

Aaron assentiu, abrindo o mapa contra a parede úmida.

— Agora só temos de encontrar o caminho...

Ele deu um berro e soltou o pergaminho, cujas páginas, do nada, escureceram até ficarem em chamas, transformando-se em uma chuva de brasas que caíram no chão. Tamara soltou um gritinho e perdeu a concentração. A água que ela erguia se derramou sobre seu uniforme e formou uma poça ao redor de seus pés.

Os três olharam uns para os outros com os olhos arregalados. Call estreitou os ombros.

— Acho que entendi o que o Mestre Rufus quis dizer. Devemos seguir nossas pedras iluminadas, ou marcas, ou o que quer que nos leve de volta. Aquele mapa só servia para chegarmos até aqui.

— Deve ser fácil — disse Tamara. — Quero dizer, eu só acendi uma pedra, mas vocês iluminaram mais delas, não é?

— Eu também acendi apenas uma. — Call olhou para Aaron, esperançoso. O colega não lhe retribuiu o olhar.

Tamara fez uma careta.

— Ui. Tudo bem. Vamos descobrir o caminho de volta. Você carrega a água.

Dando de ombros, Call foi até o lago e se concentrou em moldar uma bola. Call se utilizou do ar ao seu redor para mover a água e sentiu as forças conflitantes dos elementos dentro de si. Ele não era tão bom naquilo quanto Tamara, mas conseguiu se sair bem. Sua bola pingou apenas um pouquinho enquanto flutuava.

Aaron franziu a testa e apontou.

— Viemos dali. Daquele lado. Acho que...

Tamara seguiu Aaron e Call foi atrás dela. A bola de água girava sobre sua cabeça como se o menino tivesse uma nuvem de chuva particular. A sala seguinte era familiar, com o rio subterrâneo e os cogumelos coloridos. Call caminhou entre os fungos, com medo de que a qualquer momento a bola de água caísse bem em cima de sua cabeça.

— Olha só — comentou Tamara. — Tem umas pedras acesas bem ali...

— Acho que essas são bioluminescentes — Aaron retrucou, preocupado. Ele deu um tapinha nelas e depois se voltou mais uma vez para Tamara, dando de ombros. — Eu não sei.

— Bem, eu sei. Vamos por aqui. — Ela se virou com passos decididos. Call a seguiu. Eles viraram à esquerda, depois à direita e à esquerda novamente, atravessando uma caverna repleta de estalactites que cresciam no formato de folhas, "não derrube a água", em um dos cantos, por uma brecha entre dois pedregulhos, "mantenha todas as gotas juntas, Call". Havia pedras pontudas por todos os lados, e Call quase deu de cara com uma parede porque Tamara e Aaron foram parar em um corredor sem saída. Os dois discutiam.

— Eu falei que aquilo era um líquen fluorescente — disse Aaron, frustrado. Eles estavam em uma grande sala com uma cisterna de pedra no centro que borbulhava levemente. — Agora estamos perdidos.

— Bem, se você tivesse se lembrado de acender algumas pedras na ida...

— *Eu* estava conferindo o mapa — Aaron disse, irritado. De certa forma, Call pensou, até que era legal saber que o amigo era capaz de sentir raiva e perder a razão. Aaron e Tamara se viraram para Call, que quase deixou cair o globo rodopiante que estava tentando equilibrar. Aaron teve de erguer uma das mãos para estabilizar a água. A bola flutuava no ar acima deles, derramando algumas pequenas gotas.

— O que foi? — Call perguntou.

— Bem, *você* faz alguma ideia de onde estamos? — disse Tamara.

— Não — Call admitiu olhando ao redor para as paredes lisas. — Mas deve haver algum caminho que nos leve para o lugar certo. O Mestre Rufus não ia simplesmente nos mandar aqui para baixo para que nos perdêssemos e acabássemos morrendo.

— Isso é muito otimista, vindo de você — retrucou Tamara.

— Engraçadinha. — Call fez uma careta para mostrar que o comentário da menina não fora nada engraçado.

— Parem com isso, vocês dois — Aaron os interrompeu. — Brigas não vão nos levar a lugar nenhum.

— Bem, seguir você vai nos levar a *algum lugar* — disse Call. — E *esse lugar* vai ser o mais longe possível daquele em que deveríamos estar.

Aaron balançou a cabeça, desapontado.

— Por que você tem de ser sempre tão babaca? — ele perguntou a Call.

— Porque você nunca é — Call declarou com firmeza. — Tenho de ser babaca por nós dois.

Tamara suspirou, mas, depois de um momento, caiu na gargalhada.

— Podemos admitir que a culpa foi de nós três? *Todos* nós ferramos com a missão.

Aaron parecia não querer admitir, entretanto, finalmente, acabou assentindo.

— É, esqueci que não poderíamos usar o mapa no caminho de volta.

— Eu também — acrescentou Call. — Desculpe. Você não é boa em achar caminhos, Tamara? O que você acha de pedir uma ajudinha para os metais contidos na terra?

— Posso tentar. — A voz da menina soou um tanto vazia. — Só que isso vai me informar apenas em que direção fica o norte e não a forma como os caminhos se cruzam. Mas vamos acabar passando por algum lugar conhecido, não é?

Era assustador pensar em vagar pelos túneis, pensar nos poços de escuridão nos quais eles poderiam cair, os lagos de lama movediça e suas ondas asfixiantes. Porém, Call não tinha nenhum plano melhor.

— Tudo bem — ele concordou.

Eles começaram a andar.

Foi exatamente sobre coisas desse tipo que o pai o alertara.

— Sabe do que eu mais sinto falta de casa? — Aaron perguntou enquanto caminhavam por espeleotemas que mais lembravam tapeçarias esfarrapadas. — Pode parecer uma superidiotice, mas morro de saudade de *fast-food*. O hambúrguer mais gorduroso do mundo e uma montanha de batata frita. Sinto falta do cheiro deles.

— Sinto saudade de deitar na grama do quintal — disse Call. — E do *video game.* Com toda a certeza eu sinto a maior falta do *video game.*

— Eu sinto saudade de ficar de bobeira na internet — declarou Tamara, o que surpreendeu Call. — Não me olhe desse jeito. Eu morava em uma cidade igualzinha à de vocês.

Aaron bufou.

— Pode ter certeza de que não tinha nada a ver com o lugar onde eu cresci.

— O que eu quero dizer é que a minha cidade era cheia de pessoas que não eram magos — disse Tamara, enquanto assumia o controle da bola de água azul. — Tinha uma livraria onde alguns magos se encontravam ou deixavam mensagens uns para os outros, mas, tirando isso, era um lugar bem normal.

— Só fiquei surpreso por seus pais deixarem você entrar na internet — explicou Call. Aquela era uma maneira bem comum e nada sofisticada de passar o tempo. Quando ele imaginava Tamara se divertindo do lado de fora do Magisterium, pensava nela montando um pônei de polo, mesmo sem ter muita certeza se esse tipo de animal realmente existia ou qual seria a diferença entre ele e um pônei comum.

Tamara sorriu para Call.

— Bem, eu não tinha exatamente a *permissão* deles...

Call queria saber mais sobre o assunto, mas, quando abriu a boca para perguntar, ficou sem ar diante da visão da mais impressionante das salas, que simplesmente acabara de surgir diante de seus olhos.

CAPÍTULO QUATORZE

A caverna era bem grande. O teto fora esculpido para formar uma abóbada como a de uma catedral. Havia cinco altos arcos, cada um deles sustentado por pilares de mármore e incrustado com um tipo diferente de metal: ferro, cobre, bronze, prata e ouro. As paredes eram de mármore, com marcas de centenas de impressões digitais humanas com um nome entalhado sobre cada uma delas.

Uma estátua de bronze de uma menina ainda muito jovem cujo cabelo flutuava ao sabor do vento fora posicionada no centro do salão. O rosto estava voltado para o alto. Uma placa aos pés da escultura informava: *Verity Torres.*

— O que é este lugar? — Aaron perguntou.

— O Hall dos Graduados — explicou Tamara, girando sobre os próprios pés com uma expressão encantada no rosto. — Quando os aprendizes se tornam magos artífices, eles vêm até aqui e gravam suas impressões digitais na pedra. Todos que se formaram no Magisterium estão nestas paredes.

— Minha mãe e meu pai. — disse Call, caminhando pela sala à procura do nome dos dois.

Lá estava seu pai — *Alastair Hunt* —, bem no alto da parede, fora do alcance do menino. O pai devia ter levitado para conseguir colocar a mão ali. Um sorriso surgiu no canto da boca de Call ao imaginar o pai, quer dizer, uma versão muito mais nova de Alastair, voando só para mostrar que era capaz de fazer aquilo.

Ele ficou surpreso ao ver que a impressão digital da mãe não estava próxima à do pai, já que ele achava que os dois fossem apaixonados desde a época da escola. Talvez aquela coisa de impressão digital não funcionasse assim. Levou mais alguns minutos até que finalmente encontrou o nome dela — *Sarah Novak* — gravado em uma parede mais distante, junto à base de uma estalagmite. O nome havia sido escrito com um instrumento de ponta fina, como uma adaga. Call se abaixou e colocou uma das mãos sobre a marca da mão de sua mãe. As mãos dela tinham o mesmo formato das dele. Os dedos se encaixavam perfeitamente dentro dos dedos fantasmas de uma garota que morrera havia muito. Aos doze anos, as mãos de Call eram do mesmo tamanho que as da mãe quando ela tinha dezessete.

Ele queria sentir algo quando pressionou a mão dentro da marca da palma de sua mãe, mas não tinha certeza.

— Call — Tamara o chamou. Ela tocou gentilmente seu ombro. Call olhou para seus dois amigos. Ambos tinham o mesmo olhar preocupado. O menino sabia o que pensavam, sabia que sentiam muito por ele. Ele ficou de pé, afastando a mão de Tamara.

— Estou bem — ele disse, pigarreando.

— Olha só isso. — Aaron estava parado no meio da sala diante de um grande arco feito de pedra branca e brilhante. Cinzeladas diante da passagem estavam as palavras PRIMA MATERIA. Aaron se curvou para passar pelo arco, aparecendo logo em seguida do outro lado com uma expressão de curiosidade no rosto.

— Esse arco não leva a lugar algum.

— *Prima materia* — Tamara sussurrou, e seus olhos se arregalaram. — Esse é o Primeiro Portal! No final de cada ano do Magisterium, todos os aprendizes devem passar por um portal. Para mostrar que aprenderam a controlar sua magia, a usar os contrapesos da forma correta. Depois disso, eles recebem o bracelete do Ano de Cobre.

Aaron ficou pálido.

— Você quer dizer que acabei de passar pelo portal antes da hora? Será que vou me meter em encrenca?

Tamara deu de ombros.

— Acho que não. Não parece estar ativado.

Os três observaram o portal. Ele continuava ali, um mero arco de pedra em uma sala escura. Call teve de concordar que aquela coisa não parecia estar funcionando.

— Você viu algo que tivesse a ver com este lugar no mapa?

Aaron balançou a cabeça.

— Não lembro.

— Então que dizer que, apesar de termos encontrado um ponto de referência, estamos tão perdidos quanto antes? — Tamara chutou a parede.

Algo caiu lá de cima. Um lagarto grande, com olhos brilhantes, uma crina de chamas nas costas e... sobrancelhas.

— Ah, meu Deus. — Os olhos de Tamara se arregalaram. A bola de água quase caiu no chão enquanto Aaron apenas observava. Desta vez, foi Call quem a estabilizou.

— Call! Sempre perdido, Call. Você devia estar no seu quarto. Lá é quente — disse Warren.

Tamara e Aaron se viraram para Call, e com um simples olhar lhe enviaram um sem-fim de pontos de exclamação e de interrogação.

— Este é Warren — apresentou Call. — Ele é, bem... um lagarto que eu conheci por aí.

— Ele é um elemental do fogo! — Tamara constatou. — O que você fez para conhecer um elemental? — Ela encarava o menino.

Call abriu a boca para desmentir sua amizade com Warren. Eles não eram, tipo, íntimos! Mas essa não parecia ser a melhor maneira de persuadir Warren a ajudá-los. E Call sabia que, àquela altura, eles realmente precisavam da ajuda de Warren.

— O Mestre Rufus não falou que eles... você sabe... podiam absorver as pessoas? — Os olhos de Aaron acompanharam o lagarto.

— Bem, esse aí ainda não me absorveu — Call retrucou. — E ele até dormiu no meu quarto. — Warren, você pode nos ajudar? Estamos perdidos. De verdade. Precisamos que você nos leve de volta.

— Atalhos, passagens escondidas, Warren conhece todos os lugares secretos. O que vocês dão em troca para Warren se Warren mostrar o caminho de volta? — O lagarto se aproximou deles depressa, espalhando cascalho com as patas pelo caminho.

— O que você quer? — Tamara pôs as mãos nos bolsos. — Tenho um chiclete e um elástico de cabelo. Só isso.

— Tenho alguma comida — ofereceu Aaron. — Basicamente doces. Da Galeria.

— Eu estou controlando a água — disse Call. — Não posso conferir o que tenho no bolso. Mas, bem... você pode ficar com os meus cadarços.

— Warren quer tudo! — O lagarto começou a pular, tamanha era a sua empolgação. — Vou pegar tudo e, quando eu chegar lá, o meu mestre vai ficar bem satisfeito.

— Como assim? — Call franziu a testa, achando que não tinha ouvido direito.

— O seu mestre vai ficar satisfeito quando você voltar — disse o lagarto. — O Mestre Rufus. Seu mestre. — Ele correu pela parede da caverna tão depressa que Call ficou ofegante ao tentar correr e manter a bola de água no ar ao mesmo tempo. Algumas gotas foram derramadas na correria.

— Vamos! — ele chamou Tamara e Aaron, este com a perna doendo por causa do esforço.

Dando de ombros, Aaron o seguiu.

— Bem, eu prometi dar o meu chiclete para ele. — Tamara começou a correr atrás dos amigos.

Eles seguiram Warren por um hall onde corria um rio sulfuroso, amarelo e laranja, estranhamente liso de ambos os lados. Call sentiu como se andasse pela garganta de algum gigante. A caminhada era desagradável graças ao líquen avermelhado, grosso e esponjoso que cobria o chão. Aaron quase tropeçou e os pés de Call afundaram no líquen, fazendo com que a bola de água oscilasse enquanto ele tentava se equilibrar. Tamara a estabilizou com um estalar de dedos enquanto o grupo passava por uma caverna cujas paredes eram cobertas por formações cristalinas que pareciam gotas. Uma grande massa de cristais pendia do centro do teto como um castiçal, lançando uma luz pálida sobre o lugar.

— Nós não chegamos por aqui — Aaron reclamou, e mesmo assim Warren continuou a correr. Ele só parou para dar algumas mordidas rápidas em um dos cristais pendurados no teto. Ignorou todas as saídas e seguiu em frente, atravessando um pequeno buraco escuro, que se revelou um túnel quase sem nenhuma iluminação. Os três garotos precisaram ficar de joelhos e engatinhar. O globo de água oscilava precariamente entre eles. O suor corria pelas costas de Call devido à posição incômoda, e ele começou a ficar com medo de Warren os levar para uma direção totalmente errada.

— Warren... — ele começou.

O lagarto parou de repente quando a passagem se abriu em uma ampla câmara. Ele se ergueu aos poucos, com a perna fraca punindo-o por ter abusado tanto dela. Tamara e Aaron o seguiram, pálidos graças ao esforço de engatinhar e sustentar a água ao mesmo tempo.

Warren debandou por um arco e Call o seguiu o mais depressa que sua perna o permitia.

Ele estava tão distraído com todo aquele esforço que nem percebeu quando o ar se tornou mais quente e com um odor de queimado. Só caiu em si quando Aaron exclamou:

— Já estivemos aqui antes. Estou reconhecendo a água.

Call então olhou para cima e viu que estavam de volta à sala com o rio que soltava aquela fumaça cor de laranja e com as gavinhas imensas que caíam em cachos do alto das paredes.

Tamara suspirou, visivelmente aliviada.

— Isso é ótimo. Agora só temos...

A menina parou de falar e soltou um grito quando uma criatura se ergueu do rio fumacento, fazendo com que ela quase caísse para trás. Aaron também berrou. A bola de água que eles erguiam se espalhou pelo chão. O líquido chiou como se houvesse sido derramado sobre uma frigideira quente.

— Sim — disse Warren. — Exatamente como combinado. Ele me mandou trazê-los de volta e agora vocês estão aqui.

— Ele mandou... — Tamara repetiu.

Call olhava de boca aberta para o imenso ser que se erguia no rio, cuja água começara a ferver. Bolhas imensas, vermelhas e cor de laranja surgiram na superfície com uma ferocidade que mais lembrava lava. A criatura era corpulenta, escura e pedregosa, como se fosse feita de fragmentos de pedras pontudas, entretanto tinha um rosto humano, um rosto de homem, com traços que pareciam ter sidos entalhados em um pedaço de granito. Os olhos eram meros buracos escuros.

— Saudações, Magos de Ferro. — A voz daquela coisa ecoou como se viesse de muito longe. — Seu mestre não está por aqui.

Os aprendizes ficaram sem fala. Call pôde ouvir a respiração rascante de Tamara no silêncio.

— Vocês não têm nada para me dizer? — A boca de granito da criatura se moveu. Era como ver uma fissura se abrir em uma pedra. — Eu já fui como vocês um dia, crianças.

Tamara fez um som horrível, meio um soluço e meio um suspiro.

— Não — ela respondeu. — Você não pode ser um de nós... Você não devia nem falar mais. Você...

— O que é isso? — Call silvou. — O que é essa coisa, Tamara?

— Você é um dos Devorados. — A voz da menina falhou. — Você foi consumido por um dos elementos. Você não é mais humano...

— Fogo. — A coisa resfolegou. — Eu me tornei fogo faz muito tempo. Eu me entreguei a ele e ele a mim. O fogo queimou o que era humano e fraco.

— Você é imortal. — Os olhos de Aaron pareciam muito grandes e verdes em seu rosto pálido e sujo.

— Sou muito mais que isso. Sou eterno. — O Devorado se inclinou na direção de Aaron, aproximando-se o suficiente para fazer com que a pele do menino começasse a se tornar avermelhada como a de alguém que ficava perto demais do fogo.

— Aaron, não! — Tamara deu um passo à frente. — Ele está tentando queimar você, absorvê-lo. Afaste-se!

O rosto da menina brilhou na luz tremeluzente, e Call percebeu que lágrimas corriam pelo seu rosto. Naquele mesmo momento ele se lembrou da irmã dela, consumida pelos elementos, condenada.

— Absorver *você*? — O Devorado soltou uma gargalhada. — Olhe só para essas fagulhinhas bruxuleantes, que mal começaram a se desenvolver. Não há muita vida a ser espremida de você.

— Você deve querer alguma coisa da gente. — Call tentou desviar a atenção da criatura. — Ou então não teria se dado ao trabalho de aparecer para nós.

A coisa se virou para ele.

— Os surpreendentes aprendizes do Mestre Rufus. Até mesmo as pedras têm sussurrado sobre vocês. O maior dos mestres fez escolhas estranhas este ano.

Call não conseguia acreditar naquilo. Até os Devorados sabiam sobre suas notas terríveis no exame de admissão.

— Eu vejo através das máscaras de pele o que vocês vestem — o Devorado continuou. — Vejo seu futuro. Um de vocês irá falhar. Um morrerá. E outro já está morto.

— O quê? — Aaron ergueu o tom de voz. — O que você quer dizer com "já está morto"?

— Não dê ouvidos a essa criatura — Tamara gritou. — Ele é uma coisa, não uma pessoa...

— E quem desejaria ser humano? Os corações humanos se quebram. Os ossos humanos se esmigalham. A pele humana pode ser rompida. — O Devorado já estava bem próximo a Aaron, erguendo uma das mãos para tocar o rosto do menino. Call se jogou na frente do amigo o mais depressa que sua perna lhe possibilitou, esbarrando em Aaron de forma que os dois trombaram em uma das paredes. Tamara se virou para encarar o Devorado e levantou uma das mãos. Uma massa de ar rodopiante surgiu em sua palma.

— Já chega! — uma voz rugiu, vinda do arco.

Era o Mestre Rufus, que estava ali de pé, ameaçador e terrível. O poder parecia exalar dele.

A coisa deu um passo para trás, vacilando.

— Eu não queria causar nenhum mal.

— Fora! — ordenou o Mestre Rufus. — Deixe meus aprendizes em paz ou terei de expulsá-lo como eu faria com qualquer elemental, independentemente de quem você tenha sido, Marcus.

— Não me chame por um nome que não é mais meu — disse o Devorado. Os olhos dele se voltaram para Call, Aaron e Tamara enquanto mergulhava novamente no rio sulfuroso. — Eu verei vocês três de novo.

A criatura desapareceu criando uma marola na água, mas Call sabia que ele ainda devia estar próximo à superfície em algum lugar por ali.

O Mestre Rufus pareceu momentaneamente abalado.

— Venham comigo. — Ele conduziu os aprendizes pelo arco. Call procurou Warren, mas o elemental havia desaparecido. O menino ficou desapontado por alguns segundos. Queria gritar com Warren por tê-los traído, e também proibir *para sempre* que ele entrasse no seu quarto. Porém, se o Mestre Rufus tivesse visto Warren, ficaria óbvio que foi Call quem o roubou do gabinete do professor, por isso talvez fosse mesmo melhor que aquele bicho tivesse dado o fora.

Eles caminharam em silêncio por alguns momentos.

— Como o senhor sabia que deveria vir atrás da gente? — Tamara finalmente perguntou. — Como sabia que alguma coisa ruim tinha acontecido?

— Você não achou que eu iria permitir que vocês vagassem pelas profundezas do Magisterium sem supervisão, não é? — explicou Rufus. — Enviei um elemental para seguir vocês. Ele me informou assim que vocês entraram na caverna do Devorado.

— Marcus, o Devorado, nos disse algumas... ele nos contou como seria o nosso futuro — Aaron comentou. — O que isso significa? O Devorado já foi mesmo um aprendiz como nós?

Rufus pela primeira vez parecia incomodado na opinião de Call. Aquilo era incrível. O Mestre finalmente adquirira algum tipo de expressão.

— O que quer que ele tenha dito, não significou nada. Ele ficou completamente maluco. E, sim, creio que já tenha sido um aprendiz como vocês, mas se tornou um Devorado muito, muito tempo depois de se graduar. Ele era um mestre quando isso aconteceu. O meu mestre, na verdade.

Eles permaneceram no mais completo silêncio durante todo o caminho até o Refeitório.

↑≋△○◉

Naquela noite, durante o jantar, Call, Aaron e Tamara tentaram agir como se aquele houvesse sido um dia normal. Eles se sentaram na longa mesa com os outros aprendizes, mas não conversaram muito. Rufus estava sentado com a Mestra Milagros e o Mestre Rockmaple. Eles dividiam uma pizza de líquen e tinham uma expressão sombria no rosto.

— Parece que a aula de orientação de vocês não foi muito boa. — Jasper abriu um sorriso afetado. Seus olhos se alternavam entre Tamara, Aaron e Call. Até mesmo os três reconheciam que estavam exaustos e sujos, com os rostos manchados. Tamara estava com olheiras, como se houvesse tido um pesadelo. — Vocês se perderam nos túneis?

— Encontramos um dos Devorados — informou Aaron. — Em uma das cavernas mais profundas.
Todos à mesa começaram a falar ao mesmo tempo.
— Um dos *Devorados*? — Kai quis saber. — Eles são como as pessoas dizem? Monstros terríveis?
— Ele tentou absorver vocês? — Célia virou os olhos. — Como conseguiram escapar?
Call viu que as mãos de Tamara tremiam quando ela segurava os talheres, por isso, mais que depressa, ele disse:
— Na verdade, ele previu o nosso futuro.
— Como assim? — perguntou Rafe.
— Ele disse que um de nós iria falhar, outro morreria e outro já estava morto.
— Acho que já sabemos quem vai falhar. — Jasper olhou para Call. E Call logo se lembrou de que não contara para ninguém que Jasper estava na Biblioteca e começou a reconsiderar sua decisão.
— Obrigado, Jasper — comentou Aaron. — Sempre contribuindo.
— Vocês não devem deixar que isso os aborreça — disse Drew, com sinceridade. — Isso é só blá-blá-blá. Não significa nada. Ninguém vai morrer e vocês obviamente não estão mortos. Pelo amor de Deus!
Call saudou Drew com o garfo.
— Obrigado.
Tamara baixou os talheres.
— Com licença — ela disse, e saiu da sala.
Aaron e Call se levantaram imediatamente para ir atrás dela. Já estavam na metade do corredor quando Call ouviu alguém chamar o seu nome. Era Drew, que correra para segui-los.
— Call, posso falar com você um segundo?
Call trocou um olhar com Aaron.

— Podem conversar — incentivou Aaron. — Vou ver como a Tamara está. Encontro você na sala compartilhada, Call.

Call se virou para Drew, afastando dos olhos o cabelo embaraçado e imundo da poeira das cavernas.

— Está tudo bem?

— Tem certeza de que foi uma boa ideia? — Os olhos azuis de Drew se arregalaram.

— Do que você está falando? — Call estava totalmente confuso.

— Contar para todo mundo sobre essa parada. Sobre o Devorado! Sobre a profecia!

— Você falou que essa história não passava de blá-blá-blá — Call protestou. — Disse que não significava nada.

— Eu só falei aquilo porque... — Drew estudou o rosto de Call. Sua expressão se tornou confusa, em seguida preocupada, até se transformar no mais profundo horror. — Você não sabe — ele enfim concluiu. — Como pode não saber?

— O que eu não sei? — Call exigiu. — Você está me assustando, Drew.

— Quem é você? — A voz de Drew era quase um sussurro, e então ele deu um passo para trás. — Eu estava errado. Preciso ir.

Drew deu meia-volta e começou a correr. Call observou, perplexo, enquanto o menino se afastava. Ele decidiu perguntar a Aaron e Tamara o que aquilo poderia significar, mas, quando voltou para a sala compartilhada, se deu conta de que a exaustão havia claramente tomado conta de seus amigos. A porta do quarto de Tamara estava fechada e Aaron dormia em um dos sofás.

CAPÍTULO QUINZE

Call acordou com o som de algo se movendo do lado de fora da porta do seu quarto. Seu primeiro pensamento foi que Tamara e Aaron estudavam até mais tarde na sala compartilhada, entretanto os passos eram muito pesados para pertencer a qualquer um de seus amigos, e as vozes retumbantes que seguiram pertenciam definitivamente a adultos.

Ele não conseguiu evitar a voz de Alastair que pairava em sua cabeça. "Eles não têm a menor misericórdia. Nem mesmo pelas crianças."

Call permaneceu acordado encarando o teto até que um dos conjuntos de cristais na parede começou a brilhar. Tirou Miri de uma das gavetas e a prendeu no cinto, contraindo o corpo quando seus pés tocaram o chão de pedra gelada. Sem os cobertores pesados, ele podia sentir o ar congelante atravessar seu pijama de tecido fino.

Ele ergueu Miri no ar bem no momento em que a porta se abriu. Três mestres estavam de pé no batente, olhando para ele. Os magos vestiam seus uniformes negros e sua expressão era sombria e muito séria.

O olhar do Mestre Lemuel ia do rosto de Call para a adaga.

— Rufus, o seu aprendiz foi muito bem treinado.

Call não sabia o que dizer diante daquela afirmação.

— Você não precisará de nenhuma arma esta noite — informou o Mestre Rufus. — Deixe Semíramis na cama e venha conosco.

Olhando para o seu pijama com estampa de Lego, Call amarrou a cara.

— Não estou vestido para sair do quarto.

— Bem treinado para estar sempre alerta — comentou o Mestre North. — Pessimamente treinado em termos de obediência. — Ele estalou os dedos. — Baixe a adaga.

— North — disse o Mestre Rufus. — Deixe a disciplina dos meus aprendizes por minha conta. — Ele se aproximou de Call, que não tinha certeza do que fazer. Depois do comportamento bizarro de Drew, dos avisos do pai e da profecia sinistra do Devorado, ele se sentia profundamente inquieto. Não queria largar a adaga.

Uma das mãos de Rufus se fechou ao redor do punho de Call e o menino soltou Miri. Ele não sabia o que mais poderia fazer. Call conhecia o Mestre Rufus. Eles haviam comido juntos por meses, e Rufus era seu professor. Rufus era uma pessoa. Rufus o salvara do Devorado. "Ele não vai me machucar", Call disse a si mesmo. "Ele não vai fazer isso. Não importa o que meu pai tenha dito."

Uma expressão estranha passou rapidamente pelo rosto de Rufus, e logo desapareceu.

— Venha — ele pediu.

Call seguiu os mestres até a sala compartilhada, onde Tamara e Aaron já estavam à sua espera. Ambos também vestiam pijamas. Aaron usava uma camiseta praticamente transparente de tanto ser lavada e uma calça de moletom rasgada em um dos joelhos. Seu cabelo loiro estava arrepiado como as penas de um filhote de pato e ele parecia estar semiacordado. A tensão tomava conta do rosto de Tamara. Ela prendera o cabelo cuidadosamente em duas tranças e vestia um pijama cor-de-rosa com os dizeres: EU LUTO COMO UMA GAROTA. Sobre essas palavras, havia uma serigrafia de três meninas de um desenho animado executando movimentos ninjas mortais.

"O que está havendo?", Call perguntou a eles silenciosamente, apenas mexendo os lábios.

Aaron deu de ombros e Tamara balançou a cabeça. Era óbvio que eles também não faziam ideia do que estava acontecendo, apesar de Tamara estar tão chocada que parecia saber o suficiente.

— Sentem-se — ordenou o Mestre Lemuel. — Por favor, sem enrolação.

— Você pode ver claramente que nenhum deles estava tentando... — disse o Mestre Rufus em uma voz baixa, que logo desapareceu como se ele não quisesse pronunciar o resto.

— Isso é muito importante — o Mestre North começou quando Call, Aaron e Tamara se sentaram um ao lado do outro no sofá. Tamara deu um longo bocejo e se esqueceu de cobrir a boca, o que significava que estava realmente cansada.

— Vocês viram Drew Wallace? Várias pessoas nos disseram que ele os seguiu bastante transtornado quando saíram do Refeitório. Ele mencionou algo? Discutiu algum plano?

Call franziu a testa. A última vez que vira Drew tinha sido esquisita demais para que pudesse falar a respeito.

— Que planos?

— Conversamos sobre nossas aulas — Aaron se voluntariou a responder. — Drew nos seguiu pelo corredor. Ele queria falar com Call.

— Sobre os Devorados. Acho que ele estava mesmo muito assustado. — Call não sabia mais o que poderia dizer. Não tinha outra explicação para o comportamento de Drew.

— Obrigado — agradeceu o Mestre North. — Agora precisamos que vocês voltem para seus quartos e vistam os uniformes. Vamos precisar da ajuda de vocês. Drew saiu do Magisterium em algum momento depois das dez da noite. Só descobrimos que havia ido embora porque outro aprendiz levantou para tomar água e encontrou o bilhete deixado por ele.

— O que dizia esse bilhete? — Tamara perguntou. O Mestre Lemuel olhou para ela furioso e o Mestre North parecia surpreso por ter sido interrompido. Evidentemente nenhum deles conhecia Tamara muito bem.

— Que ele estava fugindo do Magisterium — o Mestre Lemuel explicou em voz baixa. — Vocês sabem o quanto é perigoso ter um mago que ainda não terminou seu treinamento solto no mundo? Sem falar nos animais Dominados pelo Caos que construíram suas tocas nas florestas ao redor da escola.

— Precisamos encontrá-lo. — O Mestre Rufus balançou a cabeça devagar. — Todo o Magisterium ajudará nas buscas. Cobriremos uma área maior trabalhando dessa forma. Espero que essas explicações tenham sido suficientes, Tamara. O tempo é realmente essencial neste caso.

Com o rosto vermelho, Tamara se levantou e foi para o quarto. Aaron e Call também foram para os seus aposentos. Sem pressa, Call vestiu roupas de inverno: o uniforme cinzento, um suéter grosso e um casaco de zíper com capuz. A adrenalina de ser acordado por magos no meio da noite começava a queimar em seu corpo, e ele começava a se dar conta do quão pouco havia dormido, mas só a ideia de Drew tropeçando na escuridão fazia Call piscar os olhos para tentar acordar. O que teria feito Drew fugir?

Os dedos de Call passaram pelo bracelete de Alastair e pela carta misteriosa para o Mestre Rufus quando ele procurou sua braçadeira. Ele se lembrou das palavras do pai: "Call, você precisa me escutar. Você não sabe o que você é. E você precisa fugir assim que for possível."

Ele é quem deveria ter fugido, não Drew.

Após uma batida, a porta se abriu e Tamara entrou. A menina vestia o uniforme e usava duas tranças presas por grampos ao redor da cabeça. Ela parecia mais acordada que ele.

— Call, vamos logo, temos de... O que é isso?

— O que é o quê? — Ele olhou para baixo e percebeu que a gaveta ainda estava escancarada, com o bracelete de Alastair e a carta do pai totalmente à vista. Ele pescou o bracelete e jogou o corpo para trás, fechando a gaveta com o peso do próprio corpo. — Eu... esta é a braçadeira do meu pai. De quando ele esteve no Magisterium.

— Posso ver? — Tamara não esperou por uma resposta. Simplesmente esticou um dos braços e arrancou o bracelete da mão de Call. — Ele deve ter sido um excelente aluno.

— Por que você está dizendo isso?

— Essas pedras. E esse... — Ela parou de falar, piscando. — Este não pode ser o bracelete do seu pai.

— Bem, acho que pode ser da minha mãe...

— Não. Vimos as impressões digitais deles no Hall dos Graduados. Os dois terminaram os estudos, Call. Seja quem for o dono deste bracelete, só estudou até o Ano de Prata. Não tem nenhum ouro aqui. — Ela devolveu o bracelete para ele. — Esse bracelete pertence a alguém que jamais se formou no Magisterium.

— Mas... — Call foi interrompido pela chegada de Aaron. Seu cabelo ondulado estava grudado na testa. Parecia que ele havia jogado água no rosto para tentar acordar.

— Vamos, pessoal — ele disse. — O Mestre Lemuel e o Mestre North já foram, mas o Rufus parece estar prestes a quebrar a porta.

Call jogou o bracelete no bolso, ainda consciente do olhar curioso que Tamara lançava sobre ele, e seguiu o Mestre Rufus pelos túneis. Sua perna estava rígida, como costumava ficar quando ele acordava, impedindo-o de andar depressa, mas Aaron e Tamara tiveram o cuidado de acompanhar Call na velocidade dele. Pelo menos uma vez na vida ele não ficou com raiva por causa disso.

Próximo à saída, o grupo se juntou ao resto dos aprendizes, que eram guiados pelos seus mestres, incluindo Lemuel e North. Os garotos pareciam tão confusos e preocupados quanto os aprendizes do Mestre Rufus.

Mais algumas viradas e eles chegaram a uma porta. O Mestre Lemuel a abriu e eles entraram em outra caverna com uma abertura do lado oposto, de onde vinha um vento. Eles sairiam do Magisterium — e por um caminho diferente daquele do primeiro dia. Na abertura, havia um gigantesco portão duplo de metal.

O portão fora claramente forjado por um mestre do metal. No seu topo havia pontas afiadas que quase tocavam o teto da caverna. Do outro lado do portão, o metal fora envergado para formar as seguintes palavras:

O CONHECIMENTO E A AÇÃO SÃO DUAS FACES DA MESMA MOEDA

Aquele era o Portão das Missões. Call se lembrou do garoto preso à maca feita de galhos de árvore, com a pele parcialmente queimada, e se deu conta de que, em meio a toda aquela confusão, ele não prestara muita atenção no portão propriamente dito.

— Call, Tamara, Aaron — o Mestre Rufus os chamou. Ao lado dele estava Alex, alto e com seus característicos cabelos cacheados, embora estivesse com uma aparência sombria que não combinava com ele. Usava seu uniforme debaixo do que parecia ser um sobretudo. As mãos estavam enluvadas. — Alexander irá guiá-los. *Não saiam do lado dele.* O resto de nós estará por perto, de olho em vocês. Queremos que cubram a área junto a uma das saídas menos utilizadas do Magisterium. Procurem qualquer pista sobre Drew, e, se por acaso o virem, chamem-no. Acreditamos que é mais fácil ele confiar em um de seus colegas do Ano de Ferro que em um mestre ou até mesmo em um aluno mais velho, como Alex.

Call imaginou por que os mestres pensavam que Drew estaria mais propenso a confiar em outros alunos de seu mesmo ano. Ele se perguntou se eles sabiam mais sobre a fuga de Drew do que o que lhes diziam.

— E então o que deveremos fazer? — Aaron indagou.

— Caso algum de vocês o veja, Alex enviará um sinal para os mestres. Tudo o que terão de fazer é mantê-lo conversando até que cheguemos. Vocês e os aprendizes da Mestra Milagros irão para o Leste. — O Mestre Rufus acenou para alguém na multidão e a Mestra Milagros veio até ele acompanhada por Célia, Jasper e Gwenda. — Os alunos do Ano de Bronze irão para o Oeste, os do Ano de Cobre para o Norte e os aprendizes dos Anos de Prata e Ouro que não estão auxiliando os mestres irão para o Sul e para o Norte.

— E os animais Dominados pelo Caos que estão na floresta? — Gwenda quis saber. — Eles também não representam um perigo para a gente?

Mestra Milagros lançou um olhar para Alex e outro aluno mais velho.

— Vocês não estarão sozinhos. Fiquem juntos e enviem imediatamente um sinal para nós se tiverem qualquer problema. Estaremos por perto.

Alguns grupos de aprendizes já abriam caminho na noite, conjurando orbes luminosos que flutuavam como lanternas voadoras. O zumbido dos sussurros os acompanhava enquanto eles entravam na floresta escura.

Call e os outros seguiram Alex. Quando o último aprendiz passou pelo portão, ele se fechou com um clangor definitivo atrás deles.

— Sempre faz esse barulho — disse Alex, ao ver a expressão no rosto de Call. — Venham... nós vamos por aqui.

Ele seguiu na direção da floresta, passando por um caminho escuro. Call tropeçou em uma raiz. Aaron, que sempre procurava alguma desculpa para fazer magia, conjurou uma bola azul de energia resplandecente, aparentemente satisfeito por ver que aquilo era útil. Ele abriu um grande sorriso e começou a rodar a bola entre os dedos, iluminando o ar ao redor deles.

— Drew — Gwenda chamou. Os ecos dos gritos dos outros alunos podiam ser ouvidos ao longe. — Drew!

Jasper esfregou os olhos. Ele vestia o que parecia ser um casaco forrado de pele e um chapéu com protetores de orelha que pareciam levemente grandes demais para sua cabeça.

— Por que a gente tem de correr perigo por causa de um nerd que decidiu fugir? — ele quis saber.

— Não entendo por que ele saiu no meio da noite. — Célia estava com os braços ao redor do corpo e tremia apesar de usar uma parca longa de um tom vivo de azul. — Nada disso faz o menor sentido.

— Não sabemos nada além daquilo que contaram para vocês — explicou Tamara. — Mas, se o Drew fugiu, ele deve ter tido um motivo.

— Esse garoto é um covarde — acusou Jasper. — É a única razão possível para ele ter deixado a escola.

O chão da floresta estava coberto por uma camada fina de neve, e o grupo estava cercado por árvores ressequidas. A bola azul de Aaron iluminava ao redor apenas o suficiente para enfatizar a estranheza mórbida dos galhos afiados.

— Do que você acha que ele estava com medo? — Call perguntou.

Jasper não respondeu.

— Temos de ficar juntos — Alex lembrou, e em seguida conjurou três bolas de fogo douradas que rodopiaram sobre eles, iluminando até mesmo os últimos membros do grupo. — Caso vejam ou ouçam qualquer coisa, me avisem. Não fujam.

Folhas congeladas estalaram sob os pés de Tamara quando ela ficou para trás para caminhar ao lado de Call.

— E então — ela disse com suavidade —, por que você achou que aquele bracelete era do seu pai?

Call olhou para os outros na tentativa de descobrir se eles poderiam ouvi-lo.

— Porque foi enviado por ele.

— Ele mandou o bracelete para você?

Call balançou negativamente a cabeça.

— Não exatamente. Eu... o achei.

— Você o achou? — Tamara aparentava muito desconfiança.

— Sei que você pensa que ele é maluco...

— Ele jogou uma faca em você!

— Ele jogou uma faca *para* mim — corrigiu Call. — E então ele enviou aquele bracelete para o Magisterium. Acho que ele está tentando dizer algo... Avisar sobre alguma coisa.

— Tipo o quê?

— Alguma coisa sobre mim — emendou Call.

— Você quer dizer que está em perigo?

Tamara parecia alarmada, mas Call não respondeu. O menino não sabia como lhe dar mais alguma informação sem contar toda a história. E se houvesse mesmo algo de errado com ele? E se Tamara soubesse de tudo, será que ela ainda manteria segredo, independentemente do quão ruim fosse?

Ele queria confiar nela. Tamara lhe contara mais sobre o bracelete do que ele descobrira durante todos os meses em que passou olhando para o objeto.

— Sobre o que vocês estão conversando? — Aaron também ficou para trás no intuito de se juntar aos dois.

Tamara imediatamente parou de falar. Seus olhos iam de Aaron para Call. Dava para perceber que a menina não contaria nada para Aaron a não ser que Call lhe permitisse. Essa certeza fez com que um estranho calor cintilasse no estômago de Call. Ele nunca tivera amigos que guardassem seus segredos.

Aquilo foi o suficiente para que Call se decidisse.

— Estamos falando sobre isto aqui. — Ele tirou o bracelete do bolso e o entregou para Aaron, que o examinou durante algum tempo. Call explicou toda a história: sua conversa com o pai, o aviso de que o menino não sabia o que ele era, a carta que Alastair mandou para Rufus, a mensagem enviada junto com o bracelete: *Interditar sua magia.*

— Interditar sua magia? — Aaron ergueu a voz.

— Shhh — fez Tamara.

— Por que ele pediria a Rufus para fazer uma coisa dessas? — Aaron voltou a falar em um sussurro rouco. — Isso é loucura!

— Eu não sei — Call murmurou de volta, olhando para a frente, ansioso. Alex e os outros garotos não pareciam prestar a menor atenção neles enquanto subiam um pequeno monte, serpenteando para desviar de grandes raízes de árvores, gritando por Drew. — Não entendo nada disso.

— Bem, com toda a certeza o bracelete era uma mensagem para Rufus — concluiu Tamara. — Significa alguma coisa, só não sei o quê.

— Talvez se a gente soubesse quem foi o seu dono — disse Aaron, devolvendo o bracelete para Call, que o pôs em um dos pulsos, acima do seu próprio bracelete, e os cobriu com a manga do uniforme.

— Alguém que não se formou. Alguém que deixou o Magisterium quando tinha dezesseis ou dezessete anos... Ou alguém que morreu aqui. — Tamara franziu a testa ao se lembrar das medalhinhas e dos símbolos presos ao bracelete. — Não sei exatamente o que essas coisas significam. Provavelmente excelência em algo, mas em quê? Se nós soubéssemos, teríamos uma pista. E também não sei o que aquela pedra negra significa. Eu nunca tinha visto uma antes.

— Vamos perguntar a Alex — disse Aaron.

— De jeito nenhum! — disse Call, balançando a cabeça, e olhou com cautela para os outros que marchavam pela neve na escuridão. — E se houver *mesmo* alguma coisa de errado comigo e ele descobrir isso só de olhar para o bracelete?

— Não há nada de errado com você — Aaron comentou, inabalável. Só que ele era o tipo de gente que tinha fé nas pessoas e acreditava em coisas como aquela.

— Alex! — Tamara gritou. — Alex, podemos perguntar uma coisa para você?

— Tamara, não! — Call sibilou, mas o aluno mais velho já havia diminuído o passo, caminhando ao lado deles.

— O que foi? — Os olhos azuis de Alex eram inquisidores. — Vocês estão bem?

— Eu só estava pensando se a gente poderia ver o seu bracelete — Tamara lançou um olhar para Call, acalmando-o, e ele realmente se sentiu mais tranquilo.

— Ah, claro. — Alex soltou o bracelete e o passou para Tamara. A joia tinha três tiras de metal, sendo que a última era de bronze e também ostentava pedras preciosas de diferentes cores: vermelho e laranja, azul e índigo, e escarlate.

— Para que servem essas coisas? — Tamara perguntou, inocente, apesar de Call ter a sensação de que ela provavelmente já sabia a resposta.

— Essas pedras significam que eu completei diferentes tarefas. — Alex soava completamente sincero e nada arrogante. — Esta foi por ter usado o fogo de forma correta para dispensar um elemental. Esta foi por usar o ar para criar uma ilusão.

— E o que significaria se você tivesse uma pedra negra? — Aaron indagou.

Os olhos de Alex se arregalaram. Ele abriu a boca para responder no mesmo momento em que Jasper berrou:

— Olhem!

Uma luz intensa brilhou do alto de um monte em frente a onde eles estavam. Enquanto observavam, um grito cortou a noite, agudo e terrível.

— Fiquem aqui! — Alex berrou e começou a correr, praticamente escorregando pela encosta do monte onde estavam, indo na direção da luz. De repente, a noite se tornou repleta de sons. Call pôde ouvir outros grupos gritarem e chamarem uns aos outros.

Algo escorregou do céu sobre eles — uma coisa escamosa e que lembrava uma cobra —, mas Alex não olhava para cima.

— Alex! — Tamara berrou, mas o garoto mais velho não a ouviu. Ele havia chegado ao outro monte e começava a subi-lo. A sombra escamosa estava sobre sua cabeça, arremetendo contra Alex.

Os garotos começaram a gritar para Alex na tentativa de adverti-lo. Todos berravam, exceto Call. Ele começou a correr, ignorando a queimação que torcia sua perna enquanto ele escorregava pelo barranco, quase caindo. Ele ouviu Tamara chamar seu nome e Jasper berrar:

— Nós deveríamos ficar *aqui*.

Mesmo assim, Call não diminuiu o passo. Ele seria o aprendiz que Aaron achava que ele era, aquele que não tinha nada de errado. Realizaria o tipo de coisas que o fariam conquistar marcos de façanhas heroicas misteriosas em seus braceletes. Ele se lançaria para a briga.

Ele tropeçou em uma pedra solta, que caiu e rolou até o pé do monte, batendo feio com um dos ombros em uma raiz de árvore. "Tudo bem", ele pensou, "esse não foi o melhor dos começos".

Call ficou de pé e começou a subir novamente. Ele então pôde ver as coisas com mais clareza graças ao brilho que vinha do topo do morro. Era uma luz nítida e penetrante que deixava visíveis todos os pedregulhos e buracos, para profundo alívio de Call. Próximo do topo, a subida se tornou mais íngreme. Ele sentiu os joelhos e teve de escalar os últimos metros, rolando até a superfície plana no alto do monte.

Alguma coisa tocou Call. Algo imenso, que trouxe consigo uma lufada de ar que espalhou poeira nos olhos do menino. Ele engoliu em seco e ficou de pé.

— Socorro! — ele ouviu uma voz fraca gritar. — Por favor, me ajude!

Call olhou ao redor. A luz intensa havia se apagado. Apenas as estrelas e a lua iluminavam o topo do monte, que era coberto por um emaranhado de raízes e galhos.

— Quem está aí? — ele perguntou.

Ele ouviu o que soou como um soluço:
— Call?
O menino começou a avançar, desajeitado, na direção da voz, abrindo caminho entre a vegetação.

Atrás dele, as pessoas gritavam seu nome. Ele chutou algumas pedras para longe e meio que deslizou por uma pequena inclinação. Viu-se dentro de uma depressão sombria no solo, cercada por moitas de espinhos. Uma figura curvada estava de pé do outro lado.

— Drew? — Call chamou.

O garoto franzino fez um esforço para se virar. Call pôde ver que um de seus pés estava preso no que parecia ser uma toca de esquilo e torcido em um ângulo feio, aparentemente bastante doloroso.

Atrás dele, dois orbes brilhantes lançavam uma luz suave na noite. Call olhou para eles e viu que flutuavam sobre o monte onde estavam os outros alunos. Ele mal conseguia ver os outros de onde estava e não tinha certeza se eles eram capazes de vê-lo.

— Call? — As lágrimas brilhavam no rosto de Drew sob o luar. Mais que depressa, Call se aproximou.

— Você está preso? — ele perguntou.

— É... é claro — Drew sussurrou. — Eu estava tentando fugir e o máximo que consegui chegar foi até aqui. Isso é hu... humilhante.

Drew batia os dentes. Ele usava apenas uma camiseta fina e uma calça jeans. Call não conseguia acreditar que ele planejara fugir do Magisterium vestido daquele jeito.

— Ajude-me — Drew pediu, sem parar de bater o queixo. — Ajude-me a me soltar. Preciso continuar a correr.

— Não estou entendendo. O que há de errado? Para onde você vai?

— Eu não sei. — O rosto de Drew se contorceu. — Você não faz ideia de como é o Mestre Lemuel. Ele... ele descobriu que, às vezes, quando eu estou sob uma carga alta de estresse, acabo me saindo melhor. Tipo, muito melhor. Sei que é estranho, mas sempre foi assim. Eu me dou melhor em dias de prova do que em situações normais. Então, depois que o Mestre Lemuel descobriu isso, ele me deixa estressado o tempo todo. Eu mal... mal consigo dormir. Ele só permite que eu coma de vez em quando e eu nunca sei o que vai acontecer. Ele me provoca sustos, conjurando ilusões de monstros e elementais quando estou sozinho no escuro e eu... eu quero melhorar. Quero me tornar um mago melhor, só que... — Ele olhou para o outro lado e engoliu em seco, a garganta subia e descia graças aos soluços. — Eu não consigo.

Call olhou para ele mais de perto. Era verdade que Drew não se parecia mais com o garoto que Call conhecera no ônibus para o Magisterium. Estava mais magro. Bem mais magro. Dava para ver que o jeans estava largo, sustentado por um cinto preso no último buraco. As unhas estavam roídas e havia sombras negras debaixo dos seus olhos.

— Tudo bem — disse Call. — Mas você não vai conseguir correr para lugar nenhum desse jeito. — Ele se abaixou e colocou uma das mãos sobre o tornozelo de Drew. Ao tocá-lo, Call percebeu que estava quente.

Drew uivou.

— Isso dói!

Call observou o tornozelo exposto abaixo da barra da calça jeans. Parecia inchado e escuro.

— Acho que você pode ter quebrado um osso.

— Sé... sério? — Drew parecia estar em pânico.

Call se concentrou na força que carregava dentro de si, fazendo com que ela atravessasse seu corpo e penetrasse no chão onde ele se ajoelhava. "A terra quer unir." Ele sentiu a terra se afastar sob o seu toque, abrindo caminho para que a magia fluísse, da mesma forma que a água vertia em um buraco aberto na areia da praia.

Call fez com que a magia fluísse pelo seu corpo até suas mãos, deixando que ela chegasse até Drew, que soltou um suspiro.

Call se afastou.

— Desculpe...

— Não. — Drew olhou para ele, maravilhado. — Está doendo menos. Funcionou!

Call nunca fizera magia daquele jeito antes. O Mestre Rufus havia falado sobre cura, mas eles nunca haviam praticado. Só que ele conseguiu. Talvez não houvesse mesmo nada de errado.

— Drew! Call! — Era Alex, seguido por um globo de luz resplandecente que iluminava as pontas do seu cabelo como um halo. Alex derrapou em um declive e quase caiu em cima deles. Seu rosto estava pálido sob a luz do luar.

Call abriu caminho para o aluno mais velho.

— Drew está preso. Acho que quebrou o tornozelo.

Alex se inclinou sobre Drew e tocou a terra que prendia sua perna. Call se sentiu estúpido por não ter pensado na mesma coisa enquanto o chão perto de Drew desmoronava e Alex colocava os braços sobre os ombros dele, libertando-o. Drew soltou um grito agudo de dor.

— Você não me ouviu? O tornozelo dele está *quebrado...* — Call começou.

— Call, não temos tempo para isso. — Alex se ajoelhou para erguer Drew nos braços. — Precisamos sair daqui.

— O... o quê? — Drew parecia estar muito impressionado para agir de modo normal. — O que está acontecendo?

Alex inspecionava a área, ansioso. Call imediatamente se lembrou de todos os avisos sobre o que espreitava na floresta do lado de fora das cavernas da escola.

— Os Dominados pelo Caos — Call concluiu. — Eles estão aqui.

CAPÍTULO DEZESSEIS

Um uivo baixo cortou a noite. Alex começou a subir o outro monte, fazendo um gesto impaciente na direção de Call para que o seguisse. O menino seguiu cambaleando atrás dele. A perna doía.

Quando chegaram lá em cima, Call viu Aaron e Tamara se aproximando do cume, com Célia, Jasper e Rafe bem atrás deles. O grupo ofegava, alerta.

— Drew! — Tamara suspirou ao ver a figura manca nos braços de Alex.

— Animais Dominados pelo Caos. — Aaron se aproximou e parou diante de Call e Alex. — Eles estão vindo do outro lado do monte...

— De que tipo? — Alex perguntou, assustado.

— Lobos — disse Jasper, apontando.

Ainda segurando Drew nos braços, Alex se virou e observou, horrorizado. A lua iluminava sombras que se esgueiravam pela floresta na direção deles. Cinco lobos, com os corpos longos e esguios e o pelo da cor de um céu tempestuoso. Os focinhos farejavam o ar e os olhos brilhantes eram selvagens e estranhos.

Alex se abaixou e colocou Drew cuidadosamente no chão.

— Ouçam — ele berrou para os outros alunos, que tremiam de medo. — Façam um círculo ao nosso redor enquanto eu curo Drew. Eles conseguem sentir os fracos, os feridos. Eles vão atacar.

— Nós precisamos apenas manter os Dominados pelo Caos afastados até que os mestres cheguem aqui — observou Tamara, na frente de Alex.

— Certo, mantê-los afastados. Isso é mesmo *muito* simples — Jasper explodiu, embora tenha se juntado aos outros, que formaram um círculo com seus corpos de costas para Alex e Drew. Call se viu ombro a ombro com Célia e Jasper. Célia batia os dentes.

Os lobos Dominados pelo Caos apareceram, sorrateiros e ferozes, caminhando cautelosos como sombras pelo espinhaço. Eles eram imensos, muito maiores do que qualquer lobo que Call poderia já ter imaginado. Fios largos de saliva pendiam de suas mandíbulas escancaradas. Os olhos ardiam e rodopiavam, fazendo com que Call tivesse mais uma vez um lampejo daquela sensação em sua cabeça, aquela coisa que mais parecia coceira, queimação e sede, tudo ao mesmo tempo. "O Caos", ele pensou. "O caos quer devorar."

Porém, por mais apavorante que fossem aqueles animais, quanto mais Call olhava para eles, mais achava que seus olhos eram belos, como a imagem de um caleidoscópio e sua centena de cores simultâneas. Não conseguia desviar os olhos.

— Call. — A voz de Tamara interrompeu seus pensamentos. Ele voltou a si, se dando conta, de repente, de que se distanciara em muitos metros da formação. Ele não se afastara dos lobos. Ao contrário, ele se movera *na direção* deles.

Uma mão pegou um de seus pulsos. Tamara parecia aterrorizada, porém determinada.

— Será que dá para você PARAR? — a menina ordenou e encarou Call, tentando fazer com que ele se juntasse aos outros novamente.

Tudo depois disso aconteceu muito depressa. Tamara rebocou Call de volta, mas ele resistiu. A perna fraca falhou e ele caiu. Os cotovelos bateram dolorosamente no chão pedregoso. A menina ergueu as mãos e fez um gesto como se arremessasse uma bola de beisebol. Um círculo de fogo surgiu em suas palmas e ela o lançou sobre um lobo que se aproximou de repente.

O fogo explodiu sobre os pelos e o lobo ganiu, revelando uma boca repleta de dentes afiados. Mas ele continuou a se aproximar. Na verdade, o pelo ficara arrepiado em um dos lados, como se o animal tivesse tomado um choque. A língua vermelha pendia da boca à medida que ele chegava mais perto. Ele estava a menos de um metro de Call, que lutava para se pôr de pé. Tamara foi até ele e passou as mãos sobre os braços do amigo, tentando erguê-lo. Os Dominados pelo Caos não podiam ser aparados como as serpes. Eles não se preocupavam com mais nada além de dentes, sangue e loucura.

— Tamara, Call, voltem para cá! — Aaron berrou, assustado. Os lobos Dominados pelo Caos se esgueiravam para mais perto, cercando Call e Tamara, esquecendo o círculo de aprendizes. Alex estava no centro, segurando Drew, que perdera a consciência. Alex parecia ter congelado com os olhos e a boca arregalados.

Call se levantou com dificuldade, empurrando Tamara para trás dele. Ele olhou bem nos olhos do lobo mais próximo. Os olhos do animal ainda giravam, vermelhos e dourados, as cores do fogo.

"É isso", Call pensou. Sua mente parecia ter sido engolida. Ele tinha a impressão de estar se movendo debaixo d'água.

"Meu pai estava certo. Durante todo esse tempo, ele estava certo. Vamos morrer aqui."

Call não estava com raiva... Embora também não sentisse medo. Tamara lutava, tentando puxá-lo para trás. Mas ele não conseguia se mover. Nem se quisesse. A mais estranha das sensações pulsava dentro dele, como se alguém houvesse dado um nó em suas costelas. Ele podia sentir o estranho bracelete em seu braço pulsar.

— Tamara. — Ele respirou fundo. — Vá para trás.

— Não! — Ela puxou as costas da camiseta dele. Call tropeçou e o lobo pulou.

Alguém — talvez Célia ou Jasper — gritou. O lobo saltou no ar, belo e terrível, com o pelo soltando faíscas. Call começou a erguer as mãos.

Uma sombra passou pelos olhos de Call... alguém derrapou na terra para parar bem entre ele o lobo, alguém com cabelo claro, alguém que plantou os pés no chão e ergueu ambos os braços como se pudesse segurar o lobo com as próprias mãos. "Alex", Call pensou de início, tonto, mas logo sentiu uma onda de choque ao se dar conta de quem era: *Aaron*.

— Não — ele gritou. Aaron se lançou para a frente, mas Tamara o deteve:

— Aaron, *não*!

Os outros aprendizes também gritaram, chamando Aaron. Alex deixara Drew no chão e abria caminho na direção deles.

Aaron não se moveu. Seus pés estavam plantados tão firmes no chão que pareciam ter criado raízes. As mãos estavam voltadas para o alto, com as palmas erguidas, e de seu centro brotava algo que lembrava fumaça, só que era ainda mais negra que a escuridão, densa e sinuosa, e Call soube, embora não soubesse como, que aquela era a substância mais escura do mundo.

Com um ganido, o lobo contorceu o corpo, se revirando tanto que aterrissou desajeitado a apenas alguns metros de Tamara e Call. O pelo havia desaparecido e os olhos rodopiavam descontroladamente. Os outros lobos uivavam e choramingavam, acrescentando seus latidos à loucura daquela noite.

— Aaron, o que você está fazendo? — A voz de Tamara era tão baixa que Call não teve certeza se o amigo a escutou. — Foi *você* quem fez aquilo?

Aaron, entretanto, pareceu não ouvir. A escuridão vertia de suas mãos, o cabelo e roupa estavam grudados no corpo graças ao suor. A escuridão se espiralava depressa, gavinhas aveludadas que se enrolavam na matilha de Dominados pelo Caos. O vento soprava, balançando os galhos das árvores. O chão tremeu. Os lobos tentavam se soltar, correr, mas estavam presos pela escuridão, a escuridão que se tornara algo sólido, uma prisão que contraía seus corpos.

O coração de Call batia, descontrolado. Ele sentiu um terror repentino diante da ideia de também ser preso por aquela escuridão, que o envolvia do nada, anulando-o, consumindo-o.

Devorando-o.

— Aaron! — ele berrou, mas o vento golpeava as árvores com violência, abafando sua voz. — Aaron, *pare*!

Call podia ver o brilho do pânico nos olhos dos lobos Dominados pelo Caos. Por um momento, eles se viraram para ele. Seus olhos eram faíscas na escuridão. Em seguida, um negrume os envolveu e a matilha sumiu.

Aaron caiu de joelhos como se tivesse levado um tiro. Ele se ajoelhou, sem ar, com uma das mãos sobre o estômago enquanto o vento cessava e o chão se estabilizava. Os aprendizes observavam no mais profundo silêncio. Os lábios de Alex se moviam, mas nenhuma palavra saiu deles. Call olhou para os lobos, mas no lugar dos animais Dominados pelo Caos havia apenas massas rodopiantes de escuridão que se dissipavam como fumaça.

— Aaron — Tamara se afastou rapidamente de Call e foi até o outro menino, se abaixando para colocar uma das mãos no ombro dele.

— Ah, meu Deus. Aaron, Aaron...

Os outros aprendizes começaram a cochichar.

— O que está havendo? — A voz de Rafe era lamentosa. — O que aconteceu?

Tamara afagava as costas de Aaron, fazendo sons consoladores. Call sabia que devia se juntar a ela, mas se sentia congelado. Não conseguia parar de pensar na aparência de Aaron um pouco antes de a escuridão devorar o lobo, a forma como ele parecia conjurar algo, chamar alguma coisa... e foi exatamente *aquilo* que agiu ali.

Ele se lembrou do Quinário.

"O fogo quer queimar. A água quer fluir. O ar quer erguer. A terra quer unir. Porém o caos, o caos quer devorar."

Call olhou para a trás, para a confusão de estudantes. Ao longe, atrás deles, viu luzes que se moviam apressadas pelo céu. Era o brilho dos orbes dos mestres que corriam até eles. Call pôde ouvir o som de suas vozes. Drew tinha uma expressão estranha no rosto, estoica e um pouco perdida, como se toda a esperança o tivesse abandonado. Havia lágrimas em seus olhos. Célia encarou Call, desviando o olhar para Aaron, como se perguntasse: "Está tudo bem com ele?"

Aaron mantinha a cabeça baixa, coberta com as mãos. Aquilo fez com que os pés de Call voltassem a se mexer. Ele caminhou com dificuldade os poucos metros que o separavam do amigo e caiu de joelhos ao lado dele.

— Você está bem? — ele perguntou.

Aaron ergueu a cabeça e assentiu devagar, ainda aparentemente atordoado.

Tamara encontrou o olhar de Call por cima da cabeça de Aaron. O cabelo dela havia se soltado das tranças e caía por seus ombros. Call pensou que nunca a vira tão desarrumada assim antes.

— Você não entende — ela sussurrou para Call. — Aaron é quem eles estão procurando. Ele é o...

— Sabia que eu ainda estou aqui? — A voz de Aaron parecia cansada.

— Makar — Tamara finalmente concluiu a frase, em um murmúrio quase inaudível.

— *Eu não sou nada disso* — Aaron protestou. — Não posso ser. Não sei nada sobre o caos. Não tenho a menor afinidade...

— Aaron, minha criança. — Uma voz suave cortou o discurso de Aaron. Call olhou para cima e viu, para sua surpresa, que aquela voz era do Mestre Rufus. Os outros mestres também estavam ali com seus orbes voando como vagalumes enquanto eles caminhavam apressados entre os alunos, conferindo seus ferimentos e amenizando seu pavor. O Mestre North havia erguido Drew do chão e o segurava em seus braços. A cabeça do garoto estava apoiada no peito do professor.

— Eu não tinha a intenção de... — Aaron começou. Sua aparência era péssima. — Em um momento, o lobo estava ali e, no outro, ele tinha *desaparecido.*

— Você não fez nada de errado. O lobo o teria atacado se não agisse. — O Mestre Rufus esticou os braços e gentilmente ajudou Aaron a se levantar. Call e Tamara também se ergueram. — Você salvou vidas, Aaron Stewart.

Aaron soltou um suspiro cansado. Ele parecia tentar se recompor.

— Todos eles estão olhando para mim... todos os outros alunos — ele disse em um sussurro.

Call se virou para olhar, mas seu campo de visão foi bloqueado pelo surgimento de dois mestres: o Mestre Tanaka e uma mulher que ele vira apenas uma vez com um grupo de alunos do Ano de Ouro e cujo nome ele desconhecia.

— Todos eles olham para você porque você é um Makar. — A maga encarou Aaron bem nos olhos. — Porque você é capaz de manejar o poder do caos.

Aaron não disse nada. Parecia que ele acabara de tomar um inesperado tapa na cara.

— Estávamos à sua espera, Aaron — completou o Mestre Tanaka. — Você não faz ideia de por quanto tempo.

Aaron se tornava cada vez mais tenso, parecendo prestes a entrar em parafuso. "Deixem-no em paz", Call queria dizer. "Vocês não conseguem ver que ele está surtando?" Aaron estava certo. Todos olhavam para ele, tanto os outros alunos, que finalmente se reuniram, quanto seus mestres. Até mesmo Lemuel e Milagros desviaram os olhos de seus aprendizes por tempo suficiente para observar Aaron. Apenas Rockmaple não estava ali. Call presumiu que ele deveria ter voltado para o Magisterium para tomar conta de Drew.

Rufus pôs uma mão protetora sobre o ombro de Aaron.

— Haru — ele disse, e meneou a cabeça na direção do Mestre Tanaka. — E, Sarita, muito obrigado por suas palavras gentis.

Ele, porém, não parecia estar particularmente agradecido.

— Parabéns — disse o Mestre Tanaka — por ter um Makar como aprendiz... o sonho de qualquer mestre. — Ele soou bastante amargo e Call imaginou se ele estava com raiva de todo aquele processo de seleção realizado depois do Desafio. — O garoto deve vir conosco. Os mestres precisam conversar com ele...

— Não! — Tamara tapou a boca com uma das mãos assim que terminou de falar, como se estivesse surpresa com sua própria explosão. — Eu só quis dizer que...

— Foi um dia estressante para os estudantes, especialmente para Aaron — Rufus disse aos dois mestres.

— Esses aprendizes, a maioria deles do Ano de Ferro, acabaram de ser atacados por uma matilha de lobos Dominados pelo Caos. Será que o garoto não poderia voltar para sua própria cama?

A mulher que ele chamou de Sarita balançou a cabeça.

— Não podemos ter um mago do caos vagando pela escola sem qualquer conhecimento sobre seus poderes. — Ela realmente parecia pesarosa. — Toda a área foi minuciosamente inspecionada, Rufus. O que quer que tenha acontecido com essa matilha de lobos, foi uma anormalidade. Agora, o maior perigo para Aaron e para os outros alunos é o próprio Aaron.

Ela estendeu as mãos para o menino.

Aaron olhou para Rufus, esperando por sua permissão. O mestre assentiu, aparentando cansaço.

— Vá com eles. — E deu um passo para trás.

O Mestre Tanaka fez um gesto chamando Aaron, que caminhou atrás dele. Flanqueado por ambos os mestres, ele caminhou de volta ao Magisterium, parando apenas para olhar para Call e Tamara.

Call não pôde evitar o pensamento de que o amigo parecia pequeno.

CAPÍTULO DEZESSETE

Assim que Aaron desapareceu, os outros mestres começaram a dividir os aprendizes remanescentes em fileiras, com os alunos do Ano de Ferro no centro, ladeados pelos garotos mais velhos. Tamara e Call ficaram a certa distância de seus colegas, observando enquanto os outros se apressavam para voltar. Call imaginou se ela se sentia da mesma forma que ele — a ideia de algum dia encontrar o Makar que todos procuravam parecia algo distante, impossível, e então Aaron, o amigo deles, era o próprio. Call olhou na direção em que estavam os lobos antes de Aaron os mandar para o vazio, mas o único sinal da presença deles eram as pegadas de suas imensas patas na neve, pegadas essas que ainda brilhavam com uma luz pálida, discreta, como se cada uma delas fosse marcada a fogo e ainda mantivesse uma brasa bem lá no fundo.

Enquanto Call observava as pegadas, algo pequeno saiu em disparada por entre as árvores como uma sombra que mudava constantemente de forma. O menino apertou os olhos, tentando ver melhor, mas não houve mais movimentos. Ele deu de ombros, lembrando-se da *coisa* que esbarrara nele quando corria até Drew. Os eventos recentes fizeram com que ele ficasse atento à menor brisa. Talvez estivesse imaginando coisas.

A Mestra Milagros se separou do grupo de aprendizes, então organizados de um modo que parecia ter vagamente alguma ordem, e foi até Tamara e Call com uma expressão gentil no rosto.

— Precisamos voltar agora. É improvável que ainda haja mais Dominados pelo Caos por aí, mas não temos como ter certeza. É melhor nos apressarmos.

Tamara assentiu, parecendo mais dócil do que Call jamais a vira, e começou a se arrastar pela neve. Eles se juntaram aos outros aprendizes do Ano de Ferro no centro da formação e começaram a seguir a trilha de volta ao Magisterium. Os mestres assumiram postos ao redor do grupo, com seus orbes lançando raios de luz na aurora. Célia, Gwenda e Jasper andavam com Rafe e Kai. Jasper colocara seu casaco forrado de pele sobre Drew quando ele estava deitado no chão, um gesto de bondade muito pouco característico de sua parte, e o casaco que lhe restara fazia com que tremesse no ar congelante da manhã.

— Drew contou por que foi embora? — Célia perguntou a Call. — Você estava lá com ele antes de o Alex chegar. O que ele disse?

Call balançou a cabeça. Ele não tinha certeza se aquilo era um segredo.

— Pode contar — concluiu Célia. — Não vamos rir dele nem agir como babacas.

Gwenda lançou um olhar para Jasper e ergueu as sobrancelhas.

— A maioria de nós, pelo menos.

Jasper olhou de relance para Tamara, mas ela não falou nada.

Apesar de Jasper ser quase sempre um babaca, naquele momento Call se lembrou de que ele e Tamara eram bons amigos no dia do Desafio de Ferro e se sentiu mal por ele. O menino se recordou de quando vira Jasper na

Biblioteca, se esforçando até a exaustão para fazer com que uma chama queimasse, e a forma como ele rosnou para o pôr para fora. Call se perguntou se Jasper já pensara em fugir como Drew.

Ele se lembrou das palavras de Jasper: "Só os covardes deixam o Magisterium" e imediatamente deixou de se sentir mal.

— Ele falou que o Mestre Lemuel pega muito pesado com ele — Call explicou. — Que ele funciona bem sob estresse e por isso Lemuel passava o tempo tentando assustá-lo para que se saísse melhor.

— O Mestre Lemuel faz esse tipo de coisa com todos nós. Ele pula de trás das paredes gritando coisas e faz treinamentos no meio da noite — disse Rafe. — Ele não é mau. Ele está tentando nos preparar.

— Tudo bem. — Call se lembrou das unhas roídas e dos olhos assombrados de Drew. — Ele fugiu sem motivo algum. Quero dizer, quem não iria querer ter a chance de ser perseguido na neve por uma matilha de lobos Dominados pelo Caos?

— Talvez você não saiba quão ruim isso era, Rafe. — disse Tamara, parecendo preocupada. — Uma vez que o Mestre Lemuel não faz essas coisas com você.

— Drew está *mentindo* — Rafe insistiu.

— Ele disse que o Mestre Lemuel não o deixava comer — Call lhes contou. — Ele parece mesmo mais magro.

— O quê? — indagou Rafe. — Isso não aconteceu. Você o via no Refeitório com a gente. E, de qualquer forma, o Drew nunca me falou nada disso. Ele teria me contado alguma coisa.

Call deu de ombros.

— Talvez ele não achasse que você fosse acreditar nele. Parece que ele devia estar mesmo certo.

— Eu não iria... Eu não... — Rafe olhou para os outros, mas eles desviaram o olhar, incomodados.

— O Mestre Lemuel não é legal — Gwenda observou. — Talvez o Drew tenha achado que não tinha opção além de fugir.

— Um mestre não deveria agir assim — disse Célia. — O Drew deveria ter contado tudo para o Mestre North. Ou para alguma outra pessoa.

— Talvez ele achasse que *essa* era a forma como os mestres deveriam agir — Call conjecturou. — Considerando que ninguém nunca nos explicou exatamente como eles *deveriam* agir.

Ninguém tinha nada a dizer diante daquela afirmação. Por algum tempo, eles caminharam em silêncio, as botas triturando a neve. De soslaio, Call continuou a observar a pequena sombra que os acompanhava, se esgueirando de uma árvore para a outra. Ele quase cutucou Tamara e apontou para a sombra, mas desistiu da ideia ao se dar conta de que ela não falara uma única palavra desde que os mestres levaram Aaron de volta para o Magisterium. Parecia perdida em seus próprios pensamentos.

O que seria aquilo? Não parecia grande o suficiente para ser algum tipo de ameaça. Talvez fosse um pequeno elemental como Warren que estivesse muito nervoso para se revelar. Talvez *fosse* Warren, muito assustado para pedir desculpas. Seja lá o que fosse aquilo, Call parecia não conseguir tirá-lo da cabeça. Ele diminuiu o ritmo até ficar para trás, distanciando-se do restante do grupo. Os outros estavam cansados e distraídos demais para que alguns momentos depois ele pudesse ir até as árvores sem que ninguém percebesse.

A floresta estava em silêncio, e a luz dourada do sol que nascia tornava a neve brilhante.

— Quem está aí? — Call perguntou baixinho.

Um focinho peludo espiou detrás de uma das árvores. Uma coisa felpuda e com orelhas pontudas brotou diante de Call, espiando o menino com seus olhos de Dominado pelo Caos.

Um filhote de lobo.

A criatura ganiu e se esgueirou para trás, saindo do campo de visão de Call. O coração do menino retumbava dentro do peito. Ele deu meio passo para a frente, contraindo o corpo quando sua bota rompeu um graveto com um estalo. O filhote de lobo não se afastou. Call pôde ver quando o animal se aproximou, aninhando-se atrás de uma árvore. A brisa da manhã despenteava seu pelo castanho-claro. Ele farejava o ar com um focinho preto e úmido.

Não parecia ameaçador. Parecia mais um cachorro. Um filhotinho, na verdade.

— Está tudo bem. — Call tentou fazer uma voz reconfortante. — Pode sair. Ninguém vai lhe fazer mal.

A cauda pequena e peluda do lobo começou a balançar. Aos tropeços, ele caminhou até Call sobre as folhas mortas e a neve. Suas pernas ainda não estavam firmes.

— Ei, lobinho — Call baixou o tom de voz. Ele sempre quisera desesperadamente ter um cachorro, mas o pai nunca permitiu que ele possuísse qualquer bicho de estimação. Incapaz de se controlar, Call estendeu uma das mãos e começou a acarinhar a cabeça do lobo, com os dedos afundando nos pelos de seu pescoço. O lobo começou a abanar a cauda mais depressa e a ganir.

— Call! — Alguém o chamou, Célia talvez. — O que você está fazendo? Aonde você foi?

Os braços de Call começaram a se mexer contra a sua vontade, como se o garoto fosse uma marionete movida por varas, pois eles pegaram o lobo e o esconderam debaixo do casaco. O filhote começou a se debater, lutando para se segurar, tentando cavar o tecido da camiseta de Call com as patinhas. Ele fechou o casaco e olhou para si mesmo. "Não dá para ver que há alguma coisa aqui", ele disse para si mesmo. Parecia apenas que ele estava com uma pança, como se tivesse exagerado no líquen.

— Call — Célia gritou de novo.

Call hesitou. Ele tinha certeza absoluta de que levar um animal Dominado pelo Caos para o Magisterium era uma infração que o faria ser expulso. Talvez até mesmo algo digno de interdição de magia. Aquele era um ato insano.

E então o filhote de lobo subiu por dentro do casaco e lambeu a ponta do queixo de Call. Ele se lembrou dos lobos que desapareceram na escuridão conjurada por Aaron. Será que algum deles era a mãe daquele filhote? Será que aquele lobo não tinha mais mãe... assim como Call?

Ele respirou fundo e passou o resto do caminho com o zíper do casaco fechado até o pescoço, mancando atrás dos outros.

— Onde você estava? — Tamara perguntou. Ela tinha saído do estado de atordoamento e naquele momento parecia irritada. — Estávamos começando a ficar preocupados.

— Meu pé ficou preso em uma raiz — disse Call.

— Da próxima vez, grite ou faça alguma coisa do tipo. — Tamara parecia muito cansada e distraída para analisar aquela história com mais cuidado.

Jasper olhou para Call com uma expressão estranha no rosto.

— Estávamos falando sobre o Aaron — informou Rafe. — Que é estranho que ele não soubesse que era capaz de usar a magia do caos. Eu nunca imaginei que ele fosse um Makar.

— Deve ser assustador — acrescentou Kai. — Usar o mesmo tipo de magia do Inimigo da Morte. Quero dizer, não tem como essa sensação ser boa, não é?

— É só *poder* — comentou Jasper, em tom de superioridade. — Não é a magia do caos que torna o Inimigo um monstro. O Inimigo ficou assim porque foi corrompido pelo Mestre Joseph e ficou completamente maluco.

— O que você quis dizer com "corrompido pelo Mestre Joseph"? Esse era o mestre dele? — Rafe perguntou, parecendo preocupado, como se talvez achasse que o fato de o Mestre Lemuel ser tão terrível também pudesse transformá-lo em um vilão.

— Ah, conte logo a história toda, Jasper — pediu Tamara, cansada.

— Tudo bem. — Jasper parecia grato por ela ter falado com ele. — Para aqueles de vocês que não sabem de nada, o que, a propósito, é bastante embaraçoso, o nome verdadeiro do Inimigo da Morte é Constantine Madden.

— Belo começo — disse Célia. — Nem todo mundo é um aluno com legado, Jasper.

Debaixo do casaco de Call, o lobo se contorceu. Call cruzou os braços sobre o peito e torceu para que ninguém percebesse que sua roupa se mexia.

— Você está bem? — Célia perguntou a ele. — Você parece um pouco...

— Eu estou *bem* — Call insistiu.

Jasper continuou:

— Constantine tinha um irmão gêmeo chamado Jericho, e, como todos os magos que se deram bem o suficiente no Desafio, eles foram para o Magisterium quando completaram doze anos. Naquela época, a escola era muito mais focada em experimentos. Joseph, o Mestre de Jericho, estava superinteressado em magia do caos, mas, para fazer alguns dos seus experimentos, ele precisava de um Makar para ter acesso ao vazio. Ele não podia fazer isso sozinho.

A voz de Jasper se tornou mais baixa e sombria:

— Imagina só como ele ficou feliz quando descobriu que Constantine era um Makar. Jericho não precisou de muito para ser convencido a ser o contrapeso do irmão, e os mestres também não precisaram de muito para serem convencidos a permitir que o Mestre Joseph trabalhasse com os dois irmãos fora do horário das aulas regulares. Ele era um especialista em magia do caos, apesar de não ser capaz de realizá-la, e Constantine tinha muito a aprender...

— Isso não soa bem. — Call tentava ignorar que, por baixo de seu casaco, o filhote de lobo mordia um de seus botões, o que lhe fazia cócegas terríveis.

— É, não soa mesmo. — Tamara entrou na conversa. — Jasper, não é uma história de fantasmas. Não precisa contar as coisas desse jeito.

— Não estou contando de nenhuma maneira diferente de como aconteceu. Constantine e o Mestre Joseph ficaram cada vez mais obcecados com o que poderiam fazer com o vazio. Eles pegaram pedaços do vazio e os colocaram dentro de animais, transformando-os em Dominados pelo Caos como aqueles lobos. De longe eles pareciam animais normais, mas eram mais agressivos e os cérebros deles estavam todos detonados. A presença do caos puro no cérebro enlouquece a criatura. O vazio é como o tudo e o nada ao mesmo tempo. Ninguém pode mantê-lo na cabeça por muito tempo sem enlouquecer. Se o vazio pode enlouquecer até mesmo uma pessoa, imagine o estrago que pode causar em seres como esquilos, por exemplo.

— Existem esquilos Dominados pelo Caos? — Rafe perguntou.

Jasper não respondeu. Ele estava em êxtase.

— Talvez seja por isso que Constantine fez o que fez. Talvez o vazio o tenha deixado maluco. Não sabemos ao certo. Tudo que sabemos é que ele tentou uma experiência que ninguém tentara antes. Era muito difícil. Destruiu seu contrapeso e quase o matou.

— Você se refere ao irmão dele? — disse Call, cuja voz saiu um pouco estranha no final da frase. Mas o lobo parou de morder e começou a lamber seu peito. O menino também tinha certeza de que estava coberto de baba.

— É. Ele morreu no chão da sala de experiências. Ele viu seu próprio fantasma...

— Cale a boca, Jasper. — Tamara tinha um dos braços ao redor de outra garota do Ano de Ferro cujos lábios tremiam.

— Bem, de qualquer forma, Jericho foi morto. E talvez vocês tenham achado que isso deteve Constantine, mas só o tornou pior. Ele ficou obcecado por encontrar uma maneira de trazer o irmão de volta, por usar a magia do caos para trazer os mortos de volta.

Célia assentiu.

— Necromancia. Isso é totalmente proibido.

— Ele não conseguiu fazer isso, mas foi bem-sucedido ao colocar a magia do caos nos seres humanos, o que criou o primeiro Dominado pelo Caos. Parecia arrancar a alma das pessoas, de forma que elas não sabiam mais quem eram. Elas lhe obedeciam sem questionar. Não era o que Constantine queria e talvez ele nem tivesse a intenção de fazer aquilo, mas nem isso fez com que parasse com suas experiências. Por fim, outro mestre descobriu o que Constantine fazia. Eles tentaram descobrir uma forma de tirar o poder dele, mas não sabiam que o Mestre Joseph ainda era leal a ele. O Mestre Joseph conseguiu tirá-lo do Magisterium. O professor explodiu uma das paredes do Magisterium e levou Constantine com ele. Várias pessoas disseram que a explosão quase matou os dois e que Constantine ficou terrivelmente assustado. Ele agora usa uma máscara de prata para esconder as cicatrizes. Os animais Dominados pelo Caos que ele criou também fugiram após a explosão, o que explica por que há tantos deles pela floresta ao redor da escola.

— Então você está dizendo que o Inimigo da Morte ficou desse jeito por causa do Magisterium? — disse Call.

— Não — Jasper o corrigiu. — Não foi isso o que eu...

Eles avistaram o Portão das Missões, o que distraiu Call com a promessa de que, quando conseguisse voltar para o seu quarto, seria um milhão de vezes mais fácil esconder o lobo. Pelo menos seria mais fácil escondê-lo de todas as pessoas que não eram seus colegas de quarto. Ele daria um pouco de água e comida para o lobo e então... e então pensaria no que fazer.

Os portões estavam abertos. Eles passaram pelas inscrições *O conhecimento e a ação são duas faces da mesma moeda* e entraram nas cavernas do Magisterium, onde uma lufada de ar quente atingiu Call bem no rosto, apresentando-lhe outro problema. Do lado de fora, estava um gelo. Ali dentro, enquanto eles seguiam para seus quartos, ele logo estaria morrendo de calor com aquele casaco fechado até o queixo.

— E então, o que Constantine queria? — perguntou Rafe.

— Como? — Jasper parecia distraído.

— Na sua história. Você disse que "não era isso o que ele queria". Os Dominados pelo Caos. Por que não?

— Porque ele queria trazer o irmão de volta. — Call não acreditava que Rafe podia ser tão lerdo. — E não uns... zumbis.

— Eles não são zumbis — Jasper explicou. — Os Dominados pelo Caos não comem pessoas. Eles só não têm memória nem personalidade. São... ocos.

Eles estavam próximo às salas do Ano de Ferro, e havia candeeiros cheios de pedras flamejantes espaçados pelos corredores. Graças ao pacote peludo que carregava na barriga, a temperatura do corpo de Call se elevou. Para completar, o lobo respirava com seu bafo quente no pescoço do menino. Na verdade, ele até achou que o bicho devia ter caído no sono.

— Como você sabe tanto sobre o Inimigo da Morte? — Rafe perguntou, com um fio de dureza na voz.

Call não ouviu a explicação de Jasper porque Tamara sussurrou no ouvido dele:

— Está tudo bem? Você está ficando meio roxo.

— Estou bem.

Ela o examinou por um momento.

— Tem alguma coisa enfiada debaixo do seu casaco?

— Meu cachecol — ele respondeu, esperando que ela não lembrasse que ele não estava usando um.

Ela franziu o cenho.

— E por que você está usando cachecol?

Call deu de ombros.

— Eu estava com frio.

— Call...

Eles já tinham chegado a seus aposentos. Respirando aliviado, Call encostou o bracelete na porta e deu passagem para Tamara. Ela ainda acenava para se despedir dos colegas quando o menino bateu a porta atrás deles e cambaleou até o seu quarto.

— Call! — Tamara o chamou. — Você não acha que a gente deveria... eu não sei, conversar? Sobre o Aaron?

— Mais tarde — Call arfou, se jogando na cama e fechando a porta com um chute. Ele caiu de costas no colchão bem na hora em que o lobo passou a cabeça pela gola do casaco e olhou ao redor.

Livre, o animal parecia loucamente empolgado e pulava pelo quarto, suas unhas fazendo barulho sobre o chão de pedra. Call rezou para Tamara não ouvir o lobo farejar o caminho até debaixo da cama de Call, ao redor do armário e por cima do pijama que Call jogara no chão quando foi acordado mais cedo.

— Você precisa de um banho — ele disse ao lobo. O filhote parou de rolar pelo chão, com as pernas no ar, balançando a cauda e com a língua pendurada em um dos cantos da boca. Quando o menino olhou para os olhos estranhos e mutantes da criatura, lembrou-se das palavras de Jasper:

"Eles não têm memórias nem personalidade. São... ocos."

Aquele lobo, porém, tinha muita personalidade. O que significava que Jasper não entendia tanto sobre os Dominados pelo Caos quanto pensava. Talvez os Dominados fossem daquele jeito quando o Inimigo os criou, talvez tivessem ficado ainda mais vazios ao longo de suas vidas, mas aquele filhote de lobo nasceu com o caos dentro de si. Ele crescera daquele jeito. Ele não era o que os magos pensavam.

As palavras do seu pai voltaram à mente de Call, fazendo com que ele sentisse um calafrio que nada tinha a ver com a baixa temperatura.

"Você não sabe o que você é."

Afastando aquele pensamento, Call subiu na cama, chutou as botas para longe e colocou a cabeça no travesseiro. O lobo pulou ao lado dele, cheirando a agulhas de pinheiro e terra recém-revirada. Por um momento, Call imaginou se o lobo iria mordê-lo. Porém, em vez disso, ele se aninhou ao lado dele, rodeando-o duas vezes antes de jogar o corpinho sobre sua barriga. Com o peso quente do lobo Dominado pelo Caos sobre si, Call caiu no sono imediatamente.

CAPÍTULO DEZOITO

Call sonhou que estava preso debaixo de um enorme e pesado travesseiro felpudo. Ele acordou tonto, balançando os braços, e quase jogou longe o lobo, que estava enroscado no peito dele e o encarava com seus olhos cor de fogo imensos e suplicantes.

A percepção chocante e completa do que fizera atingiu Call, e ele rolou tão depressa para sair de debaixo do lobo que escapuliu da cama e foi parar no chão. A dor do impacto dos joelhos na pedra gelada o fez acordar de imediato. Ele se viu de joelhos, encarando o filhote bem nos olhos. O bicho se arrastara até a beirada da cama e olhava para ele.

— Caim — fez o filhotinho.

— Shhh — Call chiou. Seu coração batia acelerado. O que ele tinha feito? Sério que ele tinha mesmo escondido um animal Dominado pelo Caos dentro do Magisterium? Ele também podia ter tirado toda a roupa, coberto o corpo de liquens e saído gritando pelas cavernas: ME EXPULSEM! INTERDITEM MINHA MAGIA! MANDEM-ME DE VOLTA PARA CASA!

— Ah, cara — Call murmurou. — Você está com fome, não é? Tudo bem. Vou pegar alguma coisa para você comer. Fica aí. Isso. Aí mesmo.

Ele se levantou e piscou ao ver o despertador na mesa de cabeceira. Onze da manhã e o alarme ainda não tinha tocado. Estranho. Ele abriu a porta do quarto sem fazer barulho e a primeira cena que viu foi Tamara, já de uniforme, tomando café na mesa da sala compartilhada. Sobre ela, havia comida de aparência deliciosamente normal: torrada e manteiga, salsichas, bacon, ovos mexidos e suco de laranja.

— O Aaron voltou? — Call quis saber, fechando a porta do quarto com cuidado atrás de si, e apoiou as costas na pedra em uma pose que ele esperava ter parecido despreocupada.

Tamara engoliu um grande pedaço de torrada e balançou a cabeça.

— Não. A Célia passou por aqui mais cedo e disse que as aulas de hoje foram canceladas. Não sei o que está acontecendo.

— Acho que é melhor eu trocar de roupa. — Call pegou uma salsicha da mesa.

Tamara o observou.

— Está tudo bem? Você anda muito estranho.

— Estou bem. — Call pegou outra salsicha. — Volto em um minuto.

Ele correu como uma flecha para o quarto, onde o filhotinho estava deitado sobre uma pilha de roupas, com as patas balançando no ar. Ele se levantou em um pulo assim que viu Call e correu para o menino. Call prendeu a respiração ao oferecer a salsicha. O lobo cheirou a comida, engolindo-a com uma única mordida. Ele deu a segunda salsicha, observando enquanto sentia uma pontada na boca do estômago. Essa sensação desapareceu tão depressa quanto surgiu. Lambendo os beiços, o lobo esperava, ansioso.

— Bem — disse Call —, não tenho mais nenhuma. Espere só um pouquinho que eu vou arrumar mais alguma coisa.

Vestir um uniforme limpo levaria apenas alguns segundos se não houvesse um lobo pulando pelo quarto. Revitalizado pelas salsichas, o filhote roubou a bota de Call e a puxou pelos cadarços para baixo da cama, onde ficou mastigando o couro. E então, assim que o menino conseguiu recuperar o calçado, ele pegou uma das pernas de sua calça e os dois começaram a brincar de cabo de guerra.

— *Pare* — Call implorou, puxando o tecido, mas isso só parecia satisfazer ainda mais o lobo. Ele começou a pular na frente de Call, louco para brincar.

— Já volto — Call prometeu. — Fique quietinho que depois eu levo você para dar uma voltinha escondido.

O lobo abaixou a cabeça e voltou a rolar de costas no chão. Call aproveitou para sair do quarto, fechando a porta atrás de si.

— Ah, bom — disse o Mestre Rufus, se virando em seu posto, na parede oposta da sala compartilhada, para encarar Call. — Você está pronto. Precisamos ir a uma reunião.

Call quase teve um ataque de nervos ao vê-lo. Tamara, que catava migalhas de torrada no uniforme, olhou para Call com uma expressão estranha.

— Mas eu nem tomei o café da manhã — Call protestou, olhando para a comida que restara. Se conseguisse pelo menos arrumar um jeito de afanar mais um punhado de salsichas, aquilo poderia ser o suficiente para controlar o lobo até que ele voltasse do que quer que fosse aquela reunião. Em sua escola antiga, eles costumavam ter que assistir a palestras de mais de uma hora sobre coisas ruins que podiam acontecer quando os alunos resolviam fazer as escolhas erradas, ou sobre *bullying*. Pelo menos uma vez eles falaram dos horrores representados pelos percevejos. Ele não achava que aquela reunião seria parecida com aquilo, mas esperava que pelo menos não fosse tão longa. Tinha quase certeza de que o lobo precisaria sair para passear muito em breve. Caso isso não ocorresse, Call achou melhor nem pensar no que poderia acontecer.

— Você já comeu duas salsichas — disse Tamara, complicando os planos de Call. — Não está com fome.

— É mesmo? — indagou o Mestre Rufus, seco. — Nesse caso, vamos, Callum. Alguns magos da Assembleia também estarão presentes. Não queremos nos atrasar. Tenho certeza de que vocês sabem qual será o tema dessa reunião.

Call estreitou os olhos.

— Onde está Aaron? — ele perguntou, mas o Mestre Rufus não respondeu. Ele simplesmente os conduziu pelo corredor, onde se juntaram a um grande fluxo de pessoas que inundava as cavernas. Call achou que jamais vira tanta gente nos corredores da escola. O Mestre Rufus foi atrás de um grupo de alunos mais velhos, que juntos com seus mestres rumavam para uma direção mais ao sul.

— Você sabe para onde estamos indo? — Call perguntou a Tamara.

A menina balançou a cabeça negativamente. Fazia semanas que Call não a via tão séria. Ele se lembrou de como Tamara agira na noite anterior, quando pegou em seus braços e tentou afastá-lo dos lobos Dominados pelo Caos. Ela arriscara sua própria vida pela dele. Call jamais tivera amigos como ela antes. Como ela *ou* como Aaron. Agora que os tinha, não sabia muito bem o que fazer com eles.

Eles se viram em um auditório circular com bancos de pedra que se elevavam de todos os lados ao redor de um palco circular. No canto mais distante, Call viu um grupo de homens e mulheres vestidos com um uniforme verde-oliva e supôs que deveriam ser os membros da Assembleia sobre os quais o Mestre Rufus falara. O professor os levou até um lugar mais à frente e finalmente eles viram Aaron.

Ele estava na primeira fila, sentado ao lado do Mestre North, mas longe o suficiente para que Call só conseguisse falar com ele se berrasse. Na verdade, ele só podia ver a nuca de Aaron, seu cabelo arrepiado loiro e macio. Ele parecia o mesmo de sempre.

Um dos Makaris. Um Makar. Aquele parecia um título agourento. Call se lembrou da forma como as sombras se enrolaram ao redor da matilha de lobos na noite anterior e como Aaron parecera horrorizado quando tudo terminou.

"O caos quer devorar."

Não parecia ser o tipo de poder possuído por uma pessoa como Aaron, de quem todo mundo gostava e que gostava de todo mundo. Aquilo deveria pertencer a alguém como Jasper. Era bem a cara dele dominar a escuridão e afugentar animais estranhos repletos de magia do caos.

O Mestre Rufus ficou de pé e subiu ao palco, indo até o centro e acomodando-se em um palanque.

— Alunos do Magisterium e membros da Assembleia. — Os olhos escuros do Mestre Rufus varreram o salão. Call sentiu seu olhar se demorar sobre ele e Tamara por um momento antes de continuar. — Todos vocês conhecem nossa história. Os Magisteriums existem desde a época de nosso fundador, Phillippus Paracelso. Essas instituições existem para ensinar jovens magos a controlar seus poderes e promover uma comunidade de aprendizado, magia e paz, assim como criar uma força que defenda nosso mundo.

— Todos vocês conhecem a história do Inimigo da Morte. Muitos de vocês perderam familiares na Grande

Batalha ou no Massacre Gelado. Todos vocês também conhecem o Tratado, o acordo entre a Assembleia e Constantine Madden, que assegura que, se não o atacarmos, nem ele nem suas forças nos atacarão.

— Muitos de vocês — o Mestre Rufus acrescentou, observando todo o auditório mais uma vez — também acreditam que o Tratado foi um erro.

Um burburinho começou a surgir na plateia. O olhar de Tamara voltou-se para o lugar onde os membros da Assembleia estavam sentados. A expressão no rosto dela era de ansiedade, e Call percebeu subitamente que dois dos membros da Assembleia vestidos de branco eram os pais da menina. Ele os vira no Desafio de Ferro. Eles estavam ali sentados com as colunas eretas e um olhar duro enquanto observavam o Mestre Rufus. Call podia *sentir* a desaprovação que escapava em ondas de ambos.

— O Tratado significa que devemos acreditar no Inimigo da Morte, crer que ele não vai nos atacar, que não utilizará esse hiato na batalha para aumentar suas forças. Porém, não podemos confiar no Inimigo.

Houve um burburinho entre os membros da Assembleia. A mãe de Tamara tinha uma das mãos no braço do marido. Ele tentava se levantar. Tamara congelou na cadeira.

O Mestre Rufus ergueu a voz.

— Não podemos confiar no Inimigo. Falo isso como alguém que conheceu Constantine Madden quando ele era aluno do Magisterium. Demos as costas para o aumento no número de ataques dos elementais. Um deles aconteceu ontem à noite, a apenas alguns metros dos portões do Magisterium. E também há os ataques às nossas linhas de abastecimento e abrigos. Viramos as costas não porque acreditamos na promessa de Constantine Madden, mas porque o Inimigo é um Makar, um dos poucos da nossa raça que nasceram para controlar a magia do vazio. No campo de batalha, seus Dominados pelo Caos derrotaram a única Makar de nossa geração. Sempre soubemos que, sem um Makar, ficamos vulneráveis ao Inimigo, e desde a morte de Verity Torres esperamos pelo nascimento de outro deles.

Um grande número de alunos se inclinou para a frente em seus assentos. Estava claro que, enquanto alguns deles ouviram o que tinha acontecido na noite anterior do lado de fora dos portões, ou sabiam do que se tratava porque testemunharam o ocorrido, a maior parte apenas começava a se dar conta do que Rufus estava prestes a contar. Call pôde ver um grupo de alunos do Ano de Ferro se virar na direção de Alex, um deles chegou até mesmo a puxar a manga de seu uniforme, em trejeitos com a boca: "Você sabe do que ele está falando?". Alex fez que não com a cabeça. Enquanto isso, os membros da Assembleia cochichavam entre si. O pai de Tamara voltara a se sentar, mas a expressão em seu rosto era turbulenta.

— Fico feliz em anunciar — continuou Rufus — que descobrimos a existência de um Makar aqui no Magisterium. Aaron Stewart, você poderia, por favor, se levantar?

Aaron ficou de pé. Ele vestia um uniforme preto, e a pele debaixo de seus olhos estava arroxeada de tanta exaustão. Call imaginou se ele havia dormido desde a noite anterior. Ele se lembrou do quão pequeno Aaron parecera enquanto era conduzido morro abaixo para retornar para o Magisterium. Ali, no auditório, ele parecia ainda menor, embora fosse um dos garotos mais altos do Ano de Ferro.

Ouviram-se vários suspiros e sussurros na plateia. Após olhar ao redor, nervoso, por um minuto, Aaron voltou a se sentar, mas o Mestre North balançou a cabeça e fez um gesto indicando que ele deveria permanecer de pé.

Tamara tinha as mãos fechadas em punhos no colo e olhava, preocupada, do Mestre Rufus para os seus pais, sem pronunciar uma única palavra. Seus lábios eram uma linha fina. Call nunca havia ficado tão feliz por não ser o centro das atenções. Era como se todas as pessoas estivessem devorando Aaron com os olhos. Apenas Tamara parecia distraída, provavelmente preocupada, já que sua família estava aparentemente prestes a subir no palco e espancar o Mestre Rufus com uma estalactite.

Um dos membros da Assembleia se levantou de um dos bancos mais altos e conduziu Aaron até o palco. Quando o menino viu Tamara e Call, abriu um sorrisinho e ergueu uma das sobrancelhas como quem dizia: "Isso é uma loucura."

Call sentiu os cantos de sua boca se erguerem em resposta.

O Mestre Rufus deixou o palco e foi se sentar ao lado do Mestre North no assento que Aaron acabara de desocupar. O Mestre North se inclinou e murmurou algo para Rufus, que assentiu. De todas as pessoas no salão, o Mestre North parecia ser o único que não estava surpreso com o discurso do colega.

— A Assembleia de Magos gostaria de reconhecer formalmente que Aaron Stewart possui afinidade com a magia do caos. Ele é o nosso Makar! — O membro da Assembleia sorriu, mas Call pôde ver que era um sorriso forçado. Provavelmente ele estava engolindo o que quer que quisesse dizer para o Mestre Rufus. Nenhum dos membros da Assembleia parecia ter gostado do discurso do professor. As palavras dele, entretanto, foram interrompidas por uma salva de palmas puxada por Tamara e Call, que bateram os pés no chão e assobiaram como se estivessem em um jogo de hóquei. Os aplausos prosseguiram até que o membro da Assembleia fez um gesto pedindo silêncio.

— Agora — ele prosseguiu —, espera-se que todos entendam a importância dos Makaris. Aaron possui uma responsabilidade com a comunidade mundial. Ele, sozinho, pode desfazer todo o estrago causado pelo autodenominado Inimigo da Morte, libertar a Terra da ameaça representada pelos animais Dominados pelo Caos e nos proteger das sombras. Ele precisa garantir que o Tratado continue a ser respeitado para que a paz prevaleça. — Após essas palavras, o membro da Assembleia se permitiu lançar um olhar sombrio para o Mestre Rufus.

Todos viram que Aaron engoliu em seco.

— Obrigado, senhor. Farei o meu melhor.

— Mas nenhum caminho difícil é trilhado sem companhia — disse o membro da Assembleia, olhando para a plateia. — Será responsabilidade de todos os seus colegas estudantes tomar conta de você, apoiá-lo, defendê-lo. Ser um Makar pode ser um fardo pesado, mas ele não terá de suportá-lo sozinho, não é? — Ao pronunciar as duas últimas palavras, o membro da Assembleia ergueu a voz.

A plateia aplaudiu novamente, desta vez sem precisar de nenhum incentivo, como se fizesse uma promessa. Call bateu palmas com toda a força.

O membro da Assembleia tirou de um dos bolsos de seu uniforme uma pedra escura e a segurou diante de Aaron.

— Temos guardado isto por mais de uma década, e para a minha grande honra devo entregá-la a você. Alunos, vocês reconhecerão esta pedra como uma gema de afinidade, que cada um de vocês receberá quando obter o domínio sobre um elemento. A sua, Aaron, é um ônix negro, pois representa o vazio.

Call se inclinou para olhar melhor, e seu coração começou a bater descontrolado. Porque ali, bem na palma da mão do membro da Assembleia, estava uma pedra idêntica àquela do bracelete que seu pai enviara ao Mestre Rufus. O que significava que a joia pertencera a um Makar. E, levando em consideração a idade do pai, aquele bracelete só poderia ter pertencido a dois Makaris: Verity Torres ou Constantine Madden.

Ele parou de aplaudir. Suas mãos caíram sobre o colo.

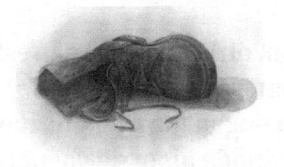

CAPÍTULO DEZENOVE

Após a cerimônia, Aaron foi rapidamente levado pelos membros da Assembleia. Rufus se levantou de novo para dizer que eles teriam o dia de folga. Todos pareciam ainda mais empolgados com essa notícia do que com o fato de Aaron ser um Makar. Os alunos se dispersaram quase que de imediato. A maioria deles seguiu para a Galeria, deixando Call e Tamara caminhando sozinhos até seus aposentos pelas cavernas tortuosas iluminadas por cristais resplandecentes.

Tamara falou, animada, durante a maior parte do caminho, claramente aliviada pelo fato de seus pais não demonstrarem seu desacordo com as ideias do Mestre Rufus, em um primeiro momento sem parecer se dar conta de que Call na maioria das vezes só respondia com grunhidos e sons evasivos. Era óbvio que ela acreditava que o fato de Aaron ser um Makar seria incrível para eles três. Ela dizia que não ligava para política, mas que eles deveriam pensar que receberiam um tratamento especial e todas as melhores missões. A menina estava prestes a dizer que um dia andaria sobre as brasas de um vulcão quando finalmente calou a boca e pôs as mãos na cintura.

— Por que você está sendo tão mala? — completou Tamara.

Call estava angustiado.

— Mala?

— Qualquer um diria que você não está feliz por Aaron. Você não está com ciúmes, está?

Ela estava tão enganada que por um minuto Call não foi capaz de fazer nada além de gaguejar.

— É, eu queria que todo mundo naquela sala ficasse me olhando de cima a baixo como se... se...

— Tamara? — Jasper esperava na porta dos aposentos deles, com uma aparência horrível.

A menina se empertigou. Call sempre ficava impressionado pela maneira como ela conseguia parecer ter um metro e oitenta quando, na verdade, era mais baixa que ele.

— O que você quer, Jasper?

Ela parecia frustrada por ter sido interrompida bem no meio de seu interrogatório com Call. Pela primeira vez na vida, Call achou que Jasper poderia significar uma coisa boa.

— Posso falar com você por um minuto? — ele pediu. Jasper parecia tão mal que Call realmente se sentiu mal por ele. — Tenho um monte de lições extras e... a sua ajuda poderia ser mesmo útil.

— E a minha? Não seria? — Call se lembrou daquela noite na Biblioteca.

Jasper ignorou Call.

— Por favor, Tamara. Sei que sou um babaca, mas quero voltar a ser seu amigo.

— Você não foi um babaca comigo — ela corrigiu. — Peça desculpas ao Call e prometo que vou pensar no assunto.

— Desculpe — ele disse, olhando para baixo.

— Tanto faz — respondeu Call. Aquilo não foi um pedido de desculpas de verdade. E Tamara nem mesmo sabia que Jasper berrou com ele na Biblioteca. Por tudo isso, ele não precisava aceitar aquelas desculpas. Entretanto, Call logo se deu conta de que, se Tamara fosse ajudar Jasper, isso lhe daria algum tempo para cuidar do lobo. Tempo do qual ele desesperadamente necessitava.

— Você precisa ajudar o Jasper. Ele precisa de muita, mas muita ajuda *mesmo*. — Seus olhos se fixaram nos do outro garoto.

Tamara suspirou.

— Tudo bem, Jasper. Mas você também precisa ser civilizado com os meus amigos e não apenas comigo. Não quero mais saber de comentários sarcásticos.

— Mas e ele? — Jasper resmungou. — Ele faz comentários sarcásticos o tempo todo.

O olhar de Tamara oscilava entre os dois. Ela soltou um suspiro.

— Que tal vocês dois pararem com esse tipo de coisa?

— Jamais! — disse Call.

Tamara revirou os olhos e seguiu Jasper pelo corredor, prometendo a Call que eles se veriam no jantar.

Isso fez com que Call pudesse ficar sozinho em seu quarto com o filhotinho Dominado pelo Caos, que rolava no chão. Ele pegou o lobo e o enfiou dentro do casaco, apesar de alguns ganidos de protesto, e seguiu rumo ao Portão das Missões o mais rápido que sua perna permitia sem causar dor. Ele temia que a porta que dava para o exterior da caverna estivesse trancada, porém ela se mostrou fácil de ser aberta por dentro. O portão de metal estava fechado, mas Call não necessitava ir tão longe. Torcendo para não ser visto, Call deixou que o lobo saísse de sua jaqueta. O filhote se esgueirou pelo corredor, olhando, nervoso, para a porta de metal e farejando o ar antes de finalmente fazer xixi em um amontoado de ervas daninhas congeladas.

Call deu ao lobo mais alguns minutos antes de colocá-lo novamente dentro do casaco.

— Vamos — ele disse ao filhote. — Temos de voltar antes que alguém nos veja. E antes que alguém jogue fora os restos do café da manhã.

Ele voltou para os corredores, curvando o corpo sempre que passava por outros aprendizes para evitar que eles notassem que algo se mexia dentro do seu casaco. Mal entrou no quarto, o lobo pulou para fora. E, então, ele se sentiu suficientemente à vontade para derrubar a lata de lixo e comer os restos do café da manhã de Tamara que estavam dentro dela.

Por fim, Call conseguiu encurralar o lobo até que ele entrasse em seu quarto. O menino lhe levou uma tigela com água, dois ovos crus e uma salsicha fria que fora deixada em cima da bancada da cozinha. Em seguida, eles brincaram de puxar um dos cobertores jogados sobre a cama.

Assim que Call conseguiu fazer o lobo soltar o cobertor só para pegá-lo novamente logo em seguida, o menino ouviu a porta da sala compartilhada se abrir. Ele parou, tentando descobrir se Tamara tinha se dado conta mais uma vez de que Jasper era um babaca e por isso tinha voltado mais cedo ou se era Aaron. Em meio ao silêncio, ele ouviu o som claro de algo sendo jogado contra uma das paredes. O lobo pulou da cama e se esgueirou para debaixo dela, ganindo baixinho.

Call foi até a porta do quarto. Ao abri-la, viu Aaron sentado no sofá, tirando uma das botas. A outra estava jogada no lado oposto da sala. Havia uma marca de sujeira na parede no local atingido pela sola.

— Hum, você está bem? — Call perguntou.

Aaron pareceu surpreso por vê-lo ali.

— Achei que nenhum de vocês estaria aqui.

Call pigarreou. Ele se sentia estranhamente desconfortável. Imaginou se Aaron ficaria ali com eles após ter descoberto que era um Makar ou se seria levado para algum buraco particular todo chique preparado especialmente para "o herói que salvará o mundo".

— Bem, a Tamara saiu com o Jasper. Não sei para onde eles foram. Acho que os dois voltaram a ser amigos.

— Que seja. — Aaron não parecia muito interessado. Aquele era o tipo de assunto sobre o qual ele normalmente gostaria de conversar. Havia outras coisas que Call também gostaria de contar para Aaron, como o lobo, o comportamento estranho dos pais de Tamara, a pedra negra que Aaron recebera e o que ela dizia sobre o bracelete que o pai enviara para Rufus. Entretanto, Call não sabia por onde começar. Ou até mesmo se deveria conversar com ele sobre aquelas coisas.

— Então — disse Call —, você deve estar muito empolgado com toda essa coisa de... magia do caos.

— Claro. Estou empolgadíssimo.

Call sabia muito bem reconhecer o sarcasmo quando o ouvia. Por um momento, não conseguiu acreditar que aquelas palavras tinham saído da boca de Aaron. Porém, lá estava ele, encarando a própria bota, cerrando os dentes. Estava definitivamente louco da vida.

— Quer que eu deixe você sozinho para jogar a outra bota na parede?

Aaron respirou fundo.

— Desculpe — ele disse, esfregando o rosto com uma das mãos. — Só não sei se quero ser um Makar.

Call ficou tão surpreso que por um momento não conseguiu pensar em nada que pudesse dizer.

— Por que não? — ele finalmente soltou. Aaron era perfeito para aquela função. Ele era exatamente o que as pessoas esperavam de um herói: simpático, corajoso, curtia fazer atos heroicos como correr na direção de uma matilha de lobos Dominados pelo Caos em vez de fugir como qualquer pessoa normal em sã consciência.

— Você não entende — retrucou Aaron. — Todo mundo age como se essa fosse uma excelente notícia, mas para mim não tem nada de bom. A última Makar morreu com quinze anos. Tudo bem, ela deteve a guerra e transformou o Tratado em uma realidade, mas, mesmo assim... ela morreu. E de uma forma horrível.

O que batia totalmente com o que o pai de Call sempre dissera sobre os magos.

— Você não vai morrer — Call garantiu com firmeza. — Verity Torres morreu em uma batalha, uma grande batalha. Você está no Magisterium. Os mestres não deixarão você morrer.

— Você não tem como garantir isso — emendou Aaron.

"Foi por isso que sua mãe morreu. Por causa da magia", a voz do pai de Call repetia dentro da cabeça do menino.

— Ok, tudo bem. Então você tem de fugir — Call sugeriu de súbito.

Aaron levantou imediatamente a cabeça. Aquelas palavras atraíram a sua atenção.

— Eu não vou fugir!

— Bem, você *poderia* — disse Call.

— Não, eu não poderia. — Os olhos verdes de Aaron se acenderam. Ele parecia bastante irritado. — Não tenho para onde ir.

— O que você quer dizer com isso? — Call perguntou, mas no fundo da sua mente ele sabia, ou tinha uma noção: Aaron jamais falara sobre sua família nem nunca falara sobre como era a vida em sua casa...

— Você não percebeu *nada*? — Aaron questionou. — Você não se perguntou por que meus pais não estavam no hangar no dia do Desafio? Porque eu não tenho pais. Minha mãe morreu, meu pai fugiu. Não faço ideia de onde ele está. Não o vejo desde que tinha dois anos de idade. Vim de uma família adotiva. Mais de uma, na verdade.

Eles enjoavam de cuidar de mim ou os cheques que o governo enviava não eram suficientes para os gastos e então eles me empurravam para a casa seguinte. Conheci uma garota que me falou sobre o Magisterium na minha última família adotiva. Ela era uma pessoa com quem eu podia conversar. Até que o irmão se formou aqui e a levou embora. Pelo menos você sempre teve o seu pai. Estar no Magisterium é a melhor coisa que já me aconteceu. Não quero ir embora.

— Sinto muito — Call murmurou. — Eu não sabia.

— Depois que ela me contou sobre o Magisterium, vir para cá se tornou o meu sonho. Minha única chance. Eu sabia que um dia teria de pagar ao Magisterium todas as coisas boas que a escola fez por mim — Aaron acrescentou em voz baixa. — Só não achava que seria tão cedo.

— Que jeito horrível de pensar — Call protestou. — Você não deve a sua vida a ninguém.

— Claro que devo — insistiu Aaron, e Call soube que jamais seria capaz de convencê-lo de que aquilo não era verdade. Ele se lembrou de Aaron sobre o palanque, enquanto todos o aplaudiam e lhe diziam que ele era a sua única esperança. Para alguém tão bom quanto Aaron, não haveria maneira de convencê-lo a jogar aquela responsabilidade para outra pessoa, nem se ele mesmo pudesse fazer isso. Aquilo o tornou um herói. Eles o tinham bem onde queriam.

Já que Call era seu amigo, independentemente de Aaron desejar ou não sua amizade, ele asseguraria que ele não faria nada idiota.

— E não sou só eu — Aaron completou, cansado. — Sou um mago do caos. Precisarei de um contrapeso. Um contrapeso *humano*. Quem se voluntariaria para uma coisa dessas?

— É uma honra ser o contrapeso de um Makar. — Pelo menos isso ele sabia, pois Tamara mencionara algo do tipo em seu blá-blá-blá repleto de empolgação.

— O último contrapeso humano morreu junto com o Makar no campo de batalha. E todos nós sabemos o que aconteceu antes disso. Como o Inimigo da Morte matou o próprio irmão. Não consigo imaginar que as pessoas façam fila para se candidatar.

— Eu me candidataria — disse Call.

Call subitamente parou de falar enquanto as mais variadas expressões passavam pelo seu rosto. De início ele pareceu incrédulo, como se suspeitasse que Call estivesse de brincadeira ou exatamente o contrário. Quando se deu conta de que o menino falava sério, ficou horrorizado.

— Você não pode fazer isso! — disse Aaron. — Será que não ouviu nada do que acabei de contar? Você pode *morrer*.

— Bem, então não me mate — sugeriu Call. — E se a nossa meta for não morrer? Nós dois. Juntos. Não morreremos.

Aaron ficou calado por um longo momento, e Call achou que ele pensava em uma maneira de lhe dizer que apreciava muito sua oferta, mas que já tinha alguém melhor em mente. Aquilo era uma honra, como Tamara havia comentado. Aaron não precisava escolher Call. Ele não tinha nada de especial.

Ele estava prestes a abrir a boca para falar tudo isso quando Aaron olhou para cima. Seus olhos assumiram um brilho suspeito e, por um segundo, Call pensou que talvez o amigo não houvesse sido sempre o cara popular que era bom em tudo. Talvez, com suas famílias adotivas provisórias, ele fosse solitário, raivoso e triste, igualzinho a ele.

— Tudo bem — disse Aaron. — Se você ainda quiser. Quando chegar a hora, é claro.

Antes que Call pudesse dizer qualquer outra coisa, a porta se escancarou e Tamara entrou na sala compartilhada. O rosto dela se iluminou ao ver Aaron. Ela correu até ele e lhe deu um abraço tão apertado que quase o derrubou no sofá.

— Você viu a cara do Mestre Rufus? — perguntou ela.

— Ele estava tão orgulhoso de você! E toda a Assembleia veio até aqui, até mesmo os meus pais. Todos eles estavam muito animados. Por causa de você! Aquilo foi *incrível.*

— Foi mesmo incrível — Aaron disse, finalmente começando a esboçar um sorriso sincero.

Ela bateu nele com um travesseiro:

— Não precisa ficar se achando.

Os olhos de Call encontraram os de Aaron por cima do travesseiro e eles sorriram um para o outro.

— Não existe a menor possibilidade de isso acontecer aqui — comentou Call.

Naquele momento, o lobo Dominado pelo Caos começou a latir no quarto de Call.

CAPÍTULO VINTE

Tamara deu um pulo e olhou ao redor como se esperasse que alguma coisa saltasse das sombras.

A expressão no rosto de Aaron se tornou cautelosa, mas ele permaneceu sentado.

— Call — disse ele —, esse barulho está vindo do seu quarto?

— Bem... será? — disse Call, tentando desesperadamente pensar em alguma explicação para o som. — É o meu... toque do celular.

Tamara franziu a testa.

— Telefones não funcionam aqui embaixo, Callum. E você já disse que não tem celular.

As sobrancelhas de Aaron se ergueram.

— Você tem um *cachorro* aqui dentro?

Alguma coisa caiu no chão e os latidos aumentaram, junto com o som de unhas arranhando o chão.

— O que está acontecendo? — Tamara quis saber, andando até a porta do quarto de Call e a escancarando. Ela então soltou um grito e se jogou contra a parede. Sem se dar conta da reação da menina, o lobo passou por ela e foi para a sala compartilhada.

— Por acaso aquilo é um... — Aaron se levantou, tocando inconscientemente o bracelete com a pedra negra do vazio. Call se lembrou da escuridão que se enroscara nos lobos na escuridão da noite, levando-os para o nada.

Ele correu o mais rápido que pôde para bloquear o filhote com seu próprio corpo, abrindo os braços diante da porta do quarto.

— Não consigo explicar — ele disse, desesperado. — Ele não é mau! É como se fosse um cachorro comum!

— Essa coisa é um *monstro*. — Tamara pegou uma das facas que estavam sobre a mesa. — Call, não ouse dizer que você trouxe isso para cá *de propósito*.

— Ele estava perdido... e gania sem parar lá naquele frio — explicou Call.

— Ótimo! — Tamara gritou. — Meu Deus, Call, você não pensa. Você nunca pensa! Essas coisas... Elas são cruéis. Elas matam pessoas!

— Ele não é cruel — disse Call, ficando de joelhos e pegando o filhote pelo cangote. — Calma, garoto — ele falou, com toda a firmeza que foi capaz de reunir, se inclinando para a frente a fim de encarar o lobo. — Eles são nossos amigos.

O filhote parou de uivar, olhando para Call com seus olhos de caleidoscópio, e então começou a lamber o rosto dele.

Ele se virou para Tamara.

— Viu? Ele não é nada cruel. Só está nervoso porque ficou esse tempo todo preso no meu quarto.

— Saia da minha frente. — Tamara começou a brandir a faca.

— Tamara, espere. — Aaron se aproximou. — É preciso admitir que foi estranho o lobo não ter atacado Call.

— Ele é só um bebê — defendeu Call. — E está assustado.

Tamara bufou.

Call pegou o lobo e o pôs no colo, ninando-o como se fosse uma criancinha. O filhote se contorceu.

— Vejam só esses olhões.

— Você pode ser expulso da escola se ficar com ele — Tamara lembrou. — *Todos nós* podemos ser expulsos.

— O Aaron não seria — corrigiu Call, e Aaron se encolheu.

— Call — ele aconselhou —, você não pode ficar com ele. Simplesmente *não pode*.

Call abraçou o lobo.

— Bem, eu vou ficar.

— Você não pode — insistiu Tamara. — Mesmo que o deixemos viver, teremos de soltá-lo do lado de fora do Magisterium. Ele não pode ficar aqui.

— E assim você vai matá-lo do mesmo jeito. Porque ele não sobreviveria lá fora. E eu não vou deixar que vocês façam isso. — Call engoliu em seco. — Então, se quiserem mesmo soltá-lo, é só me dizer. Vamos lá.

Aaron respirou fundo.

— E então, qual é o nome dele?

— Devastação — respondeu Call de imediato.

Tamara baixou devagar a mão que trazia a faca.

— Devastação?

Call sentiu que corava.

— É de uma peça de que o meu pai gostava. "Convoque a devastação. Solte os cães de guerra." E ele é definitivamente, tipo, um cão de guerra.

Devastação aproveitou a oportunidade para arrotar.

Tamara suspirou e algo em seu rosto se tornou mais suave. Ela ergueu uma das mãos, a que não segurava a faca, para acariciar os pelos do filhote.

— E então, o que ele come?

Aaron lembrou-se de que tinha um pouco de bacon no fundo da geladeira que poderia doar para Devastação.

E Tamara logo estava babando ao ver o lobo Dominado pelo Caos rolar no chão e ficar de barriga para cima para que ela o acarinhasse. Ela anunciou que eles deveriam encher os bolsos com qualquer coisa que lembrasse vagamente carne que fosse servida no Refeitório, incluindo os peixes cegos.

— Também precisamos conversar sobre o bracelete. — Ela jogou uma bola de papel para que Devastação fosse buscar. Em vez disso, ele levou o papel para debaixo da mesa e começou a rasgá-lo em pedaços pequenos com os seus dentinhos minúsculos. — Aquele que o pai de Call mandou para ele.

Call assentiu. Em todo o alvoroço sobre Aaron e Devastação, ele conseguiu empurrar de volta para o fundo de sua mente a percepção do que significaria aquela pedra de ônix.

— Não é possível que tenha pertencido a Verity Torres, é? — Call perguntou.

— Ela tinha quinze anos quando morreu. — Tamara disse, negando com a cabeça. — Mas ela deixou a escola um ano antes, de modo que seu bracelete deveria ser do Ano de Bronze e não do de Prata.

— Mas se não for dela... — Aaron engoliu em seco, incapaz de pronunciar aquelas palavras.

— Então só pode ser de Constantine Madden — completou Tamara com uma praticidade firme. — Isso faria todo o sentido.

Call sentiu ondas de calor e frio ao mesmo tempo. Era exatamente o que ele pensava, mas, quando Tamara compartilhou a ideia em voz alta, ele não queria mais acreditar naquilo.

— Por que o meu pai teria o bracelete do Inimigo da Morte? *Como* ele poderia ter uma coisa dessas?

— Quantos anos tem o seu pai?

— Trinta e cinco — Call disse, se perguntando o que essa informação teria a ver com a história.

— Basicamente a mesma de Constantine Madden. Eles podem ter frequentado a escola juntos. E o Inimigo pode ter deixado seu bracelete para trás quando fugiu do Magisterium. — Tamara se pôs de pé e começou a caminhar pela sala. — Ele rejeitou tudo o que era relacionado com a escola, por isso não deveria ter o menor interesse em conservar seu bracelete. Talvez o seu pai o tenha guardado, ou o tenha encontrado de alguma forma. Talvez eles até mesmo... se conhecessem.

— De jeito nenhum. Ele teria me contado uma coisa dessas — Call retrucou, embora soubesse muito bem que aquilo não era verdade. Alastair nunca falava sobre o Magisterium a não ser de forma vaga e apenas para descrever quão sinistro era aquele lugar.

— Rufus contou que *ele* conhecia o Inimigo. E aquele bracelete deveria ser uma mensagem para Rufus — lembrou Aaron. — Só pode significar alguma coisa para o seu pai e para Rufus. Faria mais sentido que ambos o tivessem conhecido.

— Mas qual teria sido a mensagem? — Call quis saber.

— Bem, tem a ver com você — respondeu Tamara. — "Interdite a magia dele." Certo?

— E assim eles me mandariam para casa! Para que eu me protegesse!

— Talvez — disse Tamara. — Ou então eles fariam isso para que as outras pessoas se protegessem *de você*.

O coração de Call começou a bater descompassado dentro do peito.

— Tamara, é melhor explicar o que você quis dizer com isso — sugeriu Aaron.

— Desculpe, Call. — E ela realmente aparentava sentir muito. — Mas o Inimigo inventou os Dominados pelo Caos aqui dentro, no Magisterium. E nunca ouvi falar de um animal Dominado pelo Caos ser amigável com qualquer outra pessoa que não fosse outro Dominado pelo Caos.

Aaron começou a protestar, mas Tamara ergueu uma das mãos, fazendo-o parar.

— Lembra do que a Célia disse naquela primeira noite no ônibus? Sobre os rumores de que haveria Dominados pelo Caos de olhos normais? E talvez, se a pessoa já tiver nascido Dominada pelo Caos, então ela pode não ser oca por dentro. Talvez essa criatura possa ser normal. Como o Devastação.

— Call não é um Dominado pelo Caos! — Aaron ergueu a voz. — Aquela coisa que a Célia disse, sobre criaturas Dominadas pelo Caos de aparência normal... não existe nenhuma prova de que isso seja verdade. Além disso, se Call fosse um Dominado pelo Caos, nós saberíamos. Ou ele teria alguma noção disso. Eu sou um Makar, então eu também deveria saber, não é? Ele não é nada disso. Simplesmente não é.

Devastação saltou sobre Call, parecendo perceber que havia alguma coisa errada. Ele ganiu levemente, com seus olhos rodopiantes.

As palavras de Alastair ecoaram na mente de Call.

"Call, você precisa me ouvir. Você não sabe o que você é."

— Tudo bem, então o que eu sou? — ele perguntou, inclinando-se sobre o lobo, passando o rosto sobre o pelo macio.

Call podia ver no rosto dos amigos que eles não sabiam.

↑≈△○@

As semanas se passaram e eles continuaram sem novas respostas, embora fosse mais fácil para Call deixar essas questões no fundo de sua mente para poder se concentrar nos estudos. Com Aaron treinando não apenas para ser um mago, mas também um Makar, o Mestre Rufus tinha de dividir seu tempo. Call e Tamara eram constantemente deixados sozinhos para pesquisar sobre magia nas bibliotecas, procurando histórias sobre a Segunda Guerra da Magia, vendo desenhos das batalhas e fotos das pessoas que participaram delas. Eles também perseguiam os diversos elementais que povoavam o Magisterium para praticar e finalmente aprenderam a pilotar os barcos pelas cavernas. Às vezes, quando o Mestre Rufus precisava levar Aaron para algum lugar ou para fazer alguma coisa que ocuparia todo o dia, Call e Tamara se juntavam a eles junto com outros mestres.

A excitação pelo fato de Aaron ser um Makar foi levemente eclipsada pela notícia de que o Mestre Lemuel seria obrigado a deixar o Magisterium. As acusações de Drew foram ouvidas pela Assembleia, e eles determinaram que os alunos não podiam mais confiar no mestre, apesar de ele desmentir as acusações com firmeza e de Rafe falar em sua defesa. Seus aprendizes foram divididos entre outros mestres. Drew ficou com a Mestra Milagros, Rafe com o Mestre Rockmaple e Laurel com o Mestre Tanaka.

Drew foi liberado da Enfermaria uma semana após as notícias sobre o Mestre Lemuel tomarem conta dos corredores. Durante o jantar, ele foi de mesa em mesa para se desculpar com todos os aprendizes. Ele pediu desculpas várias vezes para Aaron, Tamara e Call. E Call pensou em indagar o que Drew tentara lhe dizer no corredor naquela noite, mas o colega raramente estava sozinho e Call não sabia nem mesmo como formular aquela pergunta.

"Tem alguma coisa errada comigo?"

"Existe algo de perigoso em mim?"

"Como você poderia saber que não existe nada disso dentro de mim?"

Às vezes, Call queria desesperadamente escrever para o pai e perguntar sobre o bracelete. Entretanto, ele teria de confessar que escondeu de Rufus a carta que o pai enviara e, além disso, não teve mais notícias de Alastair. Ele só recebera outro pacote de balas de goma e um casaco de lã novo que chegaram no Natal, acompanhados de um cartão que dizia apenas *Com amor, Papai*. E só. Sentindo-se vazio, ele enfiou o cartão no fundo da gaveta junto com as outras cartas.

Felizmente, Call tinha algo que ocupava a maior parte do seu tempo: Devastação. Alimentar um lobo Dominado pelo Caos em fase de crescimento e mantê-lo escondido eram tarefas que requeriam uma dedicação inabalável e bastante ajuda da parte de Tamara e Aaron. Ele também tinha de ignorar os comentários de Jasper de que cheirava a cachorro-quente dia após dia quando colocava sorrateiramente comida do Refeitório em seus bolsos. Além disso, ainda tinha a questão de precisar escapulir pelo Portão das Missões para passeios regulares. Porém, à medida que o inverno se transformava em primavera, ficou claro para Call que Aaron e até mesmo Tamara começaram a pensar que Devastação também pertencia a eles, já que em várias ocasiões, ao voltar da Galeria, ele encontrou Tamara enrolada no sofá, lendo um livro com o lobo repousando sobre seus pés como se fosse um cobertor.

CAPÍTULO VINTE E UM

Finalmente o clima se tornou quente o suficiente para que eles começassem a ter aulas ao ar livre quase todos os dias. Em uma tarde de sol, Call e Tamara foram enviados para a floresta para participar da aula da Mestra Milagros enquanto Rufus levava Aaron para um treinamento especial.

Eles não se afastaram muito dos portões do Magisterium, porém as folhagens já haviam crescido o suficiente para bloquear a visão da maior parte das entradas da escola. O ar quente cheirava a alecrim, valeriana e beladona, que cresciam no terreno ao redor da escola, e logo uma pilha de jaquetas leves e casacos se formou no chão enquanto os aprendizes corriam ao sol brincando de agarrar bolas de fogo, usando o ar para controlar seu curso.

Call e Tamara se juntaram ao treinamento com entusiasmo. Era divertido se concentrar em erguer um orbe flamejante e então lançá-lo entre as mãos. Call se esforçou para manter a bola bem perto de suas palmas, tomando cuidado para que não as tocasse. Gwenda se queimara uma vez e agora ela era mais cautelosa, de forma que sua bola de fogo basicamente apenas flutuava, sem se mover. Apesar de Call e Tamara terem se juntado à turma posteriormente, os exercícios eram bastante semelhantes aos que o Mestre Rufus lhes passava — em especial os exercícios com a areia, que jamais sairiam de suas mentes —, de modo que eles conseguiram acompanhá-los com facilidade.

— Muito bem — disse a Mestra Milagros enquanto caminhava entre os alunos. Ela tirara os sapatos e abriu a parte de cima do uniforme escuro, revelando uma camiseta com estampa de arco-íris. — Agora, quero que criem *duas* bolas. Dividam o foco.

Call e Tamara assentiram. Eles conseguiam prestar atenção em mais de uma atividade sem nem pestanejar, mas alguns dos outros alunos tinham de se esforçar para realizar o exercício. Célia foi bem-sucedida, assim como Gwenda, mas um dos orbes de Jasper estourou, chamuscando seu cabelo.

Call prendeu o riso e recebeu um olhar sombrio.

Logo, porém, todos eles lançavam duas e depois três bolas no ar. Os orbes não chegavam a fazer grandes malabarismos, apenas algumas manobras em câmera lenta. Após alguns minutos, a Mestra Milagros fez com que eles parassem mais uma vez.

— Escolham um parceiro — ordenou ela. — O aprendiz que ficar sem dupla praticará comigo. Vamos jogar a bola para o nosso parceiro, que deverá pegá-la e a mandar de volta. Vocês deverão apagar quase todas as bolas, de modo que apenas uma permaneça acesa. Prontos?

Célia puxou uma das mangas do uniforme de Call, tímida, e perguntou:

— Quer praticar comigo?

Tamara soltou um suspiro e foi praticar com Gwenda, deixando Jasper com a Mestra Milagros, já que Drew reclamara de dor de garganta e ficara no quarto. Os orbes de fogo foram de um lado para o outro, queimando o ar preguiçoso da primavera.

— Você é mesmo bom nisso! — Célia elogiou, radiante, quando Call fez com que a bola desse uma volta no ar antes de parar sobre as mãos da menina. Célia era o tipo de pessoa amigável que elogiava os outros com facilidade, mas ainda assim era bom ouvir aquilo, até mesmo porque Tamara revirava os olhos nas costas da colega.

— Certo! — A Mestra Milagros bateu palmas para atrair a atenção de todos. Ela parecia um pouco insatisfeita. A manga de seu uniforme estava queimada onde Jasper havia lançado uma bola de fogo que passara perto demais do braço da professora. — Agora que todos vocês aprenderam a usar o fogo e o ar juntos, vamos acrescentar algo um pouco mais difícil. Sigam-me.

A Mestra Milagros fez com que eles descessem o monte até um rio que borbulhava sobre algumas pedras. Quatro troncos de carvalho grossos flutuavam na superfície, sem sair do lugar, claramente presos por algum tipo de magia, pois a correnteza seguia ao redor deles. Ela apontou para os troncos.

— Vocês irão subir em um desses. Quero que usem a água e a terra para se equilibrar enquanto pelo menos três orbes de fogo devem ser mantidos no ar.

Houve um murmúrio de protestos, e a Mestra Milagros sorriu.

— Tenho certeza de que vocês conseguirão completar a tarefa. — Ela fez um gesto indicando que os alunos seguissem até os troncos. Enquanto Call caminhava, ela colocou um dos braços ao redor de seus ombros. — Call, sinto muito, mas acho que é melhor que você fique aqui. Com a sua perna, acho que esse exercício não é seguro — ela disse em voz baixa. — Pensei em uma versão que se adapta melhor a você. Vamos deixar que os outros comecem e então eu lhe explico.

Jasper passou por eles no caminho até o rio, olhou para Call por cima do próprio ombro e soltou um riso de desdém.

Call sentiu uma leve fúria borbulhar em seu estômago. De repente, ele estava de volta às aulas de Educação Física do sexto ano, quando ficava sentado nas arquibancadas enquanto todo mundo escalava cordas, driblava bolas de basquete ou fazia abdominais sobre colchonetes.

— Eu consigo — ele disse para a professora.

A Mestra Milagros foi até a margem do rio, com os pés descalços afundando na lama. Ela sorriu.

— Eu sei, Call, mas esse exercício já será difícil para todos os aprendizes e se mostraria ainda mais complicado para você. Acho que você ainda não está preparado para isso.

Assim, Call observou os outros alunos caminharem com dificuldade ou levitarem, desajeitados, até os troncos, oscilando quando a Mestra Milagros retirou a magia que os mantinha parados. Ele pôde ver a tensão no rosto deles enquanto tentavam mover os troncos contra a corrente, permanecer de pé e fazer com que uma bola de fogo flutuasse. Célia caiu quase que imediatamente, mergulhando no rio, ensopando o uniforme — e mesmo assim não parava de rir. Era um dia quente, e Call apostava que a sensação de cair na água deveria ser muito boa.

Jasper surpreendentemente parecia se dar bem no exercício. Ele conseguiu controlar o tronco e ficar de pé enquanto conjurava a primeira bola de fogo. Ele lançou a bola para o ar, sorrindo com desdém para Call, fazendo com que o menino se lembrasse do que ele um dia lhe dissera no Refeitório:

"Se você aprender a levitar, talvez pare de atrasar seus companheiros de equipe ao mancar atrás deles."

Call era um mago melhor que Jasper, e ele sabia disso. E não conseguia suportar o fato de Jasper pensar o contrário.

Dando uma risadinha, Célia voltou para o tronco, porém seus pés estavam molhados e ela escorregou mais uma vez quase que de imediato. Ela desapareceu debaixo d'água e Call, tomado por um impulso que não conseguiu controlar, correu até o rio e pulou sobre o tronco abandonado. Afinal, ele já andara de skate, ainda que mal, ele tinha de admitir. De qualquer forma, já fizera algo parecido com aquilo e sabia que era capaz.

— Call! — gritou a Mestra Milagros, mas ele já estava no meio do rio. Era muito mais difícil do que parecia visto da margem. O tronco rolava sob os seus pés e ele precisou erguer as mãos, cercando-se de magia da terra para manter o equilíbrio.

Célia emergiu diante dele, jogando o cabelo molhado para trás. Ao ver Call, ela arfou. O tronco rolou para a frente, a menina mergulhou novamente com um gritinho agudo e nadou até a margem. A perna fraca de Call rolou e falhou. Ele caiu para a frente e foi parar na água.

A água do rio era negra, gelada e mais profunda do que ele imaginara. Call se contorceu, tentando nadar até a superfície, mas um de seus pés estava preso entre duas pedras. Ele chutou desesperadamente, porém a perna fraca não era forte o suficiente para libertar a outra perna. A dor atingiu um dos lados de seu corpo enquanto tentava se soltar e ele gritou, ainda que nenhum som saísse de sua boca, já que ele estava debaixo d'água e bolhas escapavam de seus lábios.

De repente, uma mão envolveu seu braço direito, puxando-o para cima. Ele sentiu mais dor quando o pé se soltou do leito do rio e logo arfava fora d'água. A pessoa que o agarrara chapinhava pelo rio, e Call pôde ouvir os outros aprendizes gritarem enquanto ele era jogado na margem, tossindo e cuspindo água.

Ele olhou para cima e viu olhos castanhos irritados e um cabelo preto que pingava.

— Jasper? — Call não conseguia acreditar naquilo. Ele tossiu de novo, ficando com a boca cheia d'água. Estava prestes a se virar de lado para cuspir quando Tamara surgiu de repente, se ajoelhando ao lado dele.

— Call? Call, você está bem?

Ele engoliu a água, torcendo para que não houvesse girinos nela.

— Estou bem — ele coaxou.

— Por que você resolveu se mostrar daquele jeito? — perguntou Tamara, com raiva. — Por que os meninos são tão idiotas? E olha que a Mestra Milagros avisou que você não deveria participar desse exercício! Se não fosse pelo Jasper...

— Ele teria virado comida de peixe — completou Jasper, torcendo uma das pontas do uniforme.

— Bem, eu não iria tão longe — disse Mestra Milagros —, mas, Call, isso foi mesmo bem idiota.

Call olhou para si mesmo. Uma das pernas da calça se rasgara, ele perdera os sapatos e sangue escorria de um dos tornozelos. Pelo menos ele tinha machucado a perna boa, Call pensou, de forma que ninguém poderia ver o quanto a outra era retorcida.

— Eu sei — ele concordou.

A Mestra Milagros soltou um suspiro.

— Você consegue se levantar?

Call tentou se pôr de pé, e no mesmo momento Tamara estava ao seu lado oferecendo um dos braços para que ele se apoiasse. Ele aceitou a ajuda da menina sem pensar duas vezes e uivou quando a dor atravessou seu corpo. Ele deixou a perna direita cair como se alguém tivesse enfiado uma faca em seu tornozelo. Era uma dor quente, pungente.

A Mestra Milagros se abaixou e tocou o tornozelo de Call com os dedos frios.

— Não quebrou, mas foi uma torção feia — a professora atestou após um momento. Ela suspirou novamente.
— Turma, por hoje é só. Call, vamos levar você para a Enfermaria.

↑≈△◯@

A Enfermaria era uma sala ampla, de teto alto, onde não havia uma única estalagmite ou estalactite, ou nada que borbulhasse, pingasse ou soltasse fumaça. Em vez disso, havia várias camas enfileiradas, cobertas por lençóis brancos, organizadas como se os mestres esperassem que uma grande quantidade de alunos machucados pudesse ser levada para lá a qualquer minuto. Naquele momento, não havia nenhum outro paciente ali além de Call.

A maga responsável era uma mulher alta e ruiva que trazia uma cobra sobre os ombros. A padronagem da pele do animal mudava à medida que ele se mexia, indo de pintas de leopardo para as listras de um tigre e em seguida para bolinhas cor-de-rosa vacilantes.

— Coloque-o ali — ordenou a mulher, apontando solenemente para uma das camas enquanto alguns aprendizes carregavam Call na maca feita de galhos criada pela Mestra Milagros. Se a perna de Call não doesse tanto, teria sido interessante ver como ela utilizara a magia da terra para quebrar os galhos e prendê-los com raízes longas e flexíveis.

A Mestra Milagros os supervisionou quando depositaram Call na cama.

— Obrigada, alunos — ela agradeceu enquanto Tamara andava de um lado para o outro, ansiosa. — Agora vamos deixar que a Mestra Amaranth faça o seu trabalho.

Call se ergueu sobre os cotovelos, ignorando a dor aguda na perna.

— Tamara...

— O quê? — Ela se virou com os olhos escuros arregalados. Todos olhavam para eles. Call tentou se comunicar com ela pelo olhar. "Tome conta do Devastação. Assegure-se de que ele tenha comida suficiente."

— Ele está ficando vesgo — Tamara comunicou à Mestra Amaranth, preocupada. — Deve ser a dor. Você pode fazer alguma coisa?

— Não com todos vocês aqui. Xô! Xô! — Amaranth sacudiu uma das mãos e os aprendizes se apressaram para sair junto com a Mestra Milagros. Tamara parou na porta para lançar outro olhar preocupado para Call.

Call caiu na cama com um baque. Sua mente estava fixa em Devastação enquanto a Mestra Amaranth cortava seu uniforme, exibindo manchas roxas que cobriam boa parte de sua perna. Da perna *boa*. Por um momento, o pânico cresceu no peito do menino, fazendo com que ele tivesse a impressão de que iria engasgar. E se ele não pudesse mais andar?

A mestra deve ter visto o medo na expressão do paciente, pois sorriu e tirou um rolo de musgo de um pote de vidro.

— Você vai ficar bem, Callum Hunt. Já cuidei de machucados piores que este.

— Então não está tão ruim quanto parece? — arriscou Call.

— Ah, não. Está mesmo ruim. Mas eu sou muito, muito boa no que faço.

De alguma forma confortado com aquelas palavras e decidindo que seria melhor não fazer mais perguntas, Call deixou que ela cobrisse sua perna com um musgo de um verde intenso e então envolvesse tudo com lama. Por fim, ela fez com que o menino bebesse um líquido leitoso que fez com que grande parte da dor desaparecesse e com que ele tivesse a leve sensação de que flutuava junto ao teto da caverna, como se o sopro da serpe houvesse finalmente o atingido.

Sentindo-se muito idiota, ele caiu no sono.

↑≋△○@

— *Call* — uma menina sussurrou muito próximo à orelha dele, fazendo com que seu cabelo se movesse e ele sentisse cócegas no pescoço. — Call, acorde.

E então ele ouviu outra voz. Um garoto, desta vez.

— Talvez devêssemos voltar. Digo, não dizem que dormir ajuda na cura?

— É, só que não vai ajudar *a gente*. — A primeira voz se elevou e parecia ainda mais mal-humorada. Tamara. Call abriu os olhos.

Tamara e Aaron estavam na Enfermaria. Ela estava sentada ao lado dele na cama e balançava gentilmente o seu ombro. Aaron segurava Devastação, que não parava de babar, arfar e balançar a cauda. Ele tinha uma coleira improvisada, feita de corda, ao redor do pescoço.

— Eu ia levá-lo para passear — explicou Aaron —, mas, já que não tinha mais ninguém além de você na Enfermaria, pensamos em trazê-lo aqui primeiro para uma visita.

— Trouxemos também o jantar lá do Refeitório. — Tamara apontou para um prato coberto por um guardanapo na mesa de cabeceira. — Como você está?

Call experimentou mexer a perna dentro do gesso feito de lama. Não doía mais.

— Estou me sentindo um imbecil.

— Não foi sua culpa — Aaron comentou, ao mesmo tempo em que Tamara disse:

— Bem, você deveria se sentir assim mesmo.

Eles olharam um para o outro, depois se voltaram para Call.

— Desculpe, Call, mas não foi uma das suas *melhores* ideias — Tamara completou. — E você roubou o tronco da Célia. Não que ela deixasse de gostaaaaar de você por causa disso.

— Como assim? Ela não gosta de mim desse jeito — Call protestou, horrorizado.

— Gosta, sim — Tamara abriu um grande sorriso. — Você podia ter batido na cabeça dela com o tronco que ela continuaria toda "ah, Call, como você é bom nessa coisa de magia".

Call olhou para Aaron, cuja expressão no rosto informava que ele concordava com Tamara e achava toda aquela história hilária.

— De qualquer forma — continuou Tamara —, a gente só não queria que você fosse esmagado por um tronco. Precisamos de você.

— Tamara está certa — Aaron concordou. — Você é o meu contrapeso, lembra?

— Só porque ele se voluntariou primeiro — retrucou Tamara. — Você devia ter feito algum tipo de teste.

Call ficou preocupado com o fato de Tamara ter ficado com ciúmes por achar que Aaron escolheu o amigo como seu contrapeso, porém, mais do que qualquer outra coisa, ela parecia achar que, por mais que gostasse de Call, Aaron provavelmente deveria ter pensado mais alto.

— Aposto que Alex Strike também estaria disponível. E ele é um gatinho.

— Não importa. — Aaron revirou os olhos. — Eu não queria Alex. Eu queria Call.

— Eu sei. Ele vai se dar muito bem nessa função — Tamara acrescentou, de forma inesperada, e Call lhe lançou um sorriso grato. Mesmo de cama, com a perna coberta de lama, era bom ter amigos.

— E eu aqui preocupado achando que vocês poderiam se esquecer do Devastação — disse Call.

— De maneira alguma! — disse Aaron, animado. — Ele comeu as botas da Tamara.

— Minhas botas preferidas. — Tamara deu um tapinha em Devastação, que fugiu, indo mais que depressa em direção à porta, olhando, triste, para a cama de Call. Um ganido baixinho surgiu na garganta do lobo.

— Acho que agora ele quer passear — disse Call.

— Vou levá-lo. — Aaron correu até a porta e pegou a corda amarrada no pescoço do filhote. — Não tem ninguém nos corredores agora porque é hora do jantar. Já volto.

— Se você for pego, vou fingir que não te conheço! — Tamara gritou, bem-humorada, antes de fechar a porta atrás dele. Ela pegou o prato na mesa de cabeceira e tirou o guardanapo. — Líquen delicioso — ela disse, equilibrando o prato na barriga de Call. — Do seu tipo preferido.

Call pegou uma lasca de vegetal seco e a mordeu, pensativo.

— Fico imaginando se, quando voltarmos para casa, não estaremos tão acostumados com líquen que não iremos mais querer pizza nem sorvete. Vou acabar indo para a floresta comer musgo.

— Todo mundo na sua cidade vai achar que você é maluco.

— Todo mundo na minha cidade já acha que eu sou maluco.

Tamara jogou uma das tranças para trás e acariciou a ponta enquanto pensava.

— Você vai ficar bem quando for para casa no verão?

Call ergueu os olhos de seu líquen.

— O que você quer dizer?

— O seu pai — ela disse —, ele odeia tanto o Magisterium, mas você... você gosta daqui. Pelo menos eu acho que você gosta. E você vai voltar no ano que vem. Não é exatamente isso o que ele não queria?

Call não respondeu.

— Você vai voltar no ano que vem, não vai? — Ela se inclinou para a frente, preocupada. — Call?

— Quero voltar — ele desabafou. — Eu quero, mas tenho medo de que o meu pai não deixe. Talvez haja um motivo para que ele faça isso, mas não quero saber o que é. Caso haja alguma coisa errada comigo, quero que Alastair guarde essa informação para si mesmo.

— Não há nada de errado a não ser o fato de a sua perna estar quebrada. — Tamara parecia ansiosa.

— E de eu adorar aparecer. — Call tentou tornar o clima mais leve.

Tamara jogou um pedaço de líquen para ele enquanto conversavam um pouco sobre como todos tinham reagido ao novo status de celebridade de Aaron, inclusive ele mesmo. Tamara estava preocupada, embora Call assegurasse que o amigo era capaz de lidar com aquilo.

Tamara então começou a contar que seus pais estavam empolgados por ela estar no mesmo grupo que o Makar, o que era bom, porque ela queria que os dois se orgulhassem dela, e mau também, porque isso significava que eles estavam ainda mais preocupados que o usual com o fato de ela se comportar de maneira exemplar o tempo todo. E a ideia deles de exemplar nem sempre era mesma que a da filha.

— Agora que temos um Makar, o que isso significa para o Tratado? — Call perguntou, pensando no discurso de Rufus e na maneira como os membros da Assembleia reagiram durante a reunião.

— Nada até agora. Ninguém quer dar nenhum passo contra o Inimigo da Morte enquanto Aaron for tão jovem. Bem, quase ninguém. Só que, assim que o Inimigo souber dele, se é que já não sabe, quem pode saber o que ele vai fazer?

Após alguns minutos de conversa, Tamara olhou para o seu relógio.

— O Aaron está demorando — ela disse. — Se ele ficar fora por mais algum tempo, o horário do jantar estará terminado e ele vai ser pego quando estiver voltando pelos corredores. Talvez eu deva dar uma olhada no que está acontecendo.

— Certo — concordou Call. — Vou com você.

— Tem certeza de que é uma boa ideia? — Tamara ergueu uma das sobrancelhas e olhou para a perna dele. Parecia bem ruim, envolta em musgo e imobilizada por uma camada de lama. Call tentou mexer os dedos. Nada doía.

Ele se sentou na beirada da cama e balançou as pernas, criando várias rachaduras no gesso de musgo e lama.

— Não consigo mais ficar aqui sentado. Vou acabar ficando maluco. E a minha perna está coçando. Quero tomar um ar.

— Tudo bem. Só que a gente vai ter de ir devagar. E, se você sentir qualquer dor, vai ter de voltar na mesma hora para descansar.

Call assentiu. Ele se levantou, apoiando-se na cabeceira da cama. Assim que o menino ficou de pé, o gesso se quebrou por completo na metade e caiu no chão, deixando sua panturrilha exposta debaixo da calça rasgada.

— Você está com uma aparência ótima. — Tamara foi até a porta. Mais que depressa, Call calçou as meias e as botas, que foram jogadas debaixo da cama que ele ocupava. Ele pôs as duas metades das pernas da calça rasgada dentro da meia, de maneira que não ficassem balançando enquanto andava, e pegou Miri, prendendo-a no cinto. Então seguiu Tamara pelo corredor.

Os corredores estavam silenciosos, como se todos os alunos estivessem no Refeitório. Call e Tamara tentaram fazer o mínimo de barulho possível para chegar até o Portão das Missões. Call se sentia firme. Ambas as pernas doíam um pouco, apesar de ele se recusar a confessar isso para Tamara. Ele pensou que deveria estar com uma aparência bizarra, com a calça rasgada que se abria do joelho até o tornozelo e o cabelo todo bagunçado, mas felizmente não havia ninguém ali para vê-lo. Eles encontraram o Portão das Missões e se esgueiraram para a escuridão sem fazer barulho.

A noite estava quente e clara. A lua brilhava no céu, delineando as árvores e os caminhos ao redor do Magisterium.

— Aaron — Tamara começou a chamar baixinho. — Aaron, cadê você?

Call se virou, inspecionando a floresta. Havia algo de sinistro naquela mata, as sombras volumosas entre as árvores, os galhos que sacudiam com o vento.

— Devastação! — ele chamou.

Após um momento de silêncio, o filhote de lobo saiu correndo de trás das árvores. Os olhos brilhantes rodopiavam como fogos de artifício. Ele foi até Call e Tamara. A coleira improvisada estava pendurada no chão atrás dele. Call ouviu Tamara soltar um suspiro discreto.

— Onde está Aaron? — ela perguntou.

Devastação ganiu e pulou, dando patadas no ar. Ele corria ao redor deles com os pelos arrepiados e mexendo as orelhas freneticamente. O animalzinho gania e dançava diante de Call, esfregando o focinho gelado em uma das mãos do menino.

— Devastação... — Call enterrou os dedos na nuca do lobo, tentando fazer com que se acalmasse. — Você está bem, garoto?

Devastação ganiu novamente e dançou para longe, contorcendo-se para se livrar da mão de Call. O animal correu para a floresta, mas antes disso parou para olhar para eles por cima dos ombros.

— Ele quer que a gente o siga — concluiu Call.

— Você acha que o Aaron está machucado? — Tamara olhou ao redor, desesperada. — Será que ele foi atacado por algum elemental?

— Vamos — Call disse, olhando para o chão escuro, ignorando as pontadas nas pernas.

Depois de ter certeza de que os meninos o seguiam, Devastação correu como uma bala por entre as árvores como um borrão marrom à luz do luar.

O mais rápido que podiam, Tamara e Call o seguiram.

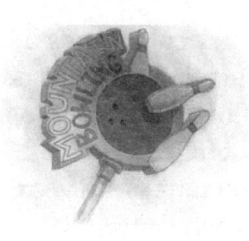

CAPÍTULO VINTE E DOIS

As pernas de Call doíam. Ele estava acostumado com a dor em uma delas, mas em ambas ao mesmo tempo era uma sensação nova. Ele não sabia como equilibrar seu peso e, apesar de ter pegado um galho para servir de apoio enquanto caminhava pela floresta e tê-lo usado quando teve a impressão de que iria cair, nada era capaz de fazer com que seus músculos parassem de queimar.

Devastação indicava o caminho, com Tamara bem na frente de Call, olhando para trás com frequência para ter certeza de que ele ainda estava atrás dela, e ocasionalmente diminuía o passo, impaciente. Call não tinha certeza do quão longe haviam ido — o tempo começou a se tornar confuso com o aumento da dor. Porém, quanto mais eles se afastavam do Magisterium, mais alarmado ele ficava.

Não que ele não confiasse em Devastação para os levar até Aaron. O que o preocupava era como Aaron chegara tão longe — e por quê. Será que alguma criatura enorme, como uma serpe, o ergueu com suas garras enquanto levantava voo? Ou Aaron teria se perdido na floresta?

Não, ele não podia ter se perdido. Devastação o conduziria de volta. Então, o que teria acontecido?

Eles subiram uma colina e as árvores começaram a se tornar mais finas às margens de uma estrada que serpenteava pela floresta. Do lado oposto, outro monte bloqueava o horizonte.

Devastação uivou uma única vez e começou a descer. Tamara se virou e correu até Call.

— Você precisa voltar. Você está machucado e não fazemos a menor ideia de quão longe Aaron foi. Você deve retornar ao Magisterium e contar ao Mestre Rufus o que aconteceu. Ele pode trazer os outros.

— Não vou voltar — disse Call. — Aaron é meu melhor amigo e eu não vou deixá-lo em perigo.

Tamara colocou uma das mãos na cintura.

— *Eu* sou a melhor amiga dele.

Call não sabia muito bem como funcionava essa coisa de ser melhor amigo.

— Tudo bem, então eu sou o melhor amigo dele que não é menina.

Tamara negou com a cabeça.

— O Devastação é o melhor amigo dele que não é menina.

— Bem, mesmo assim eu não vou embora. — Call empurrou o galho na lama. — Não vou abandonar o Aaron, nem você. Além disso, voltar só faz sentido para você, não para mim.

Tamara olhou para ele e suas sobrancelhas se arquearam.

— Por quê?

Call falou o que os dois provavelmente estavam pensando, mas não tinham coragem de pronunciar em voz alta.

— Porque vamos nos meter na maior confusão. A gente devia ter procurado o Mestre Rufus no instante em que o Devastação apareceu sem o Aaron...

— Não tivemos tempo — Tamara argumentou. — E a gente também teria de contar a ele sobre o Devastação...

— A gente *vai* ter de contar a ele sobre o Devastação. Não há outra maneira de explicar o que aconteceu. Vamos nos meter em encrenca, Tamara, isso é fato. Só depende do quanto estaremos encrencados. Por termos um animal Dominado pelo Caos, por não corrermos para os mestres no mesmo segundo em que soubemos que alguma coisa tinha acontecido com o Makar, por tudo. Tremenda encrenca. E, se tudo isso tiver que recair sobre alguém, que seja sobre mim.

Tamara ficou em silêncio. Call não conseguia decifrar a expressão no rosto dela em meio às sombras.

— Você é o único que tem pais que se importam com o fato de você estar no Magisterium e com quão bem você está indo em seus estudos — Call disse, se sentindo cansado. — Eu não. Foi você quem tirou nota alta no Desafio, não eu. É você quem sempre tenta seguir as regras, sem usar atalhos. Bem, isso está me ajudando. Você pertence a este lugar. Eu não. Ter o nome envolvido em uma encrenca é algo que faz diferença para você, mas não importa para mim. Eu não faço diferença.

— Isso não é verdade — retrucou Tamara.

— Qual parte não é? — Só então Call se deu conta de que havia praticamente feito um discurso e não sabia com qual das coisas que ele mencionara Tamara não concordava.

— Eu não sou essa pessoa. Talvez eu queira ser, mas não sou. Meus pais me criaram para fazer as coisas, não importa o que seja. Eles não se importam com as regras, apenas com as aparências. Todo esse tempo eu venho dizendo que vou ser diferente dos meus pais, diferente da minha irmã, que vou ser a mais correta das pessoas. Só que acho que fiz tudo errado, Call. Não me importo com as regras ou com as aparências. Não quero ser a pessoa que simplesmente faz as coisas. Quero fazer a coisa certa. Não me importo se para isso tiver que mentir, trapacear, usar atalhos ou quebrar regras.

Ele olhou para ela, deslumbrado.

— Sério?

— Sim.

— Isso é muito legal — elogiou Call.

Tamara começou a rir.

— O que foi?

— Nada. É só que você sempre me surpreende. — Ela puxou a manga da camiseta dele. — Vamos, então.

Eles desceram a colina depressa. Call quase tropeçou algumas vezes, mas se apoiou com toda a força no galho. Em uma dessas vezes, quase empalou a si mesmo. Quando alcançaram a estrada, encontraram Devastação esperando à beira do asfalto, arfando todas as vezes que um caminhão passava. Call se sentiu estranho ao ver aquela cena. Era esquisito estar novamente perto de automóveis depois de tanto tempo.

Tamara respirou fundo.

— Tudo bem, não tem ninguém por perto, então... vamos.

Ela atravessou a estrada como uma flecha, com Devastação em seu encalço. Call mordeu o lábio com toda a força e foi atrás deles, cada passo da corrida enviando ondas de dor que subiam pela sua perna e por um dos lados do corpo. Quando chegou ao outro lado da estrada, Call estava empapado de suor — não pela corrida, mas pela dor. Seus olhos ardiam.

— Call... — Tamara estendeu uma das mãos e a terra se moveu debaixo de seus pés. Um momento depois, um leve jato de água surgiu do chão, como se eles houvessem aberto um hidrante. Call molhou as mãos e lavou o rosto enquanto Tamara juntou as suas em concha e bebeu alguns goles. Foi bom ficar parado por um momento, até que suas pernas parassem de tremer.

 Call ofereceu um pouco de água para Devastação, mas o lobo andava para lá e para cá, com os olhos oscilando entre eles e o que parecia ser uma estrada de terra ao longe. Call secou o rosto com uma das mangas da camiseta e seguiu Devastação.

 Ele e Tamara caminharam em silêncio. Ela tinha diminuído o passo para andar ao lado dele — e também, ele pensou, provavelmente porque começava a ficar cansada. Call podia dizer que ela estava tão ansiosa quanto ele. Tamara mordia a ponta de uma das tranças, o que só fazia quando estava realmente em pânico.

 — Aaron ficará bem — Call lhe disse quando chegaram à estrada de terra e caminharam por ela. Sebes cresciam nos dois lados do caminho. — Ele é um Makar.

 — Verity Torres também era, e jamais encontraram a cabeça dela. — Tamara certamente não acreditava naquela coisa de pensamento positivo.

 Eles avançaram um pouco até que a estrada se tornou mais estreita. Call tentava disfarçar a respiração difícil. Uma dor quente atingia suas pernas a cada passo que dava. Era como se caminhasse sobre cacos de vidro. A única diferença é que o vidro parecia estar dentro dele, golpeando-o desde seus nervos até chegar à pele.

 — Odeio dizer isso — informou Tamara —, mas acho que não poderemos ficar no descampado dessa forma. Se houver algum elemental lá no topo, ele nos verá. Temos de nos esconder na floresta.

 O chão era mais instável dentro da mata. Tamara não mencionou isso, mas sabia que Call iria caminhar ainda mais devagar e que seria mais difícil para ele, que seria mais provável que ele tropeçasse e caísse, ainda mais no escuro. Ele respirou fundo e assentiu. Ela estava certa: ficar no descampado poderia ser perigoso. Não importava se seria mais difícil. Ele disse que não deixaria Tamara e Aaron, então ele tinha que cumprir sua promessa.

A cada passo doloroso, com as mãos apoiadas nos troncos das árvores, eles seguiram Devastação enquanto ele os conduzia por uma trilha paralela à estrada de terra. Por fim, Call viu um prédio a distância.

Era imenso e parecia abandonado, as janelas estavam cobertas por tábuas e o asfalto do estacionamento se espalhava diante da entrada. Um símbolo se elevava sobre as árvores próximas, mostrando um luminoso apagado em forma de uma grande bola de boliche com três pinos, que dizia: BOLICHE DA MONTANHA. Parecia que aquela placa não era acesa há anos.

— Você está vendo a mesma coisa que eu? — Call perguntou, imaginando se a dor não estava fazendo com que ele tivesse visões. Mas por que ele sonharia com uma coisa como aquela?

— Estou. Um velho boliche. Deve haver uma cidade não muito longe daqui. Mas como Aaron poderia estar nesse lugar? Não me diga que ele está "melhorando sua pontuação" ou "talvez ele faça parte da liga de boliche" nem nada do gênero. Precisamos de seriedade.

Call se apoiou no tronco de uma árvore de casca áspera e resistiu ao desejo de se sentar. Tinha medo de não conseguir se levantar novamente.

— Estou falando sério. Pode ser difícil ver nessa escuridão, mas a expressão no meu rosto é a mais séria que eu tenho. — Ele queria que aquelas palavras saíssem claras, mas sua voz soou tensa.

Eles se esgueiraram para mais perto. Call fez um esforço para ver se alguma luz escapava das portas ou por entre as tábuas das janelas. Eles foram até os fundos da construção. Ali ainda era mais escuro, pois o prédio bloqueava a iluminação dos postes da estrada distante. Havia algumas latas de lixo espalhadas, parecendo vazias e empoeiradas à luz da lua.

— Eu não sei... — Call começou, mas Devastação pulou, começou a golpear a parede com as patas e a ganir. O menino ergueu o pescoço e olhou para cima. Havia uma janela sobre as cabeças deles completamente coberta por tábuas, mas Call podia ver um traço de luz que escapava entre os tapumes.

— Aqui. — Tamara empurrou uma das latas de lixo, encostando-a na parede. Ela a escalou e se abaixou para ajudar Call a subir. Ele largou o galho e se elevou com dificuldade, usando apenas os braços para tomar impulso. As botas bateram no metal, fazendo um barulho que ecoou ao redor.

— Shhh — Tamara sussurrou. — Olhe.

Com toda a certeza uma luz escapava por entre as tábuas, que foram presas à parede com pregos imensos e bastante robustos. Tamara os observou, como quem suspeita de algo.

— Metal é a magia da terra — ela começou.

Call tirou Miri do cinto. A lâmina parecia zumbir em suas mãos enquanto ele colocava a ponta debaixo de um dos pregos e puxava. A madeira se partiu como papel e o prego retiniu na tampa da lata de lixo.

— Que ótimo — Tamara sussurrou.

Devastação subiu na lata de lixo enquanto Call retirava o resto dos pregos e jogava a madeira no chão ao lado deles, revelando os restos destroçados de uma janela. Não havia mais vidraças nem a armação de madeira. Do outro lado, ele pôde ver um corredor mal iluminado. Devastação passou pela brecha na janela e deu alguns passos até o corredor antes de se virar e olhar, ansioso, para Tamara e Call.

Call prendeu Miri novamente no cinto.

— Lá vamos nós. — Ele escalou a janela e caiu do outro lado. Foi uma queda leve, mas abalou suas pernas. Ele se contorcia quando Tamara se juntou a ele, aterrissando dentro do boliche sem fazer barulho, apesar de suas botas.

Eles olharam ao redor. Aquilo não se parecia nada com o interior de um boliche. Estavam em um corredor cujo chão e as paredes eram cobertos por madeira enegrecida, como se alguém tivesse incendiado o lugar. Call não conseguia explicar exatamente como, mas *sentia* a presença da magia. O ar do lugar parecia pesado.

O lobo disparou pelo corredor, farejando o ar. Call o seguiu. Seu coração batia descompassado de tanto pavor. O que quer que ele tivesse imaginado quando seguiu Devastação pelo Portão das Missões, jamais achou que iriam acabar em um lugar como aquele. O Mestre Rufus os mataria quando voltassem para a escola. Ele iria pendurá-los pelos dedos dos pés e obrigá-los a fazer exercícios com areia até que seus cérebros saíssem pelo nariz. Isso se eles conseguissem salvar Aaron do que quer que o prendia, porque, caso contrário, o Mestre Rufus faria algo muito pior.

Call e Tamara permaneceram em um silêncio mortal quando passaram por uma sala que tinha a porta entreaberta, e Call não conseguiu evitar uma olhadela. Por um momento, pensou estar olhando para manequins. Alguns deles estavam de pé com o corpo reto, enquanto outros estavam apoiados nas paredes, mas, então, ele se deu conta de duas coisas. Número um: os olhos deles estavam totalmente fechados, o que seria muito estranho para manequins. E dois: que os peitos de todos eles se mexiam como se respirassem.

Call se paralisou, apavorado. O que era aquilo que ele acabara de ver? Quem eram eles?

Tamara se virou e lhe lançou um olhar intrigado. Ele fez um gesto na direção da sala e viu a expressão de horror que tomou conta do rosto da menina quando ela seguiu o seu gesto. Ela cobriu a boca com uma das mãos. E então, devagar, afastou-se da porta, pé ante pé, fazendo um sinal para que Call a seguisse.

— Dominados pelo Caos — Tamara sussurrou para o amigo quando eles já estavam longe o suficiente para que ela parasse de tremer.

Call não tinha certeza quanto àquilo, pois não observara os olhos deles, mas decidiu que não queria ter tanta certeza assim para se dar ao trabalho de perguntar. Já estava tão apavorado que sentia que o menor movimento o faria pular. A última coisa de que precisava era de mais informações assustadoras.

Se os Dominados pelo Caos estivessem mesmo ali, isso significava que aquele lugar só podia ser um posto avançado do Inimigo. Todas as histórias que Call ouvira, que pareciam fazer referência a algo que acontecera havia tanto tempo, com as quais ele não se preocupara, naquele momento tomavam conta de sua mente.

O Inimigo pegara Aaron. Porque Aaron era um Makar. Eles foram idiotas por terem deixado o amigo sair do Magisterium sozinho. É claro que o Inimigo o encontraria e iria querer destruí-lo. Ele provavelmente iria matar Aaron, se é que já não o tinha feito. A boca de Call estava mais seca que uma folha de papel, e ele lutou para se concentrar no que havia ao seu redor, apesar do pânico.

O teto do corredor se tornava cada vez mais alto à medida que eles penetravam na construção. Junto às paredes, a madeira escurecida dava lugar a um painel mais regular, coberto por um estranho papel de parede com um padrão que imitava vinhas. Quando o examinou de perto, Call podia jurar que vira insetos se mexendo ali por dentro. Tremendo, ele tentou ignorar qualquer outra coisa além do esforço que fazia para caminhar em silêncio.

Eles passaram por diversos cômodos com as portas fechadas até que Devastação parou diante de um par de portas duplas, ganiu e se virou para trás, contemplando ansiosamente Tamara e Call.

— Shhh — Call falou baixinho para o lobo, que se aquietou, batendo com uma das patas no assoalho.

As portas eram imensas, feitas de madeira escura e sólida, chamuscada em diversos pontos, como se houvesse sido lambida pelo fogo. Tamara colocou uma das mãos na maçaneta, virou-a e deu uma olhada no que havia lá dentro. Em seguida, ela se virou lenta e cuidadosamente para Call, com os olhos arregalados. Ele se deu conta de que jamais a vira tão chocada, nem mesmo quando enfrentaram os Dominados pelo Caos.

— Aaron — Tamara sussurrou, porém ela não estava tão exultante quanto era de esperar. Na verdade, a menina não parecia nem um pouco feliz. Call tinha até mesmo a impressão de que ela estava prestes a vomitar.

Call a empurrou para olhar por uma rachadura na porta.

— Call — ela sibilou, em tom de advertência. — Não faça isso... Tem mais alguém aí.

Mas Call já tinha inclinado o corpo para a frente e seus olhos espiavam por uma das rachaduras.

A sala do outro lado era ampla, sustentada por vigas largas que se cruzavam no teto. Nas paredes havia uma série de jaulas vazias alinhadas e organizadas umas sobre as outras como se fossem caixotes em um depósito. Jaulas de ferro. As barras estreitas estavam manchadas por algo escuro.

De uma das vigas pendia Aaron. Seu uniforme fora rasgado e o rosto arranhado e coberto de sangue. Mesmo assim, ele parecia basicamente ileso. Ele pendia do teto de cabeça para baixo. Uma corrente pesada, presa a um grilhão, envolvia um de seus tornozelos e se conectava a uma polia parafusada no teto. Ele lutava já quase sem forças, fazendo com que as correntes balançassem de um lado para o outro.

Havia um garoto de pé ao lado de Aaron — um menino pequeno, magrelo e familiar — que olhava para cima com um sorriso repugnante nos lábios.

Call sentiu um nó no estômago. Era *Drew* quem olhava para Aaron preso por correntes e sorria. Um pedaço da corrente estava enrolado em um de seus pulsos. Ele o utilizava para baixar Aaron de forma que ele fosse mergulhado em um contêiner repleto de uma escuridão turva, que fazia um som semelhante a um rugido. Call observou aquela matéria escura e percebeu que ela parecia mudar de forma. Um olho cor de laranja, injetado e repleto de veias verdes pulsantes examinava a sala.

— Você sabe o que tem nesse contêiner, não é, Aaron? — disse Drew. Seu rosto se contraiu em um sorriso sádico. — É um amigo seu. Um elemental do caos. E ele quer sugar você até que não sobre mais nada.

CAPÍTULO VINTE E TRÊS

Tamara, que se abaixou ao lado de Call para espiar também, fez um som de choque.

— Drew — Aaron arfou, obviamente sentindo dor. Ele pegou o grilhão preso ao redor do tornozelo, então caiu para trás quando um elemental do caos ergueu um de seus tentáculos sombrios, que assumiu uma forma mais nítida ao se aproximar de Aaron, até que se tornou quase sólido ao se arrastar sobre sua pele. Ele tentou se afastar por reflexo e gritou em agonia. — Drew, me deixe sair...

— O quê? Você não consegue fazer isso sozinho, Makar? — Drew abriu um sorriso de deboche e puxou a corrente para que Aaron ficasse a apenas alguns centímetros do alcance do elemental do caos. — Achei que você fosse poderoso. Especial. Só que, na verdade, você não tem nada de especial, não é? Nadinha mesmo.

— Eu nunca disse isso — Aaron respondeu, com a voz embargada.

— Você sabe como foi fingir que eu era um fiasco na magia? Que eu era um imbecil? Ouvir o Mestre Lemuel lastimar por ter me escolhido? Eu era melhor que todos vocês, mas não podia demonstrar isso ou Lemuel adivinharia quem realmente me treinou. Tive de ouvir os mestres contarem sua versão idiota da história e fingir que concordava com aquilo, mesmo sabendo que, se não fosse pelos magos da Assembleia, o Inimigo nos daria meios de viver para sempre. Você sabe como foi descobrir que o Makar era um garoto estúpido, vindo sabe-se lá de onde, que jamais faria nada com o seu poder além daquilo que os magos lhe ordenassem?

— Então você vai me matar por causa de tudo isso? — indagou Aaron. — Porque eu sou um Makar?

Drew apenas soltou uma gargalhada. Call se virou para o outro lado e viu que Tamara tremia, com os dedos fechados em punhos.

— Temos de entrar — ele sussurrou para ela. — Precisamos fazer alguma coisa.

Ela se levantou. Seu bracelete brilhava na escuridão.

— As vigas. Caso consigamos escalá-las, podemos arrastar Aaron para fora do alcance daquela coisa.

O pânico tomou conta de Call, porque o plano era bom, mas, quando ele imaginou que teria de escalar e depois tentar equilibrar seu peso enquanto avançava sobre a madeira, teve certeza de que não conseguiria. Ele poderia escorregar. Poderia cair. Durante toda a dolorosa jornada pela floresta, com as pernas rígidas e doendo, ele disse a si mesmo que ajudaria a salvar Aaron. E então ele estava bem ali diante do amigo — que estava em perigo, que precisava ser salvo — e não teria nenhuma utilidade. A pressão causada pelo desespero era tão intensa que ele considerou a possibilidade de não falar nada, simplesmente subir na viga e torcer pelo melhor.

Mas a lembrança do medo no rosto de Célia quando ele emergiu do rio apenas para ver Call perder o controle do tronco e arremessá-lo na direção dela fez com que o menino se decidisse. Caso fosse tornar as coisas ainda piores ao fingir que era capaz de ajudar, ele estaria simplesmente colocando Aaron em um perigo ainda maior.

— Não consigo — Call confessou.

— O quê? — Tamara perguntou. Ela então olhou para a perna dele e ficou sem graça. — Ah, tudo bem. Fique aí com o Devastação. Já volto. De qualquer forma, deve mesmo ser melhor que apenas uma pessoa faça isso. Assim é mais difícil ser percebido.

Pelo menos durante algum tempo ele conseguiu passar a impressão de que era capaz de fazer algo como aquilo, Call imaginou. Pelo menos Tamara o considerava uma pessoa que conseguia fazer as coisas e ficou surpresa por ele não ser capaz de acompanhá-la. Era um consolo triste, se é que de fato aquilo realmente representava algo.

Então, de repente, ele se deu conta de algo que *podia* fazer.

— Vou distraí-lo.

— O quê? Não! — Tamara balançou a cabeça, enfática. — É muito perigoso. Ele tem um elemental do caos.

— Devastação estará comigo. Além disso, não há outra maneira de libertar Aaron. — Call encarou Tamara bem nos olhos e torceu para que ela percebesse que não voltaria atrás. — Confie em mim.

Tamara assentiu uma única vez. Em seguida, lançou-lhe um sorriso rápido e escapuliu porta adentro. Apesar das botas, ela pisava de uma maneira tão leve que depois de apenas dois passos ele não era mais capaz de ouvi-la, pois o som era abafado pelas risadinhas de Drew e o rosnado do elemental do caos. Ele contou até dez — *um, mil, dois mil, trezentos e um mil* — e então escancarou a porta com o maior alarde de que foi capaz.

— E aí, Drew? — Ele se esforçou para colocar um sorriso no rosto. — Tenho certeza de que isto aqui não tem nada a ver com a escola de pôneis.

Drew levou um susto tão grande que pulou para trás, puxando a corrente e erguendo Aaron mais alguns metros acima. O menino berrou de dor, o que fez com que Devastação ganisse.

— *Call?* — disse Drew, incrédulo, e Call teve um lampejo daquela noite em que Drew tremia e chamava por ele com o tornozelo torcido dentro de uma vala nos arredores do Magisterium.

Atrás dele, Call pôde ver que Tamara começava a escalar a parede oposta, utilizando as gaiolas como escada, enfiando as botas entre as barras, movendo-se tão silenciosamente quanto uma gata.

— Sério mesmo que você está surpreso? Que você ainda não entendeu o que *eu* estou fazendo neste lugar? — Call inquiriu. — Eu é que deveria perguntar o que *você* está fazendo aqui. Além de transformar um de seus colegas de escola no jantar de um elemental do caos, é claro. Sério, o que o Aaron fez para você? Tirou uma nota maior que a sua no Desafio? Pegou o último pedaço de líquen no jantar?

— Cale a boca, Call.

— Você achava mesmo que não seria pego?

— Eu não fui pego ainda. — Drew parecia estar se recuperando da surpresa e lançou um sorriso asqueroso para Call.

— Então quer dizer que tudo aquilo não passou de encenação? Todas aquelas coisas sobre o Mestre Lemuel, todas as vezes que você fingiu ser um aluno como os outros? — Naquele momento, Call não tentava apenas ganhar tempo. Ele estava de fato curioso. Drew tinha a mesma aparência de sempre: o cabelo castanho emaranhado, o corpo magrelo, os grandes olhos azuis, as sardas, porém havia algo por trás de seus olhos que Call não vira antes, uma coisa horrenda e sinistra.

— Os mestres são tão estúpidos — acusou Drew. — Sempre preocupados com o que o Inimigo fazia do lado de fora do Magisterium, preocupados com o Tratado. Nem mesmo quando eu fugi da escola eles enviaram uma mensagem para o Inimigo. Em vez disso, o que eles fizeram? — O menino arregalou os olhos azuis e, por um momento, Call captou um lampejo daquele garoto que estava no ônibus que os levaria para o Magisterium, que parecia nervoso por ir para uma escola de magia. — "Oh, o Mestre Lemuel é tão cruel. Ele me *assusta*." E então eles o demitiram! — Drew soltou uma gargalhada. A máscara de inocência se desfez novamente, mostrando toda a frieza que havia por trás dela.

Devastação começou a rosnar diante daquela cena, deslizando para se pôr entre Drew e Call.

— E então você mandou um recado para o Inimigo? — Call perguntou. Para seu alívio, Tamara já estava quase chegando às vigas. — Foi você quem contou a ele sobre Aaron?

— O Makar — disse Drew. — Todos esses anos, os magos têm esperado pelo Makar, mas eles não são os únicos. Nós também esperávamos. — Ele puxou a corrente que segurava Aaron, que emitiu um som de dor, mas Call não olhou para cima. Não podia fazer isso, então continuou a encarar Drew, para que este não prestasse mais atenção em nada além dele.

— Nós? — repetiu Call. — Como assim? Eu só estou vendo um maluco aqui: você.

Drew ignorou o sarcasmo. Ele ignorou até mesmo a presença de Devastação.

— Não acredito que você ache que eu sou o responsável por este lugar. Não seja imbecil, Call. Aposto que você viu os Dominados pelo Caos, os elementais. Aposto que você pode sentir. Você *sabe* quem é o dono desta festa.

Call engoliu em seco e disse:
— O Inimigo.
— O Inimigo... Não é que você é mesmo capaz de colocar essa cachola para funcionar? — Drew estalou a língua, indolente. — Nós poderíamos ser amigos, Call. Andei prestando atenção em você. Poderíamos estar do mesmo lado.

— Claro que não poderíamos. Aaron é meu amigo. E o Inimigo o quer morto, não é? Ele não quer outro Makar para desafiá-lo.

— Tudo isso é muito divertido. Você não sabe de nada. Você acha que Aaron é seu amigo. Você acha que tudo que lhe contaram no Magisterium é verdade. Só que não é. Eles disseram a Aaron que o manteriam em segurança, mas não cumpriram a promessa. E nem poderiam. — Ele puxou a corrente que segurava Aaron e Call se encolheu, à espera de um novo grito de dor.

Porém, Call não ouviu nada. Ele olhou para cima. Aaron não estava mais pendurado. Tamara o puxara para cima da viga e estava ajoelhada diante dele, com os dedos trabalhando freneticamente para soltar a corrente que envolvia o tornozelo do amigo.

— Não! — Drew puxou a corrente mais uma vez, possesso, mas Tamara a rompera na outra ponta, de forma que Drew a soltou quando os elos caíram no chão.

— Olha só, agora, nós vamos embora — disse Call. — Vou dar o fora daqui e...

— Vocês não vão sair! — Drew berrou enquanto corria para pressionar as mãos sobre o contêiner de vidro.

Era como se ele tivesse colocado uma chave em uma fechadura e abrisse uma porta, só que muito mais violento. O contêiner se despedaçou, espalhando cacos de vidro para todos os lados. Call ergueu as mãos para cobrir o rosto enquanto os estilhaços, que mais se assemelhavam a uma chuva de agulhas minúsculas, perfuravam seus antebraços. Um vento parecia soprar dentro da sala. Devastação gania e, de algum lugar, Tamara e Aaron gritavam.

Aos poucos, Call abriu os olhos.

Os elementais do caos surgiram diante dele, cobrindo sua visão com sombras. Uma escuridão onde rostos malformados e bocas repletas de dentes se agitavam. Sete braços dotados de garras se ergueram, um de cada vez, na direção de Call. Alguns eram escamados; uns, peludos; outros, pálidos como tecido morto.

Call sentiu-se sufocado e deu um passo para trás. As mãos tateavam ao acaso, erguidas ao lado do corpo. Os dedos se fecharam ao redor da empunhadura de Miri e ele tirou a lâmina da bainha, brandindo a arma diante de si com movimentos longos e curvos.

Miri afundou em *alguma coisa*, algo que dava a sensação de que a lâmina penetrava uma fruta podre. Uivos escaparam das muitas bocas do monstro do caos. Um grande talho foi aberto em um de seus braços. A escuridão vertia do ferimento e rodopiava no ar como se fosse a fumaça de um incêndio. Outro braço tentou prendê-lo, mas Call se jogou no chão de modo que a criatura conseguiu apenas roçar em seu ombro. A área tocada pelo monstro tornou-se dormente logo de imediato, e Miri caiu de seus dedos.

Call fez um esforço para se erguer sobre um dos cotovelos e estendeu o braço bom por cima do próprio corpo para tentar recuperar Miri. Porém, já era tarde demais. O elemental deu meia-volta e se espalhou pelo assoalho como se fosse uma mancha de óleo no mar, uma língua imensa, semelhante à de um sapo, deslizando na direção de Call...

Com um uivo, Devastação pulou no ar e aterrissou bem nas costas do elemental. Ele enterrou os dentes na superfície escorregadia e suas garras furaram a escuridão turva. O monstro sofreu um espasmo, oscilando para trás. Cabeças explodiram por todo o corpo da criatura, os braços se moviam a esmo, tentando agarrar Devastação. O lobo manteve-se agarrado à massa negra, montando o monstro.

Percebendo que aquela era a sua chance, Call se levantou mais que depressa e pegou Miri com a mão boa. Ele investiu contra o elemental e enfiou a adaga no que pensou ser um dos lados do seu corpo.

Ele retirou a lâmina, da qual pingava uma substância negra que parecia ser algo entre uma nuvem de fumaça e uma poça de óleo. O elemental do caos urrou e se debateu, arremessando Devastação, que voou para o outro lado da sala, junto às portas duplas. Ele soltou um ganido e logo em seguida ficou imóvel.

— Devastação! — Call gritou, correndo como uma flecha na direção do lobo. Ele estava na metade do caminho quando ouviu um rosnado atrás de si. O elemental do caos rodopiava em seu encalço. A ira começou a crescer dentro dele. Caso aquela criatura houvesse machucado Devastação, ele a cortaria em mil pedacinhos nojentos e oleosos. Ele se virou. Miri brilhava em suas mãos.

O elemental do caos se encolheu e a escuridão formou uma poça ao seu redor, como se ele não estivesse mais tão ávido por lutar.

— Vá em frente, covarde — berrou Drew, chutando a criatura, que se virou e investiu contra Drew, que berrou uma única vez e então o elemental já rolava sobre ele como uma onda. Call congelou onde estava, com Miri em punho. Ele se lembrou da dor gélida que sentira graças a um simples toque da criatura de caos. E agora aquela substância negra se jogava sobre Drew, que se debatia a esmo e revirava os olhos de forma que era possível ver apenas a parte branca dos globos oculares.

— Call! — Uma voz o tirou daquele estado de choque. Era Tamara, que berrava para ele de cima de uma das vigas. Ela estava de joelhos com Aaron ao seu lado. O grilhão e as correntes formavam uma pilha revirada junto aos dois. Aaron estava livre, apesar de seus pulsos estarem cobertos de sangue exatamente onde ele havia sido preso, provavelmente quando o levaram do Magisterium, e Call podia apostar que seus tornozelos estavam em situação ainda pior. — Call, *saia* daí!

— Não posso. — Call apontou com Miri para o elemental do caos e Drew, que estavam entre ele e a porta.

— Vá por ali — Tamara apontou para as portas atrás dele. — Procure qualquer coisa. Uma janela, sei lá, qualquer troço. Encontramos você lá fora.

Call assentiu e pegou Devastação. "Por favor", ele pensou. "Por favor." O corpo em seus braços era quente, e, quando pressionou o lobo contra o peito, pôde sentir as batidas estáveis do coração do animal. O peso extra fazia com que suas pernas doessem ainda mais, mas ele não se importou.

"Ele vai ficar bem", ele pensou consigo mesmo, com firmeza. "Agora, ande."

Ele olhou para trás e viu que Tamara e Aaron desciam das vigas próximas à outra porta. Quando olhou novamente para o outro lado, o elemental do caos se ergueu, afastando-se de Drew. Diversas bocas se abriram e uma língua roxa que mais parecia um chicote estalou para sentir o ar ao redor, com sua ponta bifurcada. E então a criatura começou a se mover na direção de Call.

Call berrou e deu um pulo para trás. Devastação se contorceu em seus braços, uivou e pulou para o chão. Ele correu na direção das portas do outro lado da sala, com Call em seu encalço. Eles colidiram com as portas ao mesmo tempo, quase as arrancando das dobradiças.

Devastação derrapou no assoalho para parar. Call quase caiu em cima dele e por pouco não conseguiu recuperar o equilíbrio.

Call olhou ao redor da sala. Parecia o laboratório do Dr. Frankenstein. Béqueres contendo líquidos borbulhantes de cores estranhas estavam espalhados por todos os lados, um maquinário pesado estava pendurado por cabos presos no teto, que rodavam e se moviam sem parar. As paredes eram cobertas por gaiolas alinhadas repletas de elementais de vários tamanhos. Alguns deles brilhavam com intensidade.

E então Call ouviu algo atrás de si, um rosnado grosso, balbuciado. O elemental do caos os seguiu até aquela sala e se arrastava na direção deles, uma nuvem escura coberta de garras e dentes. Call começou novamente uma corrida trôpega, derrubando os tubos cheios de líquidos pelo caminho até se chocar com o que parecia ser uma vitrine de armas antigas encostada em uma das paredes. Se ele pelo menos conseguisse passar pelo elemental com aquele machado que aparentava ser tão pesado, talvez...

— Pare! — Um homem usando um manto negro com capuz saiu a passos largos de trás de uma estante pesada. O rosto era ocultado pelas sombras, e ele balançava um imenso cajado com um ônix na ponta. Ao vê-lo, Devastação soltou um ganido e se enfiou debaixo de uma das mesas ali por perto.

Call congelou. O estranho passou por ele sem lhe lançar nem um único olhar e ergueu o cajado.

— Já chega! — ele gritou com uma voz grave e apontou a ponta com o ônix para o elemental.

A escuridão explodiu a partir da pedra, atingindo em cheio a criatura do outro lado da sala, avolumando-se antes de envolver o elemental e engoli-lo para o nada. A coisa soltou um grito terrível, gutural, e desapareceu.

O homem se virou para Call e aos poucos baixou o capuz de seu manto. O rosto dele estava semicoberto por uma máscara de prata que ocultava os olhos e o nariz. Abaixo dela, Call podia ver apenas o queixo e um pescoço talhado por cicatrizes brancas.

As cicatrizes eram uma novidade, mas a máscara lhe era familiar. Call a vira antes em fotografias. Ouvira a descrição. Uma máscara utilizada para cobrir as marcas de uma explosão que quase matou aquele que a usava. Uma máscara utilizada para impor o medo.

Uma máscara utilizada pelo Inimigo da Morte.

— Callum Hunt — disse o Inimigo. — Eu esperava vê-lo.

Seja lá o que Call esperava que o Inimigo falasse, com toda a certeza não era aquilo. Ele abriu a boca, mas tudo o que saiu dela foi um sussurro.

— Você é Constantine Madden — ele disse —, o Inimigo da Morte.

O Inimigo se moveu na direção dele, um redemoinho negro e prateado.

— Levante-se. Deixe-me olhar para você — disse o Inimigo.

Devagar, Call se pôs de pé para encarar o Inimigo da Morte. A sala estava quase em silêncio. Até mesmo os ganidos de Devastação pareciam fracos e distantes.

— Olhe só para você — disse o Inimigo. Havia uma espécie de prazer estranho em sua voz. — É claro que é uma pena o que aconteceu com a sua perna, mas, no fim das contas, isso não faz a menor diferença. Suponho que Alastair tenha preferido deixá-lo assim a fazer uso da magia de cura. Ele sempre foi teimoso. E agora é tarde demais. Você já pensou nisso, Callum? Que se talvez Alastair Hunt fosse um pouco menos teimoso você poderia ser capaz de andar normalmente?

Call nunca pensara naquela possibilidade. Entretanto, naquele momento esse pensamento se alojou como um cubo de gelo em sua garganta, fazendo com que engasgasse com as palavras. Ele deu um passo para trás, e suas costas atingiram uma mesa repleta de potes de vidro e béqueres. Ele ficou imóvel.

— Mas os seus olhos...

Os olhos do Inimigo pareceram então tomados pela soberba, embora Call não conseguisse descobrir o que provocara aquele sentimento tão repentino. Toda aquela confusão o deixava tonto.

— Dizem que os olhos são as janelas da alma. Perguntei um monte de coisas a seu respeito para Drew, mas nunca passou pela minha cabeça perguntar sobre os seus olhos.

O Inimigo fez uma careta, e a pele repleta de cicatrizes se retesou por baixo da máscara.

— Drew — ele disse. — Onde *está* esse garoto? — O Inimigo elevou a voz. — Drew!

Houve um silêncio. Call imaginou o que aconteceria se ele erguesse a mão atrás de si, pegasse um béquer ou um pote e o jogasse contra o Inimigo. Será que isso faria com que ele ganhasse tempo? Será que ele conseguiria correr?

— *Drew!* — o mago chamou novamente, e agora havia algo mais na voz dele, um traço que lembrava alarde. Mais que depressa, ele passou por Call, impaciente, e se esgueirou pelas portas duplas até o aposento com paredes de madeira anexo.

Houve um longo momento do mais profundo silêncio. Call olhou ao redor, desesperado, tentando ver se havia mais alguma outra porta, qualquer outra maneira de escapar daquela sala além daquela por onde ele veio. Não havia. Ao seu redor ele podia ver apenas prateleiras repletas de volumes empoeirados, mesas cobertas de material alquímico e, no alto das paredes, pequenos elementais do fogo posicionados em nichos forjados com cobre que iluminavam a sala com suas chamas. Os elementais encaravam Call com seus olhos vazios enquanto ele escutava sons na outra sala — um grito longo e cortante de dor e desespero.

— *DREW!*

Devastação ganiu. Call pegou um dos béqueres de vidro e cambaleou até as portas duplas. A dor latejava pela perna, subindo-lhe pelo corpo, como se lâminas golpeassem suas veias. Ele queria se jogar no chão, deitar e deixar que a inconsciência tomasse conta de sua mente. Ele se apoiou no batente da porta e observou.

O Inimigo estava de joelhos. Drew estava deitado com a cabeça no colo dele, o corpo flácido e sem reação. A pele já começava a se tornar fria e a assumir uma coloração azul. Ele nunca mais despertaria.

O coração de Call começou a bater mais devagar de tanto horror. Ele não conseguia desviar os olhos do Inimigo, que estava curvado sobre o corpo de Drew, com seu cajado largado no assoalho ao lado dele. As mãos cobertas de cicatrizes acariciavam o cabelo do menino.

— Meu filho — ele sussurrou. — Meu pobre filho.

"Filho dele?", Call pensou. "O Drew é filho do Inimigo da Morte?"

De repente, a cabeça do Inimigo se ergueu. Apesar da máscara, Call podia sentir seus olhos sobre ele, enegrecidos por uma fúria que lembrava lasers.

— *Você* — ele sibilou. — Você foi o responsável por isso. Você libertou o elemental e matou o meu filho.

Call engoliu em seco e deu um passo para trás, mas o Inimigo já havia se levantado e pegava seu cajado. Ele o brandiu na direção de Call e o menino tropeçou. O béquer voou de suas mãos e se despedaçou no chão. Call se apoiou em um dos joelhos. A outra perna doía tanto que o fazia gritar.

— Eu não... — ele começou. — Foi um acidente...

— Levante-se — o Inimigo rosnou. — Levante-se, Callum Hunt, e olhe para mim.

Devagar, Call ficou de pé e encarou o homem com a máscara prateada do outro lado da sala. Call tremia não apenas devido à dor nas pernas e à tensão em seu corpo, mas também graças ao medo, à adrenalina e ao desejo impossível de sair correndo. Uma expressão furiosa havia se instalado no rosto do Inimigo. Os olhos dele brilhavam de ira e pesar.

Call queria abrir a boca, queria dizer algo em sua própria defesa, mas não havia nada a ser dito. Drew estava no chão, imóvel, rígido e com os olhos vazios, deitado entre os cacos do contêiner de vidro. Estava morto e a culpa era de Call. Ele não era capaz de se explicar, de se defender. Estava encarando o Inimigo da Morte, que tinha todo um exército de criaturas assassinas. É claro que ele não hesitaria diante de um reles garoto.

A mão de Call largou a empunhadura de Miri. Havia apenas uma coisa a ser feita.

Respirando fundo, ele se preparou para morrer.

Ele esperava que Tamara e Aaron conseguissem passar pelos Dominados pelo Caos, pulassem a janela e voltassem para o Magisterium.

Ele esperava que, já que Devastação era um Dominado pelo Caos, o Inimigo não pegasse muito pesado com ele por não ser um cachorro zumbi do mal.

Ele esperava que o pai não ficasse com raiva dele por ir para o Magisterium e acabar morto, exatamente como ele sempre dissera que aconteceria.

Ele esperava que o Mestre Rufus não desse o lugar dele em seu grupo para Jasper.

O mago estava próximo o suficiente para que Call pudesse sentir o calor de seu hálito, ver seus lábios finos se contorcerem, o brilho em seus olhos e os tremores que percorriam todo o seu corpo.

— Se você vai me matar — disse Call —, vá em frente. Faça logo o que tiver de ser feito.

O mago ergueu o cajado e o jogou longe. Ele caiu de joelhos, baixou a cabeça e assumiu uma postura de súplica, como se implorasse pela misericórdia de Call.

— Mestre, meu mestre — ele declarou com uma voz esganiçada. — Perdoe-me. Eu não havia percebido.

Call o encarou, confuso. O que significava aquilo?

— Isto é um teste. Você está testando minha lealdade e comprometimento. — O Inimigo respirou fundo. Era evidente que ele mal conseguia se controlar, apesar de sua visível força de vontade. — Caso você, meu mestre, tenha decretado que Drew deveria morrer, então a morte do meu filho serviu a um propósito maior. — Essas palavras pareciam cortar sua garganta, como se fosse doloroso pronunciá-las. — Agora, também realizei um sacrifício pessoal em nome de nossa missão. O meu mestre é sábio. Como sempre, ele é sábio.

— O quê? — A voz de Call era trêmula. — Não estou entendendo. Seu mestre? Você não é o Inimigo da Morte?

Diante de um Call chocado, o mago ergueu as mãos e tirou a máscara de prata, mostrando o rosto. Era uma face coberta por cicatrizes, envelhecida, enrugada, desgastada. E, apesar de ser estranhamente familiar, aquele não era o rosto de Constantine Madden.

— Não, Callum Hunt. Eu não sou o Inimigo da Morte — ele disse. — Você é.

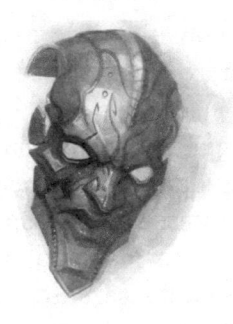

CAPÍTULO VINTE E QUATRO

– O... o quê? — Call estava boquiaberto. — Quem é você? Por que está me dizendo isso?

— Porque é a verdade. — O mago segurava a máscara de prata em uma das mãos. — Você é Constantine Madden. E, se olhar para mim com atenção, também saberá o meu nome.

O mago ainda estava ajoelhado aos pés de Call. Sua boca começava a se contorcer em um sorriso amargo.

"Ele é maluco", Call pensou. "Só pode ser. O que ele está falando não faz o menor sentido."

Porém o rosto do mago lhe era realmente familiar... Call já o vira antes, em alguma fotografia, pelo menos.

— Você é o Mestre Joseph — o menino concluiu. — Você foi o professor do Inimigo da Morte.

— Fui o *seu* professor — corrigiu o Mestre Joseph. — Posso me levantar, mestre?

Call permaneceu calado. "Estou preso aqui. Com um mago maluco e um cadáver", ele pensou

Aparentemente considerando o silêncio do garoto como uma permissão, o Mestre Joseph se pôs de pé com algum esforço.

— Drew contou que suas memórias foram apagadas, mas não consigo acreditar nisso. Pensei que quando me visse, quando lhe contasse a seu respeito, você fosse se lembrar de alguma coisa. Mas não importa. Você pode não se lembrar, mas eu lhe garanto, *Callum Hunt*, a centelha de vida que você carrega dentro de si, sua *alma*, se você assim preferir, tudo o que anima essa concha que chamamos de corpo, pertence a Constantine Madden. O verdadeiro Callum Hunt morreu quando ainda era um bebê chorão.

— Isso é loucura. Essas coisas não acontecem. Não existe esse negócio de trocar alma.

— É verdade. Geralmente essas coisas não acontecem. Mas *você* pode fazer isso. Me permite, mestre?

Ele pegou uma das mãos de Call. Após um momento, o menino percebeu que o mago pedia permissão para pôr sua mão sobre a dele.

Call sabia que não deveria tocar o Mestre Joseph. Grande parte da magia era transferida pelo toque, elementais do toque, que canalizavam seu poder através das pessoas. Entretanto, mesmo que as palavras do Mestre Joseph não passassem de insanidades, havia algo naquela história que atraía Call, algo que ele não conseguia afastar de sua mente.

Devagar, o menino ergueu uma das mãos e o Mestre Joseph a tomou, envolvendo os dedos pequenos de Call com os seus, longos e repletos de cicatrizes.

— *Veja* — ele sussurrou, e uma descarga de eletricidade atravessou o corpo de Call. Sua visão se tornou esbranquiçada e, de repente, era como se ele visse cenas projetadas em uma tela imensa colocada diante de seus olhos.

Ele viu dois exércitos que encaravam um ao outro em uma vasta planície. Era uma guerra de magos, com explosões de fogo, flechas de gelo e lufadas de ar com a intensidade de um vendaval. Call viu rostos familiares: um Mestre Rufus muito mais jovem, um Mestre Lemuel adolescente, os pais de Tamara e, montada em um elemental do fogo à frente de todos eles, Verity Torres. A magia do caos transbordava de suas mãos estendidas enquanto ela avançava pelo campo de batalha.

O Mestre Joseph surgiu na cena, carregando um objeto pesado que soltava um brilho acobreado. O artefato lembrava uma garra de cobre, com dedos estendidos que lembravam as garras de uma ave. Ele reuniu um grande volume de magia do vento e a enviou pelo ar, explodindo na garganta de Verity Torres.

Ela caiu de costas, um filete de sangue voou no ar e o elemental do fogo em que ela cavalgava soltou um ganido e empinou para trás. Um raio saiu de suas garras, atingindo o Mestre Joseph, que tombou. A máscara saiu do lugar, revelando seu rosto.

— Ele não é Constantine! — gritou uma voz rouca. A voz de Alastair Hunt. — É o Mestre Joseph.

A cena mudou. O Mestre Joseph estava de pé em uma sala feita de mármore vermelho. Ele gritava para um grupo de magos encurvados.

— Onde está ele? Exijo que vocês me contem o que aconteceu com ele!

O som de passos pesados pôde ser ouvido a partir de uma das portas. Os magos abriram caminho, criando um corredor para a marcha de quatro Dominados pelo Caos que carregavam um corpo. O corpo de um homem jovem, loiro, com um imenso ferimento no peito e as roupas empapadas de sangue. Eles o colocaram aos pés do Mestre Joseph.

O mago se abaixou, pegando o corpo do jovem nos braços.

— Mestre — ele sibilou. — Oh, meu mestre, o Inimigo da Morte...

O menino abriu os olhos. Eles eram cinza. Call nunca vira os olhos de Constantine Madden antes nem nunca pensara em perguntar de que cor eles eram. Tinham o mesmo tom cinza dos de Call. Cinza e vazio como o céu invernal. O rosto coberto de cicatrizes estava imóvel, sem demonstrar nenhuma emoção.

O Mestre Joseph arfou.

— O que é isso? — Ele se virou para os outros magos com uma expressão furiosa no rosto. — O corpo dele está vivo, ainda que por pouco tempo, mas e a alma? Onde está a alma?

A cena mudou novamente. Call estava de pé em uma caverna aberta no meio de uma geleira. As paredes eram todas brancas e mudavam de cor onde as sombras as tocavam. O chão estava coberto de corpos de magos, muitos deles contorcidos e jogados sobre poças de sangue congelado.

Call sabia onde estava. O Massacre Gelado. Ele fechou os olhos, mas isso não fez a menor diferença. Continuava a enxergar a cena, já que as imagens estavam dentro da sua mente. Ele observou o Mestre Joseph abrir caminho entre os mortos, parando de vez em quando para virar um ou outro cadáver e observar seu rosto. Após alguns momentos, Call se deu conta do que o mago fazia. Ele examinava apenas as crianças mortas, sem nem mesmo tocar nos adultos. Por fim, ele parou e observou algo, que Call logo percebeu o que era. Não era nenhum cadáver, mas uma frase inscrita no gelo.

MATE A CRIANÇA

Mais uma vez, as cenas se alteraram e então eles flutuavam depressa, como folhas na brisa. O Mestre Joseph atravessava cada vila e cidade em uma busca incansável, examinando os registros de nascimento dos hospitais, escrituras de propriedades, qualquer possível pista...

O mago estava em um parquinho pavimentado com concreto, observando enquanto um grupo de meninos ameaçava um garoto menor. De repente, o chão debaixo dos pés deles tremeu e uma grande cratera quase dividiu o parquinho em dois. Todos os valentões deram o fora. O garoto menor se levantou, olhando ao redor com uma expressão perplexa. Call reconheceu a si mesmo. Magricela, cabelo escuro, olhos cinzentos idênticos aos de Constantine e a perna fraca torcida debaixo dele.

Ele sentiu que o Mestre Joseph começava a abrir um sorriso...

Call voltou à realidade com um choque, como se houvesse caído de uma altura imensa. Ele cambaleou para trás, largando a mão do Mestre Joseph.

— Não — Call engasgou. — Não, eu não entendo...

— Ah, acho que você entende, sim — disse o mago. — Acho que você entende muito bem, Callum Hunt.

— Pare com isso — disse Call. — Pare de me chamar de Callum Hunt desse jeito. É sinistro. Meu nome é Call.

— Não é, não — retrucou o Mestre Joseph. — Esse nome pertence ao seu corpo, a concha que o envolve. Um nome que você descartará quando estiver pronto, assim como descartará esse corpo e entrará no de Constantine.

Call jogou as mãos para o alto.

— Não posso fazer isso. Sabe por quê? Porque o Constantine Madden *ainda está por aí*. Sério, eu realmente não entendo como posso ser uma pessoa que está por aí liderando exércitos, criando elementais do caos e inventando lobos gigantes com olhos bizarros. Essa pessoa existe e NÃO SOU EU! — Call gritava, mas sua voz soou como um apelo até mesmo para seus próprios ouvidos. Ele só queria que tudo aquilo acabasse. Não podia evitar as palavras do pai que ecoavam sem parar em sua cabeça.

"Call, você precisa me ouvir. Você não sabe o que você é."

— Ainda está por aí? — O Mestre Joseph abriu um sorriso amargo. — Ah, a Assembleia e os magos acreditam que Constantine ainda está ativo e conectado com este mundo porque é nisso que eles querem acreditar. Porém, quem o viu? Quem falou com ele desde o Massacre Gelado?

— As pessoas o viram... — Call começou. — Ele se encontrou com a Assembleia. Ele assinou o Tratado.

— Mascarado — disse o Mestre Joseph, erguendo a máscara que usava quando Call o viu pela primeira vez. — Eu assumi o lugar dele na batalha com Verity Torres. Eu tinha certeza de que poderia fazer aquilo novamente. O Inimigo permaneceu escondido desde o Massacre Gelado, e, quando era estritamente necessário que ele aparecesse, eu assumia seu lugar. Mas Constantine propriamente dito? Ele sofreu um ferimento mortal doze anos atrás, na caverna onde Sarah Hunt e tantos outros morreram. Porém, quando percebeu que a vida deixava seu corpo, ele se utilizou daquilo que já tinha aprendido. O método para mover uma alma para outro corpo. E, assim, ele se salvou. Da mesma forma que ele colocava uma pequena parte do caos dentro de um Dominado pelo Caos, ele pegou sua própria alma e a pôs dentro do excelente receptáculo que tinha à disposição. Você.

— Mas eu nunca estive no Massacre Gelado. Eu nasci em um hospital. A minha perna...

— Alastair Hunt mentiu. Sua perna foi despedaçada quando Sarah Hunt o derrubou no gelo — disse o Mestre

Joseph. — Ela sabia o que acontecera. A alma do filho dela havia sido expulsa do corpo e a de Constantine Madden tomou seu lugar. O filho de Sarah havia se tornado o Inimigo.

Call ouviu um rugido nas orelhas.

— A minha mãe jamais...

— Sua *mãe*? — O Mestre Joseph abriu um sorriso de escárnio. — Sarah Hunt era apenas a mãe da concha que contém sua alma. Até ela sabia disso. Só que não teve a força necessária para terminar aquilo com as próprias mãos, por isso deixou uma mensagem. Uma mensagem para aqueles que chegariam ao campo de batalha depois que ela já tivesse morrido.

— As palavras no gelo — sussurrou Call. Ele se sentia tonto e enjoado.

— *Mate a criança* — o Mestre Joseph declarou, com uma satisfação cruel. — Ela entalhou essas palavras no gelo com a ponta da faca que você agora carrega. Foi seu último ato neste mundo.

Call sentiu que estava prestes a vomitar. Ele estendeu uma das mãos atrás de si em busca da quina de uma mesa e se apoiou nela, respirando com dificuldade.

— A alma de Callum Hunt está morta — disse Joseph. — Foi forçada a abandonar o corpo. A alma subiu no ar como um redemoinho e morreu. A alma de Constantine Madden criou raízes e cresceu, recém-nascida e intacta. Desde então, seus seguidores lutaram para passar a impressão de que ele havia desaparecido do mundo, de forma que todos estivessem seguros. Protegidos. Só para que você tivesse tempo de amadurecer. Para que você pudesse viver.

"Call queria viver." Era isso que Call, de brincadeira, acrescentava ao Quinário em sua mente, e, então, aquilo não parecia mais uma piada. Naquele momento, horrorizado, ele percebeu quão verdadeiras eram aquelas palavras. Será que queria tanto viver que roubou a vida de outra pessoa? Será que aquele era mesmo ele?

— Não me lembro de nada sobre ser Constantine Madden — sussurrou Call. — Sempre fui eu mesmo...

— Constantine sempre soube que poderia morrer — explicou Joseph. — A morte era o seu grande medo. Ele tentou inúmeras vezes trazer o irmão de volta, mas jamais conseguiu reaver a alma dele e tudo isso fez de Jericho quem ele era. Constantine resolveu fazer tudo o que fosse possível para permanecer vivo. Durante todo esse tempo, Call, tivemos de esperar até que você tivesse idade suficiente. E aqui está você, quase pronto. Logo a guerra começará de verdade... e, desta vez, temos certeza de que iremos vencer.

Os olhos do Mestre Joseph brilhavam com algo que se assemelhava muito à loucura.

— Eu não vejo por que você acha que eu ficaria ao seu lado — retrucou Call. — Você pegou o Aaron...

— Sim — disse Joseph —, mas quem realmente queríamos era *você*.

— Então você fez tudo isso, inventou esse sequestro, só para que eu fosse atraído até aqui para... o quê? Para me dizer isso? Por que não me contou tudo antes? Por que não me pegou antes que eu entrasse no Magisterium?

— Porque pensamos que você *soubesse* — o Mestre Joseph grunhiu. — Achávamos que você agia de forma discreta de propósito, para que seu corpo e sua mente amadurecessem o suficiente para que se tornasse novamente aquele formidável inimigo da Assembleia de antes. Eu não me aproximei de você porque pensei que, se você quisesse ser encontrado, entraria em contato comigo.

Call soltou uma risada amarga.

— Então você não se aproximou de mim porque não queria quebrar o meu disfarce e, durante todo esse tempo, eu nem mesmo sabia que estava disfarçado? Isso é mesmo hilário.

— Não vejo nada de engraçado nisso. — A expressão no rosto do Mestre Joseph não se alterou. — Ainda bem que meu filho... que Drew foi capaz de averiguar que você realmente não fazia a menor ideia de quem era, ou você poderia ter se revelado sem nem mesmo se dar conta.

Call encarou o Mestre Joseph.

— Você vai me matar? — ele perguntou de forma abrupta.

— Matar você? Nós estávamos *esperando* por você — emendou Joseph. — Durante todos esses anos.

— Bem, então todo esse seu plano estúpido não serviu para nada. Vou voltar para a escola e contar para Rufus quem eu realmente sou. Vou contar para todo mundo no Magisterium que meu pai estava certo e que eles deveriam ter dado ouvidos a ele. E vou deter você.

O Mestre Joseph sorriu e balançou a cabeça.

— Acho que conheço você muito bem, independentemente da forma em que esteja. Você voltará, terminará o Ano de Ferro e, quando retornar para cursar o Ano de Cobre, vamos nos falar novamente.

— Não, não vamos. — Call se sentiu infantil e pequeno, o peso do horror o esmagava. — Vou contar a eles...

— Contar a eles o que você é? Eles interditarão sua magia.

— Eles não fariam isso...

— Eles fariam. Isso se não o matarem. Eles interditarão sua magia e o enviarão de volta para o seu pai, que, a esta altura, com toda a certeza já sabe que não é seu pai.

Call engoliu em seco. Ele não pensara, até aquele momento, qual seria a reação de Alastair diante dessa revelação. O pai, que implorara para que Rufus interditasse sua magia... apenas por precaução.

— Você perderá seus amigos. Você realmente acha que eles deixarão que se aproxime do tão poderoso Makar sabendo quem você é? Eles educarão Aaron Stewart para ser seu inimigo. Ele é exatamente o que os magos têm procurado durante todo esse tempo. É isso o que Aaron representa. Ele não é seu companheiro. Ele é a sua destruição.

— Aaron é meu amigo. — A voz de Call, entretanto, era desesperançada. Ele podia sentir isso, mas era incapaz de evitar.

— Se é isso o que você diz, Call... — O Mestre Joseph tinha o olhar sereno de um homem que sabia das coisas. — Parece que o seu amigo tem algumas escolhas a serem feitas pela frente. Assim como você.

— Eu já escolhi — disse Call. — Escolhi voltar para o Magisterium e contar a verdade a eles.

Joseph abriu um sorriso radiante.

— Vai mesmo? É fácil dizer isso quando você está aqui na minha frente, me desafiando. Eu não esperaria nada diferente de Constantine Madden. Você sempre foi desafiador. Porém, na hora H, quando a decisão tiver de ser feita, você vai mesmo desistir de tudo que lhe é caro em nome de um ideal abstrato que você compreende apenas em parte?

Call negou com a cabeça.

— De qualquer forma, eu teria mesmo de desistir dessa ideia. Até parece que você vai me deixar ir embora daqui.

— É claro que vou — disse o Mestre Joseph.

Call deu um pulo para trás, surpreso, batendo dolorosamente com um dos cotovelos na parede.

— *O quê?*

— Oh, meu mestre. — O velho mago respirou fundo. — Você não vê que...

Ele não terminou a frase. Com um estrondo, o teto se rompeu. Call mal teve tempo de olhar para cima antes que tudo parecesse explodir em uma chuva de estilhaços de madeira e concreto. Ele ouviu o grito rouco do Mestre Joseph logo antes de uma montanha de cascalho ser despejada sobre ele, tirando o mago de seu campo de visão. O chão se rompeu debaixo de Call, que caiu para o lado, estendendo um dos braços para pegar Devastação, que se contorcia, em pânico.

Tudo pareceu sacudir por um momento, e Call enterrou o rosto nos pelos do lobo, tentando não respirar a poeira grossa que flutuava pelo ar. Talvez aquele fosse o fim do mundo. Talvez os aliados do Mestre Joseph tivessem decidido explodir aquele lugar. Ele não sabia e quase não se importava.

— Call? — Apesar do zumbido em seus ouvidos, Call ouviu uma voz familiar. Era Tamara. Ele rolou com uma das mãos ainda sobre o pelo de Devastação e viu o que tinha feito com que o prédio desmoronasse.

A imensa placa em que se lia BOLICHE DA MONTANHA atravessou o teto, dividindo o prédio pela metade como um machado que corta um bloco de concreto. Aaron estava agachado em cima da placa, como se a houvesse guiado pelo ar, com Tamara a seu lado. A placa soltava fagulhas e chiados onde os fios elétricos foram cortados e torcidos.

Aaron saltou de cima da placa e correu na direção de Call, curvando-se para pegar o braço do amigo.

— Call, vamos!

Sem conseguir acreditar naquilo, Call se levantou aos tropeções, permitindo que Aaron o ajudasse. Devastação soltou um ganido e pulou, espalmando as patas traseiras no peito de Aaron.

— Aaron! — Tamara gritou. Ela apontava para trás deles. Call deu meia-volta e tentou enxergar entre as nuvens de poeira e cascalho. Não havia nem sinal do Mestre Joseph.

Mas aquilo não significava que eles estavam sozinhos. Call se virou novamente para Aaron.

— Dominados pelo Caos — avisou Call, sombrio. O corredor estava repleto deles, que marchavam sobre os escombros de uma forma sinistramente regular, seus olhos rodopiantes queimando como fogo.

— Vamos! — Aaron se virou e correu como uma flecha na direção da placa, pulando sobre ela e depois estendendo os braços para ajudar Call a subir. A placa ainda estava presa na base. A maior parte dela havia se chocado contra uma das paredes do edifício, como uma colher que cai dentro de um pote e fica apoiada em um dos lados. Tamara já corria sobre as palavras BOLICHE DA MONTANHA, com Devastação em seu encalço. Call começou a mancar atrás dela quando percebeu que Aaron não os seguia. Ele girava, olhando ao redor. Faíscas brotavam dos fios aos seus pés.

A sala lá embaixo foi rapidamente tomada por Dominados pelo Caos, que metodicamente se aproximavam da placa. Vários deles já a escalavam. Aaron estava alguns metros acima deles, olhando para baixo.

Tamara já estava alto o suficiente para pular para o telhado.

— Vamos! — Call a ouviu gritar ao perceber que eles não a seguiam. E não havia como ela voltar para a placa.
— Call! *Aaron!*

Porém, Aaron não se moveu. Ele se equilibrava na placa como se estivesse sobre uma prancha de surfe, com uma expressão sombria no rosto. O cabelo estava branco graças à poeira desprendida pelo concreto, e seu uniforme cinzento estava rasgado e coberto de sangue. Devagar, ele ergueu uma das mãos e, pela primeira vez, Call não viu Aaron apenas como um amigo, mas como o Makar, o mago do caos, alguém que poderia algum dia ser tão poderoso quanto o Inimigo da Morte.

Alguém que poderia ser o inimigo do Inimigo.

Seu inimigo.

A escuridão se espalhou a partir das mãos de Aaron como um raio de luz negra, envolvendo os Dominados pelo Caos com gavinhas feitas de sombras. Assim que a escuridão os tocava, o fogo nos olhos deles se apagava e eles caíam no chão, flácidos e sem oferecer nenhum tipo de resistência.

"É isso que eles têm procurado todo esse tempo. Sua destruição. É isso o que Aaron representa."

— Aaron — Call gritou, escorregando pela placa na direção do amigo. Aaron não se virou, não pareceu nem mesmo ouvi-lo. Call ficou de pé ao lado dele, a luz negra continuava a explodir a partir de uma de suas mãos, criando um caminho que cortava o céu. Ele tinha uma aparência assustadora. — Aaron — Call arquejou e tropeçou em um amontoado de fios. Uma dor excruciante atingiu sua perna e o corpo se retorceu, derrubando Aaron no chão e quase prendendo o menino com o peso do seu corpo. A luz negra desapareceu quando as costas de Aaron atingiram o metal da placa, e suas mãos se espalmaram entre seu próprio corpo e o de Call.

— Me deixa! — Aaron gritou. Ele parecia fora de si, como se talvez, em meio a toda aquela fúria, houvesse se esquecido de quem eram Call e Tamara. Ele se contorceu debaixo de Call, tentando libertar as mãos. — Eu preciso... preciso...

— Você precisa *parar.* — Call pegou Aaron pela frente do uniforme. — Aaron, você não pode fazer isso sem um contrapeso. Você pode morrer.

— Isso não importa. — Aaron lutou para se livrar de Call.

Call não o soltou.

— Tamara está esperando. Não podemos deixá-la sozinha. Você precisa ir. Vamos. Você *tem* que ir.

Aos poucos, a respiração de Aaron se tornou mais tranquila e seus olhos se concentraram em Call. Atrás dele, mais Dominados pelo Caos rastejavam sobre os corpos dos companheiros mortos. Os olhos deles brilhavam na escuridão.

— Tudo bem. — Call soltou Aaron e se ergueu sobre as pernas que doíam. — Tudo bem, Aaron. — Ele estendeu uma das mãos para o amigo. — Vamos.

Aaron hesitou, mas finalmente ergueu uma das mãos para que Call o ajudasse a se levantar. Call se virou e começou a escalar novamente a placa. Desta vez, Aaron o seguiu. Por fim, chegaram alto o suficiente para pular para o telhado, ao lado de Tamara e Devastação. Call sentiu o impacto de aterrissar sobre as telhas de concreto atravessar suas pernas e chegar até os dentes.

Tamara parecia aliviada por vê-los, entretanto o rosto dela estava tenso. Os Dominados pelo Caos ainda estavam atrás deles. Ela se virou, desceu correndo o telhado inclinado e deu outro pulo, desta vez para a lixeira. Call cambaleava atrás dela.

Assim que Call desceu do telhado, com o coração batendo acelerado dentro do peito tanto por medo daquilo que os perseguia quanto por temer que não fossem capaz de escapar, independentemente do quanto corressem, seus pés bateram na tampa de metal da lixeira e ele sentiu como se seus joelhos e pernas fossem feitos de sacos de areia, pesados, dormentes e pouco firmes. Conseguiu rolar até o canto, junto ao edifício, e foi capaz de se levantar se apoiando na lata de lixo, tentando recuperar a respiração.

Um segundo depois, ouviu Aaron dar um salto e parar ao lado dele.

— Você está bem? — Aaron perguntou, e Call sentiu uma onda de alívio apesar de todo o resto. Aaron parecia novamente o amigo que ele conhecia.

Eles ouviram um retinir de metal. Call e Aaron se viraram para ver que Tamara rolara a lixeira para afastá-la da parede do prédio. Os Dominados pelo Caos não tinham um apoio sobre o qual pudessem pular e se aglomeravam na beira do telhado.

— Eu... eu estou bem. — Call olhava de Aaron para Tamara. Ambos o observavam com expressões idênticas de preocupação. — Não acredito que vocês voltaram por minha causa. — Call se sentia tonto e enjoado e tinha certeza de que cairia novamente se desse mais um único passo. Ele pensou em dizer que seus amigos deviam deixá-lo ali e correr, mas não queria ser deixado para trás.

— É claro que a gente voltou. — Aaron franziu a testa. — Quero dizer, você e a Tamara vieram até aqui por minha causa, não foi? Por que eu não faria o mesmo por você?

— Você faz diferença, Call — garantiu Tamara.

Call queria dizer que salvar Aaron era algo diferente, mas não sabia como explicar por quê. Sua cabeça rodopiava.

— Bem, foi mesmo muito impressionante... o que vocês fizeram com a placa.

Mais que depressa, Aaron e Tamara olharam um para o outro.

— Não era bem isso o que tentamos fazer — Tamara admitiu. — Estávamos tentando chegar ao topo dela para enviar uma mensagem para o Magisterium. Só que perdemos um pouco a mão da magia da terra e... bem. Tipo, funcionou, não é? É isso o que importa.

Call assentiu. Aquilo era mesmo o que importava.

— Obrigado também pelo que você fez lá em cima. — Aaron colocou uma das mãos no ombro de Call e lhe deu um tapinha, sem graça. — Eu estava com tanta raiva... se você não tivesse me feito parar de usar a magia do caos, não sei o que teria...

— Ah, pelo amor de Deus! Por que vocês, garotos, têm que ficar o tempo todo falando sobre seus sentimentos? Isso é tão bobo — Tamara o interrompeu. — Ainda há Dominados pelo Caos tentando vir atrás da gente! — Ela apontou para cima, para onde olhos rodopiantes os espiavam da escuridão do telhado. — Vamos. Já chega. Temos que dar o fora daqui.

Ela começou a andar com as longas tranças balançando em suas costas. Reunindo forças para a caminhada sem fim até o Magisterium, Call se afastou da parede e deu um único passo excruciante antes de desmaiar. Ele apagou tão depressa que nem sentiu quando sua cabeça bateu no chão.

CAPÍTULO VINTE E CINCO

Call acordou novamente na Enfermaria. Os cristais nas paredes estavam turvos, e então ele achou que provavelmente já fosse noite. Seu corpo todo estava dolorido. Além disso, tinha certeza de que deveria dar uma má notícia para alguém, apesar de não lembrar exatamente o que era. As pernas doíam e ele estava envolvido por cobertores. Estava deitado em uma cama e havia se machucado, mas não conseguia se recordar de como. Tentara se exibir durante aquele exercício com o tronco e caiu no rio, o que fez com que Jasper — logo ele entre todas as outras pessoas — o salvasse. E houve mais. Tamara, Aaron e Devastação em uma caminhada pela floresta. Ou será que aquilo não passara de um sonho? Naquele momento, parecia ter sido.

Virando-se para o outro lado, Call viu o Mestre Rufus sentado em uma cadeira ao lado da cama, com o rosto semicoberto pelas sombras. Por um momento, Call achou que o Mestre Rufus dormia, até que viu a boca do mago se curvar em um sorriso.

— Sentindo-se um pouco mais humano? — o mago perguntou.

Call assentiu e fez um esforço para se sentar. Porém, assim que conseguiu espantar um pouco o sono, todas as lembranças invadiram sua mente como um turbilhão: o Mestre Joseph com sua máscara de prata, Drew sendo devorado, Aaron pendurado em uma viga, preso por grilhões que feriam sua pele, e Call recebendo a notícia de que carregava a alma de Constantine Madden dentro de si.

Ele desmoronou novamente na cama.

"Preciso contar ao Mestre Rufus", ele pensou. "Eu não sou uma pessoa ruim. Preciso contar a ele."

— Você quer comer alguma coisa? — O Mestre Rufus estendeu uma bandeja diante de Call. — Trouxe chá e sopa para você.

— Chá, talvez. — Call pegou uma caneca de barro e deixou que ela esquentasse suas mãos. Tentou dar um gole. O gosto reconfortante da hortelã fez com que ele se sentisse um pouco mais desperto.

O Mestre Rufus abaixou novamente a bandeja e se virou para estudar Call por debaixo de suas pálpebras caídas. O menino se agarrou à caneca como se dela dependesse sua vida.

— Desculpe perguntar, mas preciso fazer isso. Seus colegas me contaram que tanto você quanto Tamara entraram no local onde Aaron foi preso, mas ambos disseram que você ficou lá dentro por mais tempo e esteve em uma sala que eles não visitaram. O que você pode me dizer a respeito do que viu?

— Eles contaram sobre o Drew? — Call puxou pela memória.

O Mestre Rufus assentiu.

— Pesquisamos todas as fontes que estavam ao nosso alcance e descobrimos que o nome e a identidade de Drew Wallace, na verdade todo o passado dele, consistiam em falsificações bastante convincentes arquitetadas para que ele entrasse no Magisterium. Não sabemos qual era o seu nome verdadeiro ou a razão de o Inimigo enviá-lo para a escola. Se não fosse por você e Tamara, o Inimigo conseguiria nos dar um golpe terrível. E as vítimas não seriam apenas nós, mas também Aaron. Tremo só de pensar no que poderiam ter feito com ele.

— Então quer dizer que não estamos encrencados?

— Por não me informarem que Aaron havia sido sequestrado? Por não contarem a ninguém aonde iam? — O Mestre Rufus baixou o tom de voz até que se tornasse apenas um rosnado. — Contanto que vocês nunca, jamais, aprontem nada parecido novamente, estou preparado para fazer vista grossa para a forma tola como agiram, já que foram bem-sucedidos em solucionar toda a situação. Parece uma idiotice fazer uma tempestade em copo d'água quando foram exatamente você e Tamara que salvaram nosso Makar. O mais importante é o que vocês fizeram.

— Obrigado — disse Call, sem ter certeza se deveria ou não encarar aquelas palavras como uma bronca.

— Enviamos alguns magos ao boliche abandonado, mas não restou muito do edifício além de algumas gaiolas vazias e equipamentos quebrados. Eles encontraram uma sala ampla que parecia ser usada como laboratório. Você esteve lá dentro?

Call assentiu, engolindo em seco. Aquele era o momento. Ele abriu a boca com a intenção de dizer: "O Mestre Joseph estava lá e me contou que eu sou o Inimigo da Morte."

Porém, as palavras não saíram. Era como se ele estivesse na beira de um abismo e o seu corpo lhe dissesse para se jogar enquanto a mente o detinha. Caso repetisse o que o Mestre Joseph lhe contara, o Mestre Rufus o odiaria. Todos eles o odiariam.

E graças a quê? Mesmo que ele já tivesse sido Constantine Madden algum dia, não conseguia se lembrar de nada daquilo. Ele ainda era Callum, não era? Ainda era a mesma pessoa. Ele não havia se tornado mau. Não queria causar nenhum dano ao Magisterium. E, de qualquer forma, o que era uma alma? Não era ela quem dizia o que uma pessoa tinha de fazer. Ele podia muito bem tomar suas próprias decisões sozinho.

— É, tinha um laboratório com um monte de coisas borbulhantes e elementais em nichos que iluminavam todo o lugar. Só que não havia ninguém lá. — Call engoliu em seco, esforçando-se para mentir. Seu coração se acelerou. — A sala estava vazia.

— Não havia mais ninguém? — o Mestre Rufus perguntou, estudando Call com atenção. — Não há nenhum outro detalhe que você acredite que poderia nos ajudar? Qualquer coisa, independentemente do tamanho?

— Havia Dominados pelo Caos. Vários deles. E um elemental do caos. Ele me perseguiu até o laboratório, mas foi aí que Aaron e Tamara quebraram o teto, então...

— Sim, Tamara e Aaron já me contaram sobre o incrível truque que fizeram com a placa. — O Mestre Rufus sorriu, mas Call pôde perceber que ele escondia certa frustração. — Obrigado, Call. Você se saiu muito bem.

Call assentiu. Jamais se sentira tão horrível.

— Lembro que, quando você chegou ao Magisterium, me pediu diversas vezes para falar com Alastair. Nunca atendi seu pedido *formalmente*. — O Mestre Rufus enfatizou a última palavra, o que fez com que Call corasse. Ele imaginou se por fim, depois de todo aquele tempo, se meteria em encrenca por ter entrado escondido no gabinete do Mestre Rufus. — Mas permitirei que você faça isso agora.

Ele pegou um globo de vidro na mesa de cabeceira e o passou para Call. Um pequeno tornado rodopiava lá dentro.

— Acredito que você saiba usar isto. — Ele se levantou e caminhou até a outra porta da Enfermaria, com as mãos juntas nas costas. Levou um momento para que Call entendesse o motivo daquele gesto: o Mestre Rufus queria lhe dar privacidade.

Call pegou o globo de vidro transparente e o estudou por um momento. Parecia-se com uma grande bolha de sabão que se solidificou no ar. Ele se concentrou, pensando no pai, bloqueando os pensamentos no Mestre Joseph e em Constantine Madden e se lembrando apenas de Alastair, do cheiro de panquecas e de fumo de cachimbo, das mãos dele nos seus ombros quando fazia alguma coisa certa, do pai se esmerando para lhe explicar Geometria, a matéria de que Call menos gostava.

O tornado começou a se condensar e se moldou na forma do pai de Call, que estava de pé, vestindo uma calça manchada de óleo e uma camisa de flanela. Seus óculos estavam no alto da cabeça e ele tinha uma chave-inglesa em uma das mãos. "Ele deve estar na garagem, trabalhando em um de seus carros antigos", Call pensou. O pai olhou para cima, como se alguém houvesse chamado seu nome.

— Call? — ele perguntou.

— Pai. Sou eu.

Alastair largou a chave-inglesa, que desapareceu da imagem. Ele se virou, como se tentasse ver Call apesar de a imagem deixar claro que ele não conseguia enxergá-lo.

— O Mestre Rufus me contou o que aconteceu. Fiquei tão preocupado. Você estava na Enfermaria...

— Ainda estou — disse Call, e rapidamente acrescentou: —, mas estou bem. Fiquei um pouco baqueado, mas estou melhor. — Sua voz saiu fraca, até mesmo para seus próprios ouvidos. — Não precisa se preocupar.

— Não posso evitar — insistiu o pai, rude. — Ainda sou o seu pai, mesmo que você esteja na escola, longe de casa. — Ele olhou ao redor e depois se virou novamente para Call, como se pudesse vê-lo. — O Mestre Rufus me disse que você salvou o Makar. Foi mesmo inacreditável. Você fez o que todo o exército não conseguiu para salvar Verity Torres.

— Aaron é meu amigo. Acho que o salvamos, mas só por causa disso e não porque ele é um Makar. E nós nem sabíamos no que estávamos nos metendo.

— Fico feliz por você ter amigos aí, Call. — Os olhos do pai eram sérios. — Pode ser difícil ser amigo de alguém tão poderoso.

Call se lembrou do bracelete enviado junto com a carta de seu pai, das milhares de perguntas sem resposta que pairavam em sua cabeça. "Você era amigo de Constantine Madden?", ele queria perguntar, mas não conseguia. Não naquele momento, nem com o Mestre Rufus ali por perto.

— Rufus também me contou que havia outro aluno do Magisterium no boliche — o pai continuou. — Alguém que trabalhava para o Inimigo.

— Drew... É verdade. — Call balançou a cabeça. — Nós não sabíamos.

— Não é culpa de vocês. Às vezes as pessoas podem esconder suas verdadeiras faces. — O pai suspirou. — Então esse aluno... esse Drew... estava lá, mas não havia nem sinal do Inimigo?

"Não existe nenhum Inimigo. Vocês têm lutado contra um fantasma durante todos esses anos. Uma ilusão na qual o Mestre Joseph queria que vocês acreditassem. Só que não posso lhe contar essas coisas, porque, se o Inimigo não é Constantine Madden, então quem é?"

— Não acredito que teríamos conseguido sair vivos se ele estivesse lá — respondeu Call. — Acho que tivemos sorte.

— E esse tal de Drew... ele não disse nada a você?
— Como o quê?
— Qualquer coisa sobre... sobre você — o pai sondou, cauteloso. — É que eu acho estranho o Inimigo deixar um Makar capturado sob a proteção de um reles aluno do Magisterium.
— Também havia um monte de Dominados pelo Caos. Mas, não, ninguém me disse nada. Apenas Drew e os Dominados pelo Caos estavam lá, e eles não costumam falar muito.
— Não. — O pai quase abriu um sorriso. — Eles não gostam mesmo de falar, não é? — Ele suspirou novamente. — Sinto sua falta por aqui, Callum.
— Também sinto saudade. — Call sentiu um aperto na garganta.
— Vejo você quando as aulas terminarem — disse o pai.
Call assentiu, apesar de não considerar o tom de Alastair muito convincente, e passou uma das mãos pela superfície do globo. A imagem do pai desapareceu. Ele se sentou e encarou o aparelho. Já que não havia mais nenhuma imagem lá dentro, pôde ver seu próprio reflexo no vidro. O mesmo cabelo preto, os mesmos olhos cinza, o mesmo nariz e queixo levemente pontudos. Tudo que lhe era familiar. Ele não se parecia com Constantine Madden. Ele se parecia com Callum Hunt.
— Vou ficar com isto. — O Mestre Rufus tirou o globo das mãos de Call, sorrindo. — É provável que você fique aqui por mais alguns dias para descansar enquanto seus ferimentos saram. Nesse meio-tempo, há duas pessoas que esperam pacientemente para vê-lo.
O Mestre Rufus foi até a porta da Enfermaria e a abriu.
Tamara e Aaron correram lá para dentro.

Estar na Enfermaria por ter se machucado enquanto fazia algo incrível era totalmente diferente de estar ali por ter feito uma coisa estúpida. Os colegas não paravam de visitá-lo. Todos queriam ouvir a mesma história várias e várias vezes, todos queriam ouvir sobre quão assustadores eram os Dominados pelo Caos e como Call lutou contra o elemental do caos. Todos queriam ouvir como a placa atravessou o teto e rir da parte em que Call desmaiava.

Gwenda e Célia lhe deram barras de chocolate que trouxeram de casa. Rafe levou um baralho e eles jogaram buraco em cima dos cobertores. Call nunca havia percebido quantas pessoas no Magisterium sabiam quem ele era. Até mesmo alguns dos alunos mais velhos foram vê-lo, como a irmã de Tamara, Kimiya, que era tão alta e séria que assustou Call quando lhe disse que ficava feliz por ele ser amigo de Tamara, e Alex, que fez aparecer um pacote de balas de goma, as preferidas de Call, e o advertiu de como toda essa história de herói fazia com que o resto da escola se sentisse mal.

Até mesmo Jasper o visitou, o que era extremamente embaraçoso. Ele se arrastou para dentro da Enfermaria enquanto enfiava o cachecol de caxemira esfarrapada para dentro do uniforme.

— Trouxe um sanduíche da Galeria para você — ele disse, passando um embrulho para Call. — É de líquen, óbvio, com sabor de atum. Eu odeio atum.

— Obrigado. — Call virou o sanduíche nas mãos. Estava estranhamente quente, o que fez com que ele imaginasse que deveria estar no bolso de Jasper.

— Eu só queria dizer — começou Jasper — que todo mundo está falando sobre o que você fez, resgatando Aaron, e acho que você deveria saber que eu também acho que foi uma coisa boa. O que você fez. E que está tudo bem. Não tem problema se você tomou o meu lugar no grupo do Mestre Rufus. Porque talvez você mereça estar lá. Por isso, não estou com raiva de você. Não mais.

— É claro que você arranjou um jeito de atrair a atenção para você, não é, Jasper? — comentou Call, que tinha de admitir que desfrutava aquele momento.

— Está certo. — Jasper puxou o cachecol com tanta raiva que quase arrancou um pedaço do tecido. — Foi um bom papo. Saboreie o sanduíche.

Ele saiu da Enfermaria um tanto cambaleante, e Call se divertiu ao observá-lo se afastar. E só então se deu conta de que ficava feliz ao saber que Jasper não o odiava mais, apesar de ter jogado fora o sanduíche só por precaução.

Tamara e Aaron o visitaram mais vezes do que era permitido, jogando-se na cama de Call como se fosse uma cama elástica, loucos para lhe contar tudo o que acontecia enquanto ele estava ali deitado. Aaron explicou como ele convenceu os mestres a deixá-lo ficar com Devastação argumentando que, como o Makar, ele precisava de uma criatura Dominada pelo Caos para seus estudos. Eles não gostaram da ideia, mas permitiram que ele ficasse com o lobo, e a partir de então Devastação seria um elemento permanente em seus aposentos. Tamara contou que a forma como os magos deixavam que Aaron se safasse das coisas iria acabar subindo à cabeça dele, tornando-o ainda mais insuportável do que Call. Eles conversavam e riam tão alto que a Mestra Amaranth acabou liberando Call mais cedo apenas para ter um pouco de paz e silêncio, o que provavelmente foi uma boa ideia, já que o menino já estava se acostumando com o hábito de passar o dia inteiro deitado com pessoas lhe trazendo coisas. Mais uma semana e ele jamais abandonaria aquela vida.

Cinco dias após seu retorno do campo do Inimigo, Call voltou aos estudos. Ele entrou em um barco com Aaron e Tamara com os membros um pouco rígidos. Seu ferimento na perna já havia quase sarado, mesmo assim a locomoção ainda era difícil. Quando chegaram à porta da sala de aula, o Mestre Rufus já os esperava.

— Hoje, vamos fazer algo um pouco diferente. — Ele gesticulou em direção ao corredor. — Vamos visitar o Hall dos Graduados.

— Já estivemos lá antes — informou Tamara antes que Call pudesse lhe dar um chute. Se Mestre Rufus queria levá-los em uma excursão em vez de lhes passar exercícios tediosos, então era melhor apoiarem aquela ideia. Além disso, o Mestre Rufus não sabia que eles já tinham estado no Hall dos Graduados, já que, naquela época, eles estavam ocupados se perdendo e falhando nas tarefas que lhes eram apresentadas.

— Ah, é mesmo? — O Mestre Rufus começou a andar. — E o que vocês viram lá?

— As impressões digitais de pessoas que estudaram no Magisterium antes da gente — Aaron respondeu. — Alguns dos parentes dos nossos colegas. A mãe de Call.

Eles atravessaram uma porta que o Mestre Rufus abriu com seu bracelete e desceram uma escada em espiral feita de pedra branca.

— Alguma outra coisa?

— O Primeiro Portal. — Tamara olhou ao redor, confusa. Eles não tinham passado por ali antes. — Só que não estava funcionando.

— Ah. — O Mestre Rufus passou seu bracelete diante de uma parede sólida e observou quando a rocha brilhou e desapareceu, revelando outra sala contígua àquela em que eles estavam. Rufus sorriu ao ver a surpresa dos alunos. — É, existem algumas rotas na escola que vocês ainda não conhecem.

Eles entraram em uma sala pela qual Call se lembrava de terem passado quando estavam perdidos, com longas estalactites e uma lama fumegante que aquecia o ar. Ele se virou, imaginando se seria capaz de refazer o caminho até a porta que o Mestre Rufus acabara de lhes mostrar, porém, mesmo que ele fosse capaz de seguir aquela rota, não tinha certeza de que seu bracelete seria capaz de abri-la.

Eles passaram por outra porta e então se viram no interior do Hall dos Graduados. Um dos arcos parecia estar coberto por alguma substância, algo membranoso e vivo. As palavras *Prima Materia* cinzeladas no alto da passagem brilhavam com uma luz estranha, como se as letras fossem iluminadas por dentro.

— Hum. O que é isso? — Call perguntou.

O sorrisinho no rosto do Mestre Rufus se transformou em um sorriso largo.

— Vocês todos podem ver? Muito bem. Imaginei que veriam. Isso significa que vocês estão prontos para passar pelo Primeiro Portal, o Portal do Controle. Depois que o atravessarem, serão considerados magos por direito e eu lhes darei o metal para ser adicionado a seus braceletes que formalmente lhes conferirá o status de alunos do Ano de Cobre. A partir deste ponto, vocês poderão decidir até quando querem continuar a estudar, mas acredito que vocês três são alguns dos melhores aprendizes a quem já tive o prazer de ensinar. Espero que continuem com seus estudos.

Call olhou para Tamara e Aaron. Eles sorriam um para o outro e depois se viraram para ele. Aaron então resolveu perguntar algo para quebrar o gelo:

— Mas eu pensei... quero dizer, isso é mesmo ótimo, mas não deveríamos atravessar o portal apenas no fim do ano? Quando terminarmos o Ano de Ferro?

O Mestre Rufus ergueu ambas as sobrancelhas espessas.

— Vocês são aprendizes. O que significa que aprenderão aquilo que estão preparados para aprender e passarão pelos portais quando estiverem prontos, não depois e, com toda a certeza, não antes. Já que são capazes de ver o portal, então vocês estão prontos. Tamara Rajavi, você primeiro.

Ela deu um passo à frente, com os ombros eretos, e caminhou até o portal com uma expressão maravilhada no rosto, como se mal conseguisse acreditar no que estava acontecendo. Ergueu um dos braços e tocou o centro rodopiante do portal. Logo em seguida, ela fez um som agudo e tirou os dedos, encantada. Ela olhou de relance para Call e Aaron e, então, ainda sorrindo, deu um passo para dentro e saiu do campo de visão dos meninos.

— Agora você, Aaron Stewart.

— Tudo bem — Aaron assentiu, parecendo um pouco nervoso. Ele secou as palmas das mãos suadas na calça cinzenta do uniforme. Dando um passo para dentro do portal, ele jogou os braços para cima e se arremessou para o que quer que houvesse além daquela passagem como um jogador de futebol americano que corre para marcar um *touchdown*.

O Mestre Rufus balançou a cabeça como quem se divertia ao observar a cena, mas não fez nenhum comentário sobre a técnica de Aaron para atravessar portais.

— Callum Hunt, siga em frente — ele disse.

Call engoliu em seco e se aproximou da passagem. Ele se lembrou do que o Mestre Rufus havia lhe dito no dia em que lhe revelou por que o escolhera. "Até que um mago passe pelo Primeiro Portal, a magia dele pode ser interditada por qualquer um dos Mestres. Você não será mais capaz de acessar os elementos nem de utilizar seu poder."

Caso sua magia fosse interditada, Callum não poderia se tornar o Inimigo da Morte. E nem mesmo poderia se tornar alguém *parecido* com ele.

Foi aquilo o que o pai pedira que o Mestre Rufus fizesse, enviando o bracelete de Constantine Madden como um aviso. De pé, diante do portal, Call finalmente admitiu para si mesmo: Tamara estava certa quando disse que a advertência de seu pai não tinha nada a ver com a segurança de Call. Na verdade, era uma tentativa de proteger as outras pessoas *dele*.

Aquela era a última chance de Call. Sua chance final. Se ele atravessasse o Portal do Controle, sua magia não poderia mais ser interditada. Não seria mais fácil deixar o mundo a salvo de quem ele era. Assegurar que ele jamais se voltaria contra Aaron. Ter certeza de que jamais se tornaria Constantine Madden.

Ele pensou em voltar para sua escola de sempre, onde não tinha nenhum amigo e passava os fins de semana sob o olhar carrancudo do pai. Ele pensou em como seria nunca mais ver Aaron e Tamara novamente e em todas as aventuras que eles realizaram juntos. Ele imaginou como seria ter Devastação em seu quarto de casa e quão deprimido o lobo ficaria. Ele pensou em Célia, Gwenda, Rafe e até mesmo no Mestre Rufus, se lembrou do Refeitório, da Galeria e de todos os túneis que jamais exploraria.

Talvez, se ele contasse tudo, as coisas não se mostrassem como o Mestre Joseph descrevera. Talvez eles não interditassem sua magia. Talvez eles o ajudassem. Talvez até mesmo lhe dissessem que toda essa coisa de trocar almas era impossível, que ele era simplesmente Callum Hunt e não havia nada a temer, já que ele não se tornaria um monstro com uma máscara de prata.

Mas talvez não fosse o suficiente.

Dando um passo à frente, ele respirou fundo, abaixou a cabeça e atravessou o Portal do Controle. Ele pôde sentir a magia, pura e poderosa.

Call ouviu Tamara e Aaron gargalhando do outro lado.

E, mesmo contra a própria vontade, apesar da coisa terrível que fazia, apesar de tudo, Call abriu um imenso sorriso.

SOBRE AS AUTORAS

HOLLY BLACK E CASSANDRA CLARE

Se conheceram há dez anos, na sessão de autógrafos do primeiro livro de Holly. Desde então elas se tornaram boas amigas, e essa amizade se intensificou graças (entre outras coisas) ao amor de ambas pela fantasia. **Magisterium** surgiu do desejo de criarem juntas uma história sobre heróis e vilões, o bem e o mal... e sobre ser escolhido para a glória, mesmo que você não goste disso. *O Desafio de Ferro* é o primeiro dos cinco livros dessa série incrível.

    HOLLY é autora *best-seller* de sucessos como *A Menina Mais Fria de Coldtown*, lançado pela Editora Novo Conceito. Ela recebeu a medalha Newbery Honor por *Boneca de Ossos*, publicado pelo selo #irado, também da Editora Novo Conceito. **CASSANDRA** escreve para o público jovem adulto. Ambas vivem em Massachusetts, nos Estados Unidos, a dez minutos da casa uma da outra.

NOTAS

[1] Termo em francês que designa uma peça de metal que, por meio de correias, prende-se à sola da bota, que possui saliências pontiagudas para maior aderência em caminhadas ou escaladas no gelo ou na neve. (N. T.)

[2] Termo em francês para um instrumento cujo formato se assemelha a uma pequena picareta, também utilizado por alpinistas para a progressão da escalada em montanhas cobertas de gelo ou neve. (N. T.)

[3] Réptil cujo corpo é semelhante ao de um dragão, mas com asas no lugar das patas traseiras. (N.E.)

[4] *Guilherme Tell* é uma ópera escrita pelo italiano Gioacchino Rossini no século 19. (N.E.)